【電子版のご案内】

■ タブレット・スマートフォン（iPhone, iPad, Android）向け電子書籍閲覧アプリ
「南江堂テキストビューア」より，本書の電子版をご利用いただけます．

シリアル番号：

薬学生のための病態検査学
改訂第4版　第2刷

■ シリアル番号は南江堂テキストビューア専用サイト（下記URL）より
ログインのうえ，ご登録ください．（アプリからは登録できません．）
https://e-viewer.nankodo.co.jp
※初回ご利用時は会員登録が必要です．登録用サイトよりお手続きください．
　詳しい手順は同サイトの「ヘルプ」をご参照ください．

■ シリアル番号ご登録後，アプリにて本電子版がご利用いただけます．
■ 注意事項
- シリアル番号登録・本電子版のダウンロードに伴う通信費などはご自身でご負担ください．
- 本電子版の利用は購入者本人に限定いたします．図書館・図書施設など複数人の利用を前提とした利用はできません．
- 本電子版は，1つのシリアル番号に対し，1ユーザー・1端末の提供となります．一度登録されたシリアル番号は再登録できません．権利者以外が登録した場合，権利者は登録できなくなります．
- シリアル番号を他人に提供または転売すること，またはこれらに類似する行為を禁止しております．
- 南江堂テキストビューアは事前予告なくサービスを終了することがあります．

■ 本件についてのお問い合わせは南江堂ホームページよりお寄せください．

［薬学生のための病態検査学　改訂第4版　第2刷］

薬学生のための
病態検査学
[改訂第4版]

編集
三浦 雅一

電子版付

南江堂

◆編集

三浦　雅一　みうら まさかず　　北陸大学 理事/薬学部 教授

◆執筆（執筆順）

竹橋　正則	たけはし まさのり	神戸学院大学栄養学部 教授
日塔　武彰	にっとう たけあき	横浜薬科大学 教授
多河　典子	たがわ のりこ	神戸薬科大学 講師
松永　俊之	まつなが としゆき	岐阜薬科大学 教授
中川　沙織	なかがわ さおり	新潟薬科大学医療技術学部 教授
三浦　雅一	みうら まさかず	北陸大学 理事/薬学部 教授
小迫　知弘	こざこ ともひろ	福岡大学薬学部 准教授
木村　聡	きむら さとし	昭和大学医学部 教授
佐藤　友紀	さとう ゆき	北陸大学薬学部 准教授
平田　尚人	ひらた なおと	東京薬科大学薬学部 准教授
寺田　一樹	てらだ かずき	帝京大学薬学部 講師
橋口　照人	はしぐち てると	鹿児島大学大学院医歯学総合研究科 教授
古川　勝敏	ふるかわ かつとし	東北医科薬科大学医学部 教授
町田麻依子	まちだ まいこ	北海道科学大学薬学部 准教授

口　絵

第3章 C　消化器疾患

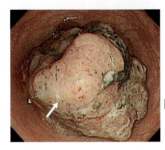

図A　進行大腸がん（1型腫瘍）
（本文 p.171）

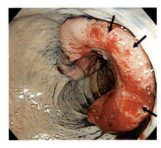

図B　進行大腸がん（2型腫瘍）
（本文 p.171）

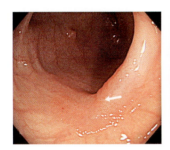
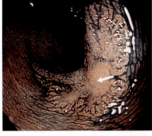

図C　早期大腸がん（本文 p.171）
白色光観察像（左），色素内視鏡観察像（人体に無害なインクを内視鏡から散布し撮影したもの．凹凸がより鮮明となる：右）

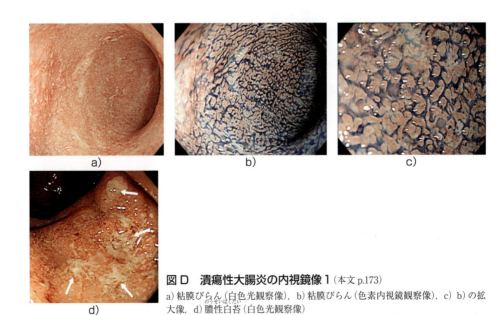

図D　潰瘍性大腸炎の内視鏡像1（本文 p.173）
a) 粘膜びらん（白色光観察像），b) 粘膜びらん（色素内視鏡観察像），c) b)の拡大像，d) 膿性白苔（白色光観察像）

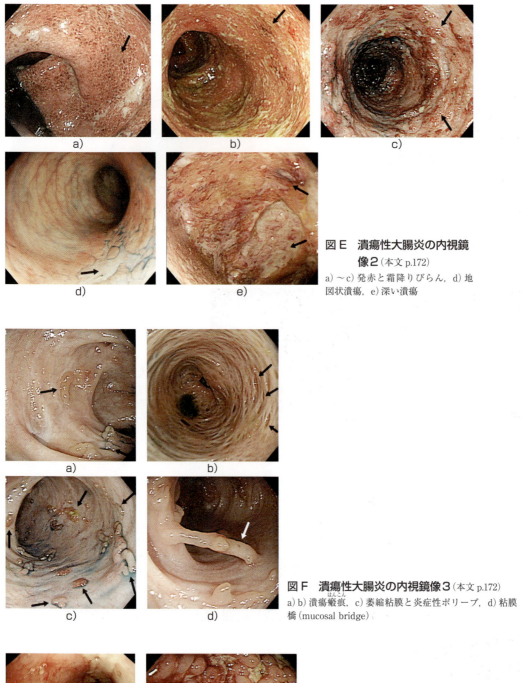

図E　潰瘍性大腸炎の内視鏡像2（本文 p.172）
a)〜c) 発赤と霜降りびらん，d) 地図状潰瘍，e) 深い潰瘍

図F　潰瘍性大腸炎の内視鏡像3（本文 p.172）
a) b) 潰瘍瘢痕，c) 萎縮粘膜と炎症性ポリープ，d) 粘膜橋（mucosal bridge）

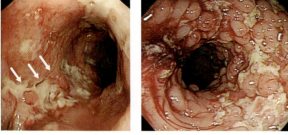

図G　クローン病の内視鏡像1（本文 p.173）
縦走潰瘍（左），敷石像（右）

口絵 v

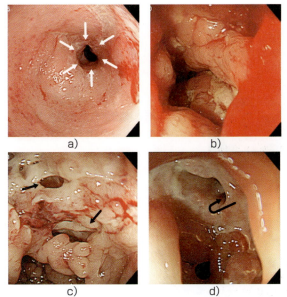

図H　クローン病の内視鏡像2（本文 p.172）
a) b) 狭窄，健康であればこの倍以上の口径がある．c) 深い潰瘍と出血，d) 瘻孔

第3章D　肝臓・胆道・膵臓疾患

 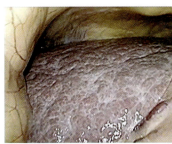

図I　肝硬変における肝臓の腹腔鏡所見（本文 p.179）
健常者では光沢を帯びた平滑な肝臓表面が，粗大な凹凸に覆われるのが肝硬変の特徴的である．

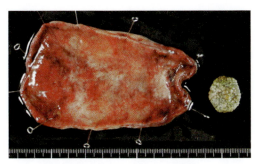 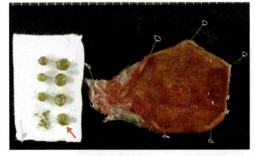

図J　手術で摘出された胆嚢の割面像とコレステロール結石（矢印）（本文 p.182）
単発例（左），多発例（右）

vi　口　絵

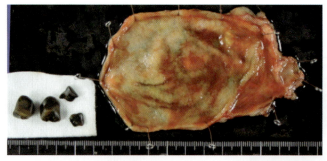

図K　手術で摘出された胆嚢とコレステロール・ビリルビン混合結石（本文 p.182）

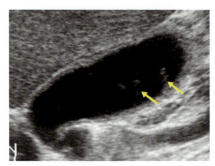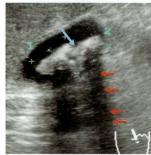

図L　結石の超音波所見（本文 p.183）
胆嚢内の胆砂［黄色の矢印］（左）．総胆管内の複数の結石［青い矢印］と音響陰影［赤い矢印］（右）

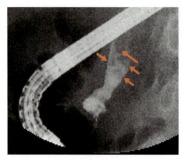

図M　総胆管結石（本文 p.183）
逆行性胆管造影（ERCP）で数個の結石を認める（左）．摘出された結石（右）

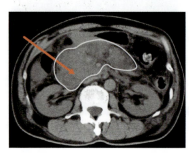

図N　急性膵炎の腹部CT像（本文 p.185）
腫大した膵臓を矢印で示す．

口絵 vii

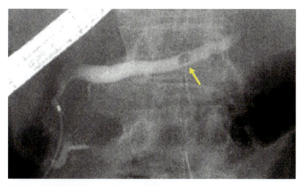

図O　慢性膵炎にみられた膵石（本文 p.185）
ERCP像（左），造影により白く映し出された膵管の中で透明に抜けてみえるのが膵石である．摘出された膵石の拡大像（右）．

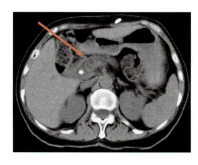

図P　膵頭部がんの腹部CT像（本文 p.187）
腫瘍部分を矢印で示す．

写真提供　図A〜H，図N，図P：昭和大学横浜市北部病院　消化器センター　大塚 和朗 博士のご厚意による．
　　　　　図I：昭和大学横浜市北部病院　消化器センター　出口 義雄 博士のご厚意による．
　　　　　図J，図K：昭和大学横浜市北部病院　消化器センター　春日井 尚 博士のご厚意による．
　　　　　図L，図M，図O：昭和大学横浜市北部病院　消化器センター　樫田 博史 博士のご厚意による．
　　　　　（所属は写真提供時のもの）

第3章H　脳・中枢神経系疾患

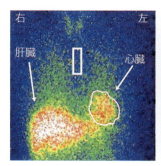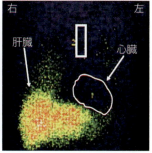

図3H-3　MIBG心筋シンチグラフィー
（本文 p.229）
健常者（左），パーキンソン病患者（右）．健常者と比較し，心筋への核種の取込みが低下している．

改訂第4版の序文

 2009年に初版が刊行され15年目を迎え，今回の改訂第4版となった．本書は，薬学生向けの臨床検査学の教科書として，常に最新の情報を網羅し収集し，編集を行ってきた．また，本書の読者である薬学生や本書を採用していただいている教員からの意見に耳を傾け，改訂を重ねることで，この領域での先頭を走っていると自負している．本書を愛読していただいている読者に心から感謝申し上げる．

 今回の改訂点を以下に示す．

1) 検査項目の追加や基準値の変更：前回の改訂（2018年）以降に新たに保険収載された項目や，急速に進歩する検査測定法の変更・追加，それに伴う基準値の変更を行ったほか，各診療ガイドラインも最新版を使用し掲載した．

2) 構成の変更：薬剤師が活躍する医療現場を意識し，実務実習などでもすぐに役立つように，改訂第3版までは付録として位置づけられていた「検査値一覧」を本書の先頭に配置し，さらに「検査法解説」を検査値一覧の次に配置する斬新な構成とした．

3) 薬学モデル・コア・カリキュラム対応：薬学教育に必要とされる，臨床検査に関する知識や理解を詳しく整理できるように編集した．2024年度から適用の改訂コア・カリキュラムにも対応し，「考える」過程を重視して，第4章の症例の解説などは電子版のみに収載した．

4) 知識の整理と定着：改訂第3版で設けた「病態検査に関する演習問題」に加えて，第2章の各節末ごとに重要ポイントに絞った復習問題（CBTレベル）を設け，知識の定着を促すようにした．

 病気の診断に用いる情報は，問診や身体診察に加えて，さまざまな画像診断や血液・尿などの検体を使用した臨床検査診断などがある．これらを統合することにより，患者の病態を理解することが必要である．従来の医療では，患者の病態を読み解くことは医師の仕事であり，薬剤師などのメディカルスタッフの関与は少なかった．しかし，現在の医療では，薬剤師が患者に近い臨床現場で積極的に活躍するようになった．

 また，健康サポート薬局のような「かかりつけ薬剤師」は，未病も含めた健康管理への貢献も期待されている．薬剤師には，患者が持参する臨床検査値から得られる数値を解釈し，判断することが求められている．そのため，薬学生には，患者のさまざまな病態を正しく理解し，適切な服薬指導を行う能力が求められており，患者の病態を臨床検査値より読み解くことは，これからの薬学教育の根幹を占めている．

 おわりに執筆者の各位に感謝するとともに，出版にご尽力いただいた南江堂の諸氏に謝意を申し上げる．

2023年10月

三浦雅一

初版の序文

　現在はチーム医療の時代とよくいわれている．チーム医療においては，より専門性の高い知識が有機的に融合しないことには真のチーム医療の成立は難しい状況である．チーム医療のスタッフはそのスタッフのもつ専門領域の知識が他領域にいかに関与・関連するかを的確に把握する必要があり，これらのチーム医療スタッフの密接な連携により，より高い水準の医療を社会に提供することが可能となる．特に，コメディカルスタッフに対する期待は大きいものがあり，薬剤師もその例外ではない．今，薬剤師業務が大きく変革されつつあり，これに伴って薬剤師に対して多くの，しかも質の高い知識と技能が強く求められてきている．

　医薬品の合理的かつ適正な使用には，医薬品に対する高度な知識が不可欠であるが，このためには的確な病態の把握が前提となっている．有効性と安全性に優れた薬物治療には，臨床検査値のもつ意義を正しく理解し，これを医薬品の投与に的確に反映させる必要がある．

　一方，臨床検査の近年の進歩には目を見張るものが多く，予防・診療・治療においてその重要性は日増しに大きくなっていることは衆人の認めるところであろう．また，最近の臨床検査の特徴として，①検査項目の増加，②測定技術の進歩・自動化，などがある．もちろん，これらは日々進化し続けているが，最新の検査情報だけでなく，検査室に届くさまざまな検体を処理するなかでも必要とされている配慮，診療ガイドラインの基本となっている測定法やその検査に関する基準値なども各診療科領域では必要不可欠なものとなっている．正確な検査には，患者の体から正しく検体が採取され，正しく解析されることが必要であるためである．

　医療で最も身近なものでありながら本当のところよくわからなかった臨床検査について，薬剤師教育に必要な病態検査という観点で本書を編集した．執筆に関しては，可能な限り図や表を沢山盛り込み理解しやすいようにし，通常の授業だけではなく卒業後も利用できるような内容とするためより実践的で最新の臨床検査情報を盛り込むことを基本とした．

　本書が，これから医療・健康界を背負っていく薬学部学生，薬剤師などのコメディカルスタッフの教科書や参考書として役立つことができれば，編者，執筆者一同にとって，これに過ぎる喜びはない．

　おわりに執筆者の各位に感謝するとともに，出版にご尽力頂いた南江堂の諸氏に深く御礼申し上げる．

2009年6月

三浦　雅一

目 次

検査値一覧 xvi
検査法解説 .... (竹橋正則) xxv

第1章 病態検査を理解する上での基礎と検査データの見方 ———（竹橋正則） 1

A 検査データの見方 2
 1 基準値（基準範囲）とは 2
 2 カットオフ値とは 2
 3 治療と検査の関係 4
 4 検査に用いられる主な単位 4
B 検査に用いる検体の種類 6
C 臨床検査値の生理的変動 6
D 検体の取扱い，注意点，留意点 7

第2章 病態検査を行うにあたり必要な検査項目 ——— 9

A 血球検査 ....（日塔武彰） 10
 A-1 血球 10
  白血球数（WBC）とは 10
  白血球分画とは 11
  赤血球数（RBC）とは 12
  ヘモグロビン（Hb）とは 13
  ヘマトクリット（Ht）とは 14
  赤血球恒数（指数）とは 15
  網状赤血球（網赤血球）数とは 16
  赤沈とは 16
 A-2 凝固・線溶系 17
  血小板数とは 18
  出血時間とは 19
  プロトロンビン時間（PT），活性化部分トロンボプラスチン時間（APTT）とは 19
  フィブリノゲンとは 21
  アンチトロンビン活性，トロンビン・アンチトロンビン複合体（TAT）とは 23
  フィブリン・フィブリノゲン分解産物（FDP），D-ダイマーとは 23
  プラスミノゲンとは 25
  プラスミンインヒビター（α_2PI），プラスミンインヒビター・プラスミン複合体（α_2PIC）とは 25
B 臨床化学検査 27
 B-1 電解質 ....（多河典子）27
  ナトリウム（Na）とは 27
  カリウム（K）とは 28
  クロール（Cl）とは 29
  カルシウム（Ca）とは 30
  鉄（Fe）とは 31
  鉄結合能とは 32
  フェリチンとは 33
  マグネシウム（Mg）とは 34
 B-2 糖質・糖質代謝物 35
  血糖とは 35
  HbA1cとは 37
  グリコアルブミンとは 38
 B-3 脂質・脂質代謝物 ....（松永俊之）39
  総コレステロール（TC）とは 39
  HDL-コレステロール（HDL-C）とは ... 40
  LDL-コレステロール（LDL-C）とは ... 42
  トリグリセリド（TG）とは 44
  リポ蛋白分画とは 46
 B-4 蛋白・蛋白代謝物 48
  総蛋白（TP）・蛋白分画とは 48
  アンモニアとは 50
  尿素窒素とは 51
  クレアチニン（Cr）とは 52
  シスタチンC（Cys-C）とは 53

B-5 核酸代謝産物・ビリルビン ……（中川沙織） 54
- 核酸代謝物・尿酸とは …………………… 54
- ビリルビンとは …………………………… 56

B-6 酵素 ……………………（三浦雅一） 58
- AST，ALTとは …………………………… 58
- LD・LDアイソザイムとは ……………… 60
- ALP・ALPアイソザイムとは …………… 62
- AMY・AMYアイソザイムとは ………… 64
- CK・CKアイソザイムとは ……………… 65
- γ-GTとは ………………………………… 66
- LAPとは …………………………………… 67
- ChEとは …………………………………… 68

B-7 骨代謝マーカー ………………………… 69
- 骨代謝マーカーとは ……………………… 69

B-8 内分泌検査 ……………（小迫知弘） 72
- a）副腎皮質刺激ホルモンと副腎皮質ホルモン … 72
  - 副腎皮質刺激ホルモンとは ……………… 72
  - コルチゾールとは（副腎皮質ホルモン） … 73
  - デヒドロエピアンドロステロンサルフェートとは（副腎皮質ホルモン） …………… 74
  - アルドステロンとは（副腎皮質ホルモン） … 75
  - 血漿レニンとは …………………………… 77
- b）甲状腺刺激ホルモンと甲状腺ホルモン … 78
  - 甲状腺刺激ホルモンとは ………………… 78
  - 甲状腺ホルモンとは ……………………… 79
- c）副甲状腺ホルモンとカルシトニン …… 81
  - 副甲状腺ホルモンとは …………………… 81
  - カルシトニンとは ………………………… 82
- d）成長ホルモン …………………………… 83
  - 成長ホルモンとは ………………………… 83
- e）抗利尿ホルモン ………………………… 85
  - バソプレシンとは ………………………… 85
- f）ゴナドトロピン放出ホルモンとゴナドトロピン … 86
  - 卵胞刺激ホルモンとは …………………… 87
  - 黄体形成ホルモンとは …………………… 88
- g）ヒト絨毛性ゴナドトロピン …………… 89
  - ヒト絨毛性ゴナドトロピンとは ………… 89
- h）女性ホルモン …………………………… 90
  - エストロゲンとは ………………………… 90
  - プロゲステロンとは ……………………… 92
- i）乳腺刺激ホルモン（プロラクチン） … 93
  - プロラクチンとは ………………………… 93
- j）インスリン・C-ペプチド ……………… 94
  - インスリン・C-ペプチドとは …………… 94
- k）ナトリウム利尿ペプチド ……………… 95
  - 心房性ナトリウム利尿ペプチド，脳性ナトリウム利尿ペプチドとは …………… 95

C 免疫検査 ………………………………… 97

C-1 免疫血清検査 ……………（三浦雅一） 97
- CRPとは …………………………………… 97
- 梅毒血清反応とは ………………………… 98
- クラミジア・トラコマチス抗原，クラミジア・トラコマチス抗体とは ……… 99
- 肝炎ウイルスマーカーとは ……………… 99
- HIV検査とは ……………………………… 102
- HTLV検査とは …………………………… 104
- ASO検査，ASK検査とは ………………… 105
- シアル化糖鎖抗原（KL-6）とは ………… 105
- 肺サーファクタント蛋白-A（SP-A）とは … 106
- 肺サーファクタント蛋白-D（SP-D）とは … 107

C-2 自己免疫疾患検査 ……………………… 108
- 抗核抗体とは ……………………………… 108
- 抗ミトコンドリア抗体とは ……………… 109
- リウマトイド因子に関する検査とは …… 109

C-3 感染症POCT ……………（中川沙織） 111
- 感染症POCTとは ………………………… 111

C-4 腫瘍マーカー ……………（木村　聡） 113

D 遺伝子検査 ………………（竹橋正則） 119
D-1 遺伝子検査の分類 ……………………… 119
D-2 コンパニオン診断 ……………………… 120

E 微生物感染症検査 ……………………… 122
E-1 ヘリコバクター・ピロリ（ピロリ菌） ……（三浦雅一） 122
- ヘリコバクター・ピロリとは …………… 122

E-2 耐性菌 ……………………（佐藤友紀） 123
- 薬剤感受性試験とは ……………………… 123
- メチシリン耐性黄色ブドウ球菌（MRSA）とは ………………………………… 124

E-3 結核菌 …………………………………… 124

E-4 敗血症 …………………………………… 126
- プロカルシトニン（PCT）とは ………… 126
- β-D-グルカンとは ……………………… 127

E-5 病原体遺伝子検査 ………（木村　聡） 128
- 結核菌DNAとは ………………………… 128
- HBV-DNAとは …………………………… 129
- HCV-RNAとは …………………………… 130

	クラミジア・トラコマチス DNA とは		131
F	生理機能検査		132
F-1	心機能検査	（平田尚人）	132
	心電図検査とは		132
	心血管超音波検査法（心臓および血管超音波検査）とは		136
	胸部 X 線検査とは		137
	ナトリウム利尿ペプチドとは		137
F-2	肺機能検査		138
	スパイログラムとは		138
	肺拡散能力（DLCO, DLCO/VA）とは		140
F-3	動脈血ガス分析		140
	動脈血ガス分析および経皮的酸素飽和度とは		140
F-4	バイタルサインを含むフィジカルアセスメント		142
	救急医療におけるフィジカルアセスメント（ABCDE アプローチ）		142
G	一般検査	（寺田一樹）	146
G-1	尿検査		146
	尿量，尿比重，尿浸透圧とは		146
	尿定性検査とは		146
	尿 pH とは		147
	尿蛋白とは		147
	尿糖（グルコース）とは		148
	尿ケトン体とは		149
	尿ビリルビンとは		150
	尿ウロビリノゲンとは		150
	尿潜血反応とは		151
G-2	便検査		152
	便潜血検査とは		152

第3章　主要疾患での病態検査の役割 — 153

A	心臓・血管疾患		154
A-1	不整脈	（平田尚人）	154
A-2	心不全	（小迫知弘）	156
A-3	高血圧		158
A-4	虚血性心疾患	（松永俊之）	160
B	血液疾患	（日塔武彰）	162
B-1	貧血		162
B-2	白血病と悪性リンパ腫		164
B-3	播種性血管内凝固症候群（DIC）		166
C	消化器疾患	（木村 聡）	168
C-1	胃・十二指腸潰瘍		168
C-2	消化管の悪性腫瘍（胃がん，大腸がん）		170
C-3	炎症性腸疾患（潰瘍性大腸炎，クローン病）		172
D	肝臓・胆道・膵臓疾患	（木村 聡）	174
D-1	肝炎		174
D-2	非アルコール性脂肪性肝疾患（NAFLD/NASH）		176
D-3	肝硬変		178
D-4	肝がん		180
D-5	胆石症		182
D-6	膵炎		184
D-7	膵がん		186
E	腎臓・泌尿器疾患	（松永俊之）	188
E-1	腎不全		188
E-2	慢性腎臓病（CKD）		190
E-3	ネフローゼ症候群		192
E-4	前立腺疾患		194
F	呼吸器疾患	（橋口照人）	196
F-1	気管支喘息		196
F-2	慢性閉塞性肺疾患（COPD）		198
F-3	肺炎		200
F-4	肺結核		202
F-5	肺がん		204
G	内分泌・栄養・代謝疾患		206
G-1	甲状腺機能異常症	（小迫知弘）	206
G-2	クッシング症候群		209
G-3	尿崩症		212
G-4	糖尿病		214
G-5	脂質異常症	（松永俊之）	218
G-6	高尿酸血症・痛風	（小迫知弘）	220
G-7	骨粗鬆症	（三浦雅一）	222
H	脳・中枢神経疾患	（古川勝敏）	224
H-1	脳血管障害		224
H-2	パーキンソン病		227
H-3	アルツハイマー病		230
H-4	髄膜炎・脳炎		233
H-5	ギラン・バレー症候群		236
I	免疫疾患	（橋口照人）	238

I-1 関節リウマチ ……………………… 238
I-2 アレルギー性疾患 …………………… 240
I-3 膠原病および関連疾患 ……………… 242
I-4 後天性免疫不全症候群（AIDS）……… 244

第4章　病態検査の意義をみる症例 — 247

心臓・血管疾患 …………（橋口照人）248
血液疾患 …………………………… 249
消化器疾患 ………………（木村　聡）250
肝臓疾患 …………………………… 251
内分泌・栄養・代謝疾患 ………………… 252
脳神経・筋疾患 …………（古川勝敏）253
免疫疾患 …………………（橋口照人）255

第5章　病態検査に関する演習問題 — （問1, 2, 7〜12：佐藤友紀／問3〜6：町田麻依子）257

略語一覧 — 261

参考文献 — 271

第2章復習問題解答・解説 — 273

第5章演習問題解答・解説 — 276

索　引 — 281

本書における臨床検査の基準値は，矢冨　裕・山田俊幸監修：『今日の臨床検査 2023-2024』（南江堂，2023年）を主に参考にした．

薬学教育モデル・コア・カリキュラム（令和4年度改訂版） 学修目標・学修事項		本書の対応項
D 医療薬学　D-1 薬物の作用と生体の変化　D-1-2 身体の病的変化		
学修目標	1）症状の発症メカニズムを，身体の正常反応と病的変化に関連付ける． 2）臨床検査の異常値の発現メカニズムを，身体の正常反応と病的変化に結び付け，臨床的意義を説明するとともに，臨床検査値の測定メカニズムと関連させる．	
学修事項	（1）代表的な臨床症状の発症するメカニズムとその特異性【1）】	3章
	（2）代表的な症候と関連する病態【1），2）】	3章
	（3）代表的な臨床検査値と症状の関連性と臨床的意義【2）】	検査値から：2章 疾病から：3章

薬学教育モデル・コアカリキュラム（平成25年度改訂版）　SBO	本書の対応項
E 医療薬学　E1 薬の作用と体の変化　（2）身体の病的変化を知る 【②病態・臨床検査】	
1. 尿検査および糞便検査の検査項目を列挙し，目的と異常所見を説明できる．	検査値から：2章G 疾病から：3章E
2. 血液検査，血液凝固機能検査および脳脊髄液検査の検査項目を列挙し，目的と異常所見を説明できる．	検査値から：2章A 疾病から：3章B・H
3. 血液生化学検査の検査項目を列挙し，目的と異常所見を説明できる．	検査値から：2章B 疾病から：3章
4. 免疫学的検査の検査項目を列挙し，目的と異常所見を説明できる．	検査値から：2章C・E 疾病から：3章
5. 動脈血ガス分析の検査項目を列挙し，目的と異常所見を説明できる．	検査値から：2章F 疾病から：3章F
6. 代表的な生理機能検査（心機能，腎機能，肝機能，呼吸機能等），病理組織検査および画像検査の検査項目を列挙し，目的と異常所見を説明できる．	検査値から：2章F 疾病から：3章A・D・E・F
7. 代表的な微生物検査の検査項目を列挙し，目的と異常所見を説明できる．	検査値から：2章E 疾病から：3章C・D・F・I
8. 代表的なフィジカルアセスメントの検査項目を列挙し，目的と異常所見を説明できる．	2章F

検査値一覧

◆血液検査

項目	基準値	異常値を示す主な疾患と病態（↑：高値，↓：低値）	掲載頁
白血球数（WBC）	$3.3 \sim 8.6 \times 10^3/\mu L$	↑ 炎症性疾患，血液系悪性腫瘍（白血病など） ↓ 再生不良性貧血，抗悪性腫瘍薬投与後	p.10
白血球分画	好中球桿状核球 0.5〜6.5% 好中球分葉核球 38.0〜74.0% 好酸球　　　　　0〜 8.5% 好塩基球　　　　0〜 2.5% 単球　　　　　2.0〜10.0% リンパ球　　　16.5〜49.5%	↑ 好中球：細菌感染，炎症性疾患，骨髄系腫瘍（慢性骨髄性白血病） 好酸球：アレルギー性疾患，蠕虫感染症 単球：細菌感染，炎症性疾患，骨髄系腫瘍 リンパ球：リンパ系腫瘍（リンパ性白血病） ↓ 好中球：再生不良性貧血，抗悪性腫瘍薬投与後 リンパ球：抗悪性腫瘍薬投与後，免疫不全症（先天性，後天性）	p.11
赤血球数（RBC）	男 $4.35 \sim 5.55 \times 10^6/\mu L$ 女 $3.86 \sim 4.92 \times 10^6/\mu L$	↑ 赤血球増加症（真性，二次性），脱水 ↓ 貧血	p.12
ヘモグロビン（Hb）	男 13.7〜16.8 g/dL 女 11.6〜14.8 g/dL	↑ 赤血球増加症，脱水 ↓ 貧血	p.13
ヘマトクリット（Ht）	男 40.7〜50.1% 女 35.1〜44.4%		p.14
平均赤血球容積（MCV）	83.6〜98.2 fL	↑ MCV：巨赤芽球性貧血（悪性貧血，葉酸欠乏性貧血など） MCHC：遺伝性球状赤血球症 ↓ MCV・MCH・MCHC：鉄欠乏性貧血，鉄芽球性貧血，サラセミア	p.15
平均赤血球ヘモグロビン量（MCH）	27.5〜33.2 pg		
平均赤血球ヘモグロビン濃度（MCHC）	31.7〜35.3 g/dL		
網状赤血球数	$0.04 \sim 0.08 \times 10^6/\mu L$	↑ 溶血性貧血，出血性疾患，長期にわたる血中酸素濃度分圧の低下，エリスロポエチン投与後，鉄欠乏性貧血の患者への鉄剤投与後 ↓ 再生不良性貧血，赤芽球癆	p.16
赤沈	男 2〜10 mm/時 女 3〜15 mm/時	亢進 炎症性疾患，免疫疾患，感染症，ネフローゼ症候群 遅延 赤血球増加症，低フィブリノゲン血症	p.16
血小板数	$158 \sim 348 \times 10^3/\mu L$	↑ 本態性血小板血症，慢性骨髄性白血病，真性赤血球増加症 ↓ 再生不良性貧血，特発性血小板減少性紫斑病，血栓性血小板減少性紫斑病，播種性血管内凝固症候群	p.18
出血時間	1〜5分	延長　血小板減少性紫斑病（特発性，血栓性），再生不良性貧血，播種性血管内凝固症候群，ベルナール・スーリエ症候群，ストレージ・プール病，血小板無力症，フォン・ウィルブランド病，溶血性尿毒症症候群，抗血小板薬投与中	p.19
プロトロンビン時間（PT）	凝固時間：10〜13秒 PT-INR：0.9〜1.1 プロトロンビン活性：80〜120% PT比：0.85〜1.15	PT正常，APTT延長：血友病A（第Ⅷ因子の異常），血友病B（第Ⅸ因子の異常），第Ⅻ因子の異常，第Ⅺ因子の異常 PT延長，APTT正常：第Ⅶ因子の異常 PT延長，APTT延長：播種性血管内凝固症候群，肝不全，肝硬変，抗凝固薬投与時，ビタミンK欠乏症，血液腫瘍，第Ⅹ因子の異常，第Ⅴ因子の異常，プロトロンビンの異常，フィブリノゲン量の異常	p.19
活性化部分トロンボプラスチン時間（APTT）	24〜36秒		

検査値一覧　xvii

項目	基準値	異常値を示す主な疾患と病態（↑:高値，↓:低値）	掲載頁
フィブリノゲン	150～400 mg/dL	↑ 全身炎症性疾患，ネフローゼ症候群 ↓ 肝不全，肝硬変，播種性血管内凝固症候群，大量出血	p.21
アンチトロンビン活性	79～121%	↑ 急性炎症性疾患，急性感染症 ↓ 播種性血管内凝固症候群，肝不全，肝硬変，ネフローゼ症候群	p.23
トロンビン・アンチトロンビン複合体（TAT）	3.0 ng/mL 以下	↑ 播種性血管内凝固症候群，敗血症，悪性腫瘍，血栓症，肝炎，術後	p.23
フィブリン・フィブリノゲン分解産物（FDP）	5 μg/mL 未満	↑ 悪性腫瘍，播種性血管内凝固症候群，血栓溶解療法，糸球体腎炎（尿中），溶血性尿毒性症候群（尿中）	p.23
D-ダイマー	1.0 μg/mL 未満	↑ 播種性血管内凝固症候群，血栓症	
プラスミノゲン	7.0～13.0 mg/dL	↑ 全身炎症性疾患 ↓ 肝硬変，肝不全，播種性血管内凝固症候群，ウロキナーゼ投与後	p.25
プラスミンインヒビター（α_2PI）	85～115%	↓ 肝不全，肝硬変，播種性血管内凝固症候群	p.25
プラスミンインヒビター・プラスミン複合体（α_2PIC）	0.8 μg/mL 未満	↑ 播種性血管内凝固症候群	

◆電解質

項目	基準値	異常値を示す主な疾患と病態（↑:高値，↓:低値）	掲載頁
ナトリウム（Na）	138～145 mEq/L	↑ 脱水症，尿崩症，原発性アルドステロン症，クッシング症候群 ↓ アジソン病，ネフローゼ症候群，腎不全，下痢・嘔吐	p.27
カリウム（K）	3.6～4.8 mEq/L	↑ アシドーシス，インスリン欠乏，アジソン病，腎機能障害 ↓ 原発性アルドステロン症，クッシング症候群，下痢，嘔吐，アルカローシス	p.28
クロール（Cl）	101～108 mEq/L	↑ 高張性脱水症，尿細管性アシドーシス，呼吸性アルカローシス ↓ 嘔吐，呼吸性アシドーシス，代謝性アルカローシス，低Na血症をきたす疾患	p.29
カルシウム（Ca）	8.8～10.1 mg/dL	↑ 原発性副甲状腺機能亢進症，悪性腫瘍，多発性骨髄腫 ↓ 慢性腎不全，副甲状腺機能低下症，ビタミンD欠乏症	p.30
イオン化Ca	2.2～2.6 mEq/L		
鉄（Fe）	男 50～200 μg/dL 女 40～180 μg/dL	↑ 再生不良性貧血，巨赤芽球性貧血，鉄芽球性貧血，肝硬変，ヘモクロマトーシス ↓ 鉄欠乏性貧血，真性多血症，悪性腫瘍，慢性炎症性疾患	p.31
総鉄結合能（TIBC）	男 253～365 μg/dL 女 246～410 μg/dL	↑ 鉄欠乏性貧血，真性多血症，妊娠 ↓ 悪性腫瘍，ネフローゼ症候群，トランスフェリンの生合成低下	p.32
不飽和鉄結合能（UIBC）	男 104～259 μg/dL 女 108～325 μg/dL	↑ 鉄欠乏性貧血，真性多血症 ↓ ヘモクロマトーシス，再生不良性貧血	p.32
フェリチン	男 13～301 ng/mL 女 5～178 ng/mL	↑ ヘモクロマトーシス，再生不良性貧血，悪性腫瘍，急性肝炎 ↓ 鉄欠乏性貧血，潜在性鉄欠乏状態	p.33
マグネシウム（Mg）	1.7～2.6 mg/dL	↑ 腎機能低下，急性・慢性腎不全 ↓ 蛋白栄養不良症，飢餓，偏食，Mg欠乏輸血などによる摂取不良	p.34

◆糖質・糖質代謝物

項目	基準値	異常値を示す主な疾患と病態（↑：高値，↓：低値）	掲載頁
血糖	73～109 mg/dL（空腹時）	↑ 糖尿病，慢性膵炎，肝硬変，内分泌疾患，グルカゴノーマ ↓ インスリノーマ，肝硬変，肝がん，アジソン病，甲状腺機能低下症，血糖降下薬	p.35
HbA1c	4.9～6.0%	↑ 糖尿病 ↓ インスリノーマ	p.37
グリコアルブミン	11～16%	↑ 糖尿病 ↓ ネフローゼ症候群，甲状腺機能亢進症	p.38
総コレステロール（TC）	TC　　　142～248 mg/dL 遊離型　　30～ 60 mg/dL エステル型 　　　　　80～200 mg/dL	↑ 家族性高コレステロール血症などの脂質異常症，甲状腺機能低下症，クッシング症候群，ネフローゼ症候群，閉塞性黄疸，肝細胞がん，肥満，糖質コルチコイドの投与 ↓ β-リポ蛋白欠損症，家族性低リポ蛋白血症，呼吸不良症候群，タンジール病，アジソン病，甲状腺機能亢進症	p.39
HDL-コレステロール（HDL-C）	男 38～ 90 mg/dL 女 48～103 mg/dL	↑ CETP欠損症，肝性トリグリセリドリパーゼ欠損症，原発性胆汁性肝硬変，慢性閉塞性肺疾患 ↓ アポ蛋白 A-I 欠損症，アポ蛋白 C-II 欠損症，LCAT欠損症，タンジール病，魚眼病，肝硬変，慢性腎不全，甲状腺機能亢進症，糖尿病	p.40
LDL-コレステロール（LDL-C）	65～163 mg/dL	↑ 家族性高コレステロール血症，特発性高コレステロール血症，高 LDL-C 血症，糖尿病，甲状腺機能低下症，クッシング症候群，閉塞性黄疸，肝細胞がん，ジーブ症候群，ネフローゼ症候群，肥満 ↓ β-リポ蛋白欠損症，家族性低リポ蛋白血症，甲状腺機能亢進症，肝硬変，劇症肝炎，吸収不良症候群	p.42
トリグリセリド（TG）	男 40～234 mg/dL 女 30～117 mg/dL	↑ 家族性高リポ蛋白血症，脂肪肝，閉塞性黄疸，ネフローゼ症候群，痛風，急性・慢性膵炎，甲状腺機能低下症，糖尿病，クッシング症候群，肥満，アルコール依存症 ↓ β-リポ蛋白欠損症，肝がん，肝硬変，甲状腺機能亢進症，副腎皮質機能低下症，吸収不良症候群	p.44
リポ蛋白分画	アガロースゲル電気泳動，単位：% キロミクロン（原点） ～3 VLDL（preβ分画） 　男 8～32/女 7～21 LDL（β分画） 　男 33～55/女 38～51 HDL（α分画） 　男 25～50/女 35～51	HDL（α分画）→ HDL-C の項参照 LDL（β分画）→ LDL-C の項参照 ↑ VLDL：脂質異常症（家族性高 TG 血症，アポ蛋白 E 欠損症），糖尿病，ネフローゼ症候群 　キロミクロン：特発性高キロミクロン血症，家族性リポ蛋白リパーゼ欠損症，家族性アポ蛋白 C-II 欠損症 ↓ VLDL：無β-リポ蛋白血症，低β-リポ蛋白血症 　キロミクロン：無β-リポ蛋白血症，吸収不良症候群	p.46

検査値一覧

◆蛋白・蛋白代謝物

項目		基準値	異常値を示す主な疾患と病態(↑:高値,↓:低値)	掲載頁
血清総蛋白(TP)		6.6〜8.1 g/dL	↑ TP:骨髄腫による合成過多,脱水状態による血液濃縮 ↓ TP:ネフローゼ症候群,肝切除,蛋白漏出性胃腸症,吸収不良症候群,栄養不足時 蛋白分画の異常 肝機能・腎機能障害,悪性M蛋白血症,栄養不足,蛋白欠乏症	p.48
蛋白分画	アルブミン	60.8〜71.8%		
	α_1-グロブリン	1.7〜2.9%		
	α_2-グロブリン	5.7〜9.5%		
	β-グロブリン	7.2〜11.1%		
	γ-グロブリン	10.2〜20.4%		
アンモニア		30〜80 μg/dL	↑ 肝性昏睡,劇症肝炎,肝硬変,先天性尿素サイクル酵素欠損症,先天性アミノ酸代謝異常症,ショック ↓ 貧血,低蛋白食摂取	p.50
尿素窒素(BUN)		8〜20 mg/dL	↑ 腎不全,ネフローゼ症候群,尿毒症,尿路閉塞性疾患,尿路結石,熱傷,消化管出血,脱水症,蛋白の大量摂取 ↓ 肝不全,低蛋白食,妊娠,利尿薬使用時	p.51
クレアチニン(Cr)		男 0.65〜1.07 mg/dL 女 0.46〜0.79 mg/dL	↑ 腎不全,糸球体腎炎,尿路閉塞性疾患,先端巨大症,心不全,脱水症,熱傷,ショック ↓ 筋ジストロフィー,尿崩症,甲状腺疾患,肝障害,妊娠,長期臥床	p.52
シスタチンC (Cys-C)		男 0.63〜0.95 mg/L 女 0.56〜0.87 mg/L	↑ 腎不全,慢性腎臓病,ネフローゼ症候群,甲状腺機能亢進症,転移性メラノーマ,直腸がん,副腎皮質ステロイド服用 ↓ 甲状腺機能低下症,HIV感染,シクロスポリン服用	p.53

◆核酸代謝産物・ビリルビン

項目	基準値	異常値を示す主な疾患と病態(↑:高値,↓:低値)	掲載頁
尿酸	男 3.7〜7.8 mg/dL 女 2.6〜5.5 mg/dL	↑ 高尿酸血症,痛風,腎不全,悪性腫瘍,白血病,溶血性貧血,レッシュ・ナイハン症候群,薬剤 ↓ プリンピリミジン代謝異常症	p.54
ビリルビン	総ビリルビン:0.4〜1.5 mg/dL 直接ビリルビン:0.4 mg/dL以下	間接ビリルビン:溶血性貧血,新生児黄疸 直接ビリルビン:閉塞性黄疸,ウイルス性肝炎,胆汁うっ帯	p.56

◆酵素

項目	基準値	異常値を示す主な疾患と病態(↑:高値,↓:低値)	掲載頁
AST	13〜30 U/L	↑ 肝疾患(劇症肝炎,急性肝炎,慢性肝炎,肝硬変,肝がん,脂肪肝),胆道疾患(胆道閉塞,胆石症,胆嚢胆管炎),心疾患(心筋梗塞,心筋炎),筋ジストロフィー,多発性筋炎,溶血性疾患	p.58
m-AST	7 U/L以下		
ALT	男 10〜42 U/L 女 7〜23 U/L		
LD	124〜222 U/L	↑ 肝疾患(急性肝炎,慢性肝炎,肝がん),血液疾患(白血病,悪性貧血,溶血性貧血),心疾患(心筋梗塞,うっ血性心不全),悪性腫瘍(肉腫,がん転移),筋疾患(筋ジストロフィー) ↓ LDサブユニット欠損症,抗がん薬や免疫抑制薬の投与	p.60
LDアイソザイム	LD_1 21〜31% LD_2 28〜35% LD_3 21〜26% LD_4 7〜14% LD_5 5〜13%	↑ LD_1・LD_2型:心筋梗塞,溶血性貧血,悪性貧血 LD_2・LD_3型:筋ジストロフィー,多発性筋炎・皮膚筋炎,膠原病,ウイルス感染,白血病,リンパ腫,肺がん,胃がん LD_5型:急性肝炎,原発性肝がん	

xx　検査値一覧

項目	基準値	異常値を示す主な疾患と病態（↑：高値，↓：低値）	掲載頁
ALP	38～113 U/L	↑ 肝臓・胆道疾患（閉塞性黄疸，原発性胆汁性肝硬変，急性肝炎，慢性肝炎，肝硬変），骨疾患（骨肉腫，多発性骨髄腫，骨軟化症，副甲状腺機能亢進症，パジェット病，骨粗鬆症，ビタミンD欠乏症，骨折），甲状腺機能亢進症，悪性腫瘍（特に骨転移），妊娠，小児期の骨新生 ↓ 先天性低ホスファターゼ症	p.62
ALPアイソザイム	成人：$ALP_2 > ALP_3$ 小児：$ALP_2 < ALP_3$ ALP_1：0 ～ 5.3% ALP_2：36.6～69.2% ALP_3：25.2～54.2% ALP_5：0.0～18.1%	ALP_1の出現：閉塞性黄疸，限局性肝障害 ALP_2の出現：各種疾患，胆道疾患 ALP_3の出現：骨疾患，副甲状腺機能亢進症 ALP_4の出現：妊娠後期，悪性腫瘍の一部 ALP_5の出現：肝硬変，慢性肝炎，慢性腎不全 ALP_6の出現：潰瘍性大腸炎の活動期，免疫異常	
AMY	血清 44～132 U/L 尿 120～1,200 U/L	↑ 急性膵炎，慢性膵炎急性増悪期，膵がん，膵嚢胞，耳下腺炎，各種外科手術後，AMY産生腫瘍，マクロアミラーゼ血症	p.64
AMYアイソザイム	P型：30～60% S型：40～70%	↑ P型：急性膵炎，慢性膵炎再燃時，マクロアミラーゼ血症 S型：唾液腺疾患，外科手術，AMY産生腫瘍	
P型 AMY	20～70 U/L		
CK	男 59～248 U/L 女 41～153 U/L	↑ 心筋梗塞・心筋炎などの心疾患，進行性筋ジストロフィー・多発性筋炎・皮膚筋炎などの筋疾患，甲状腺機能低下症 ↓ 甲状腺機能亢進症	p.65
CKアイソザイム	BB：2%以下 MB：6%以下	↑ CK-BB：重篤な急性脳損傷，全身麻酔後の悪性過熱症，中枢神経手術後，悪性腫瘍（前立腺・胃・腸など） CK-MB：心筋梗塞，心筋炎，開腹術後，筋ジストロフィー，多発性筋炎・皮膚筋炎，新生児	
CK-MB	5.0 ng/mL以下		
γ-GT	男 13～64 U/L 女 9～32 U/L	↑ 急性肝炎，慢性肝炎，肝硬変，肝がん，アルコール性肝障害，薬物性肝障害，胆道疾患，脂肪肝	p.66
LAP	35～73 U/L	↑ 肝炎，肝硬変，肝がん，閉塞性黄疸，急性膵炎，妊娠後期，薬物性肝障害（特に薬物性肝炎）	p.67
ChE	男 240～486 U/L 女 201～421 U/L	↑ 糖尿病，肥満，脂肪肝，ネフローゼ症候群，甲状腺機能亢進症 ↓ 慢性肝炎，肝硬変，原発性肝細胞がん，劇症肝炎，悪性腫瘍，妊娠中毒症，栄養失調，有機リン系農薬中毒	p.68

◆骨代謝マーカー

項目	基準値（閉経前女性）	異常値を示す主な疾患と病態（↑：高値，↓：低値）	掲載頁
BAP	2.9～14.5 μg/L	↑ 骨粗鬆症，がんの骨転移，原発性副甲状腺機能亢進症，CKD-MBD，パジェット病，甲状腺機能亢進症，小児期の骨新生	p.69
P1NP	16.8～70.1 ng/L		
DPD	2.8～7.6 nmol/mmol・Cr		
sNTX	7.5～16.5 nmolBCE/L		
uNTX	9.3～54.3 nmolBCE/mmol・Cr		
TRACP-5b	120～420 mU/dL		
ucOC	カットオフ値4.5 ng/mL		

◆ホルモン検査

項目	基準値	異常値を示す主な疾患と病態(↑:高値,↓:低値)	掲載頁
副腎皮質刺激ホルモン(ACTH)	7.2〜63.3 pg/mL	【ACTH↑,コルチゾール↑】クッシング病,異所性ACTH産生腫瘍,異所性CRH産生腫瘍,糖質コルチコイド不応症,神経性食思不振症 【ACTH↑,コルチゾール↓】アジソン病,急性副腎不全,ネルソン症候群,ACTH不応症,先天性副腎皮質過形成(21-ヒドロキシラーゼ欠損症,11β-ヒドロキシラーゼ欠損症)	p.72
コルチゾール	7.07〜19.6 μg/dL	【ACTH↓,コルチゾール↑】副腎性クッシング症候群(副腎腺腫,副腎がん,原発性副腎皮質結節過形成など) 【ACTH↓,コルチゾール↓】視床下部性副腎皮質機能低下症(脳腫瘍,ヒスチオサイトーシスX),下垂体性副腎皮質機能低下症(下垂体腫瘍,汎下垂体機能低下症,シーハン症候群,ACTH単独欠損症)	p.73
デヒドロエピアンドロステロンサルフェート(DHEA-S)	単位:μg/dL 　　　　男　　　　女 20〜29歳　159〜538　92〜399 30〜39歳　125〜475　58〜327 40〜49歳　123〜422　41〜218 50〜59歳　76〜386　30〜201	↑ クッシング病,異所性ACTH産生腫瘍,副腎皮質がん,21-ヒドロキシラーゼ欠損症,11β-ヒドロキシラーゼ欠損症,3β-ヒドロキシステロイドデヒドロゲナーゼ欠損症,多嚢胞性卵巣症候群,特発性多毛症,思春期早発症 ↓ アジソン病,副腎性クッシング症候群,下垂体機能低下症,17α-ヒドロキシラーゼ欠損症,ターナー症候群,クラインフェルター症候群	p.74
レニン活性	臥位: 　0.2〜2.3 ng/mL/時 立位: 　0.2〜4.1 ng/mL/時	【レニン活性↑,アルドステロン↑】続発性アルドステロン症(腎血管性高血圧,レニン産生腫瘍,バーター症候群,ネフローゼ症候群,心不全,肝硬変) 【レニン活性↑,アルドステロン↓】アジソン病,原発性選択的低アルドステロン症,塩類喪失型21-ヒドロキシラーゼ欠損症 【レニン活性↓,アルドステロン↑】原発性アルドステロン症(アルドステロン産生腺腫,特発性アルドステロン症,糖質コルチコイド反応性アルドステロン症) 【レニン活性↓,アルドステロン↓】偽性アルドステロン症(リドル症候群,グリチルリチンの副作用),低レニン性選択的低アルドステロン症,クッシング症候群,11β-ヒドロキシラーゼ欠損症,17α-ヒドロキシラーゼ欠損症	p.77
レニン定量	臥位: 　2.5〜21.4 pg/mL 立位: 　3.6〜63.7 pg/mL		
アルドステロン	60 pg/mL 未満		p.75
甲状腺刺激ホルモン(TSH)	0.500〜5.00 μIU/mL	↑ 原発性甲状腺機能性低下症(橋本病),甲状腺摘除術後,TSH産生下垂体腺腫,甲状腺ホルモン不応症 ↓ 原発性甲状腺機能亢進症(バセドウ病),下垂体性甲状腺機能低下症,視床下部性甲状腺機能低下症	p.78
遊離サイロキシン(FT$_4$)	0.90〜1.70 ng/dL	↑ バセドウ病,プランマー病などの甲状腺機能亢進症,無痛性甲状腺炎の急性期,亜急性甲状腺炎の急性期,TSH産生下垂体腫瘍,甲状腺ホルモン不応症 ↓ 橋本病(慢性甲状腺炎),バセドウ病・甲状腺がんに対する治療後(甲状腺亜全摘術後,放射性ヨード治療後,抗甲状腺薬の過剰投与),先天甲状腺機能低下症(クレチン症),下垂体性(二次性)甲状腺機能低下症,視床下部性(三次性)甲状腺機能低下症	p.79
遊離トリヨードサイロニン(FT$_3$)	2.30〜4.30 pg/mL		

項目	基準値	変動	疾患	頁
intact PTH	10〜65 pg/mL	↑	原発性副甲状腺機能亢進症（腺腫，過形成など副甲状腺自体の異常），続発性副甲状腺機能（慢性腎不全等に伴う低Ca血症による二次性），骨粗鬆症	p.81
whole PTH	8.3〜38.7 pg/mL	↓	特発性副甲状腺機能低下症（副甲状腺自体の障害），続発性副甲状腺機能低下症（甲状腺摘出術後），悪性腫瘍による高Ca血症，ビタミンD中毒，甲状腺機能亢進症	
カルシトニン	男 9.52 pg/mL以下 女 6.40 pg/mL以下	↑ ↓	甲状腺髄様がん，慢性腎不全，悪性腫瘍，骨疾患，高Ca血症を伴う疾患 低Ca血症	p.82
成長ホルモン（GH）	男 2.47 ng/mL以下 女 0.13〜9.88 ng/mL	↑ ↓	先端巨大症，神経性食思不振症，副腎褐色細胞腫，肝硬変，腎不全，異所性GH産生腫瘍，異所性GHRH産生腫瘍 下垂体性小人症，汎下垂体機能低下症，甲状腺機能低下症，肥満症，クッシング症候群	p.83
バソプレシン（ADH）	水制限：4.0 pg/mL以下 自由飲水：2.8 pg/mL以下	↑ ↓	異所性ADH産生腫瘍を含むSIADH，腎性尿崩症，肝硬変，ネフローゼ症候群，アジソン病，慢性腎不全，うっ血性心不全，脱水，ストレス 中枢性尿崩症，心因性多飲症	p.85
卵胞刺激ホルモン（FSH）	（CLIA）単位：mIU/mL 男 2.00〜8.30 女 卵胞期 3.01〜14.72 　　排卵期 3.21〜16.60 　　黄体期 1.47〜8.49 　　閉経後 157.79以下	↑ ↓	ターナー症候群，クラインフェルター症候群，精巣性女性化症候群，早発閉経，更年期・閉経後 汎下垂体機能低下症，シーハン症候群，神経性食思不振症，下垂体ゴナドトロピン単独欠損症，副腎性器症候群，シモンズ症候群	p.87
黄体形成ホルモン（LH）	（CLIA）単位：mIU/mL 男 0.79〜5.72 女 卵胞期 1.76〜10.24 　　排卵期 2.19〜88.33 　　黄体期 1.13〜14.22 　　閉経後 5.72〜64.31	↑ ↓	ターナー症候群，クラインフェルター症候群，精巣性女性化症候群，卵巣性無月経 汎下垂体機能低下症，シーハン症候群，下垂体腫瘍	p.88
ヒト絨毛性ゴナドトロピン（HCG）	2.7 mIU/mL以下	↑ ↓	多胎妊娠，絨毛がん，胞状奇胎，異所性HCG産生腫瘍 流産・早産，胎児死亡	p.89
エストラジオール	男 14.6〜48.8 pg/日 女 卵胞期 28.8〜196.8 pg/日 　　排卵期 36.4〜525.9 pg/日 　　黄体期 44.1〜491.9 pg/日 　　閉経後 47.0 pg/日以下	↑ ↓	エストロゲン産生腫瘍，副腎皮質過形成，肝疾患 卵巣機能低下症（無月経），切迫流産，胎児発育不良，子宮内胎児死亡，胞状奇胎	p.90
プロゲステロン	単位：ng/mL 男 0.22以下 女 非妊婦　　　　　　妊婦 　卵胞期 0.28以下　妊娠初期 13.0〜51.8 　排卵期 5.69以下　妊娠中期 24.3〜82.0 　黄体期 2.05〜24.2　妊娠後期 63.5〜174	↑ ↓	多胎妊娠，胞状奇胎，先天性副腎過形成，副腎男性化腫瘍，クッシング症候群 汎下垂体機能低下症，アジソン病，無月経，黄体機能不全	p.92

項目	基準値	異常値を示す主な疾患と病態（↑：高値，↓：低値）	掲載頁
プロラクチン (PRL)	（CLEIA）単位：ng/mL 男 2.6～23.3 女 卵胞期 4.6～31.1 　　黄体期 2.9～34.4 　　閉経期 3.0～40.8	↑ 下垂体腫瘍，月経異常，不妊，性機能低下（男性），原発性甲状腺機能低下症，先端巨大症，薬物性高PRL血症 ↓ 汎下垂体機能低下症，シーハン症候群	p.93
C-ペプチド	血清 0.8～2.5 ng/mL 尿 22.8～155.2 μg/日	↑ インスリノーマ，インスリン自己免疫症候群，肥満，先端巨大症，クッシング症候群および副腎皮質ステロイド使用者，腎不全 ↓ 1型糖尿病，下垂体機能低下症，飢餓，膵疾患	p.94
心房性ナトリウム利尿ペプチド（ANP）	43.0 pg/mL以下	↑ 心不全，急性心筋梗塞，慢性腎不全，本態性高血圧，原発性アルドステロン症	p.95
脳性ナトリウム利尿ペプチド（BNP）	18.4 pg/mL以下		
NT-proBNP	55 pg/mL以下（CLEIA）		

◆ 免疫検査

項目	基準値	異常値を示す主な疾患と病態（↑：高値，↓：低値）	掲載頁
CRP	0.00～0.14 mg/dL	↑ 細菌・ウイルス感染症，リウマチ熱，関節リウマチ，膠原病，悪性腫瘍，悪性リンパ腫，心筋梗塞，肺梗塞，消化器疾患，大きな外傷，熱傷	p.97
CRP定量	0.3 mg/dL以下		
高感度CRP	0.2 mg/dL		
ASO	成人 160 U/mL以下 小児 250 U/mL以下	↑ 溶血性連鎖球菌感染（しょう紅熱，急性糸球体腎炎，リウマチ熱，扁桃腺熱，血管性紫斑病） ↓ 大量の抗生物質投与，無γ-グロブリン血症	p.105
ASK	成人 2,560倍未満 小児 5,120倍未満	↑ 溶血性連鎖球菌感染（しょう紅熱，急性糸球体腎炎，リウマチ熱，扁桃腺熱，血管性紫斑病）	
KL-6	500 U/mL未満	↑ 間質性肺炎，肺線維症，過敏性肺炎	p.105
SP-A	43.8 ng/mL未満	↑ 特発性間質性肺炎，特発性肺線症，膠原病に関連した間質性肺炎，びまん性汎細気管支炎	p.106
SP-D	110 ng/mL未満	↑ 特発性間質性肺炎，肺胞蛋白症，膠原病に関連した間質性肺炎，進行性全身性硬化症患者での間質性肺炎合併例	p.107
抗核抗体（ANA）	40倍または80倍未満	強陽性（640倍以上） SLE，SSc，MCTD，シェーグレン症候群 陽性（160～640倍） 上記に加え，自己免疫性肝炎，薬剤誘発性ループス，多発性筋炎・皮膚筋炎 弱陽性（40～160倍） 上記に加え，RA，PBC	p.108
抗ミトコンドリア抗体（AMA）	20倍未満	陽性 PBC	p.109
RF定量	15 U/mL以下	↑ RF定量：RA，悪性RA，シェーグレン症候群，SLE，SSc，MCTD，慢性肝炎，肝硬変 抗Gal欠損IgG抗体：RA，RAを除く自己免疫性疾患全般，肝疾患 MMP-3：RA，悪性RA，シェーグレン症候群，MCTD，強皮症，変形性関節症，肝疾患 抗CCP抗体：RA	p.109
抗CCP抗体	5 U/mL以下		
抗Gal欠損IgG抗体	6.0 AU/mL未満		
IgG型RF	2.0未満		
MMP-3	男 36.9～121.0 ng/mL 女 17.3～ 59.7 ng/mL		

◆腫瘍マーカー

項目	基準値	異常値を示す主な疾患と病態	掲載頁
CEA	5.0 ng/mL 以下	消化管腫瘍（大腸がん，胃がんなど），膵がん，肺がん	p.114
AFP	10.0 ng/mL 以下	肝細胞がん，胚細胞がん，奇形腫，転移肝がん，胆嚢がん，膵がん，胃がん，肝硬変，肝炎	p.114
PIVKA-Ⅱ	40 mAU/mL 未満	原発性肝がん，肝細胞がん，ビタミンK欠乏症	p.115
CA19-9	37 U/mL 以下	原発性膵がん，胆嚢がん，胆管がん，慢性肝炎，慢性膵炎，肝硬変	p.115
CA125	35 U/mL 以下	卵巣がん，子宮体がん，子宮内膜症	p.115
SCC 抗原	1.5 ng/mL 以下	上部消化管悪性腫瘍（食道がん，胃がん），頭頸部がん，肺扁平上皮がん，子宮頸がん，尿路系悪性腫瘍，乾癬，天疱瘡	p.116
SLX	38 U/mL 以下	肺がん，卵巣がん，子宮がん，膵がん，肝細胞がん，胆道系腫瘍，大腸がん	p.116
シフラ	3.5 ng/mL 以下	肺扁平上皮がん，肺腺がん，卵巣がん，子宮頸部扁平上皮がん	p.116
ProGRP	81.0 pg/mL 未満	肺小細胞がん，神経芽細胞腫	p.117
PSA	4.0 ng/mL 以下	前立腺がん，前立腺肥大症，前立腺炎	p.117

◆動脈血ガス分析

項目	基準値	異常値を示す主な疾患と病態	掲載頁
pH	7.35〜7.45	呼吸不全（Ⅰ型・Ⅱ型），低酸素血症，高炭酸ガス血症，アシドーシス，アルカローシス	p.140
PaO_2	80〜100 Torr (mmHg)		
$PaCO_2$	35〜45 Torr (mmHg)		
SaO_2	95％以上		
HCO_3^-	22〜26 mmol/L		
BE	−2〜+2 mmol/L		

◆一般検査

項目	基準値	異常値を示す主な疾患と病態（↑：高値，↓：低値）	掲載頁
尿量	1,000〜1,500 mL/日	↑ 尿崩症 ↓ 心不全	p.146
尿比重	1.010〜1.025	↑ ネフローゼ症候群，脱水，糖尿病 ↓ 尿崩症，腎盂腎炎	
尿浸透圧	50〜1,300 mOsm/L		
尿 pH	5.0〜7.0	酸性　発熱，脱水，糖尿病，痛風，飢餓 アルカリ性　尿路感染，嘔吐，過呼吸，制酸剤服用	p.147
尿蛋白	陰性〜偽陽性	多発性骨髄腫，横紋筋融解症，溶血性疾患，急性糸球体腎炎，糖尿病性腎症，ループス腎炎，間質性腎炎，先天性尿細管疾患，膀胱炎，尿道結石	p.147
尿糖	陰性	糖尿病，クッシング症候群，肝機能障害，ファンコーニ症候群，甲状腺機能亢進症	p.148
尿ケトン体	陰性	ケトアシドーシス，飢餓，絶食，激しい運動，大手術・外傷，妊娠悪阻	p.149
尿ビリルビン	陰性	急性肝炎，肝硬変，胆道閉塞，閉塞性黄疸	p.150
尿ウロビリノゲン	偽陽性	↑ 急性肝炎，溶血性貧血 ↓ 総胆管閉塞，急性下痢症，抗生物質服用	p.150
尿潜血反応	陰性	糸球体腎炎，IgA腎症，尿路結石，尿路感染症	p.151
便中ヘモグロビン	陰性	大腸がん，大腸ポリープ，潰瘍性大腸炎，薬物性大腸炎	p.152

検査法解説

■ FISH (fluorescence *in situ* hybridization)

FISHは細胞や組織内の特定の染色体や遺伝子を，蛍光物質で標識した核酸プローブによって検出する方法である．*in situ* とは，抽出した核酸を分析するのではなく，細胞や組織内に存在していたままのかたちで反応させ検出することを意味する．染色体や遺伝子を特定化できる．標的配列に対して相補的な配列の核酸プローブと細胞や組織中でハイブリダイゼーションさせる．染色体の解析や，ウイルス感染やがん診断にも利用されている．

■ GC/MS (gas chromatography-mas spectrometry：ガスクロマトグラフィー質量分析法)

GCは移動相に気体（キャリアガス）を用いるクロマトグラフィーであり，ヘリウムや窒素などの不活性ガスがキャリアガスとして用いられる．分子量500以下の揮発性の低分子化合物が分析対象となる．GC/MSはGCにより分離した試料成分を質量分析装置に導いて各成分の同定を行う．質量分析装置は同位体の判別も含め物質の精密な同定が可能であるため，尿素（^{13}C）の経口投与前後の呼気中 $^{13}CO_2$（$^{13}CO_2/^{12}CO_2$ 比）を測定する，尿素呼気試験（ヘリコバクター・ピロリの感染診断）に用いられている．

■ HPLC (high performance liquid chromatography：高速液体クロマトグラフィー)

移動相に液体を用いるクロマトグラフィーで，古典的なカラム液体クロマトグラフィーでは長時間かかっていた分離を，移動相を加圧することで高速・高性能に分析できるように改良されたものである．HPLC装置は，送液ポンプ，インジェクター（試料注入部），カラム，検出器，フラクションコレクター，データ処理装置からなる．分配，吸着，イオン交換，サイズ排除などさまざまなカラムによる分離が可能で，低分子か高分子までさまざまな物質の解析に応用できる．臨床検査では，陽イオン交換カラムによるHbA1cの測定，逆相クロマトグラフィーによる血中薬物濃度の測定などに用いられている．

■ IR (infrared absorption spectrometry：赤外吸収スペクトロメトリー)

赤外分光光度計を用いて試料に赤外線を照射し，各波長での透過率より得られた赤外吸収スペクトルを用いて定性や定量を行う方法である．通常2.5〜25 μmまでの領域の波長が最もよく用いられる．尿素（^{13}C）の経口投与前後の呼気中 $^{13}CO_2$（$^{13}CO_2/^{12}CO_2$比）を測定する，尿素呼気試験（ヘリコバクター・ピロリの感染診断）に用いられている．酸素や窒素は赤外領域の波長帯では特異吸収波長をもたないが，二酸化炭素は特異吸収を示し，その吸収波長の範囲は，$^{12}CO_2$ において約4,175〜4,395 nm，$^{13}CO_2$ において 約4,355〜4,485 nmである．この特異吸収の差を利用して $^{13}CO_2/^{12}CO_2$ 比を求めることができる．

■ LAMP (loop-mediated isothermal amplification)

核酸増幅法の1つで，PCRのように温度の切り替えの必要なく，等温で反応できる点が特徴である．標的遺伝子の6つの領域に対して4種類のプライマーを設定し，鎖置換型DNA合成酵素による鎖置換反応を利用して65℃付近の一定温度で反応される連続的な1ステップの工程で，きわめて特異性の高い大量の標的遺伝子増幅が可能である．増幅効率が高いことからDNAを15分〜1時間で 10^9〜10^{10} 倍に増幅することができる．

■ PCR (polymerase chain reaction：ポリメラーゼ連鎖反応)

代表的な核酸増幅法で，1本鎖DNAを鋳型として，これに相補的なDNA鎖を合成するDNAポリメラーゼを用いた酵素的DNA増幅法である．DNA合成には鋳型DNAと相補的に結合するオリゴヌクレオチドからなるプライマーが必要で，DNA鎖はプライマーの3′方向に伸長していく．目的とするDNA領域を挟む2つのプライマーを設定し，熱変性（2本鎖DNAを1本鎖に解離）→アニーリング（プライマーの結合）→伸長反応（DNA合成）を1サイクルとして反応を繰り返す．理論的には1サイクルで2倍に増幅されることにより，n サイクル反応させると 2^n に目的のDNA領域が増幅されることになる．この伸長反応には，TaqDNAポリメラーゼなどの耐熱性

DNAポリメラーゼを用いる必要がある．

●リアルタイムPCR

PCR産物を経時的にモニターしながら解析できる方法で，既知量のDNAを標準物質として増幅率に基づく検量線を作成すれば，試料中のDNA量を定量することが可能である．PCR産物のモニターには蛍光試薬が用いられる．PCRによって合成された2本鎖DNAに結合する蛍光色素を用いるインターカレーター法と，増幅させるDNA配列に特異的に結合しPCRの過程で蛍光を発する性質をもつ蛍光標識プローブを用いる方法がある．PCR産物をアガロースゲル電気泳動で検出するのに比べ，より高感度で高い定量性や再現性が得られる．

●リアルタイムRT-PCR (reverse transcription-polymerase chain reaction)

PCRに用いるDNAポリメラーゼはDNAを複製することしかできない．リアルタイムPCRの応用法で，RTは逆転写反応を意味する．逆転写酵素（reverse transcriptase：RNA依存性DNAポリメラーゼ）によってRNAからcDNAを合成し，そのcDNAをPCRすることでRNAの特定の配列をもとにした核酸増幅が可能となる．RNAウイルスの検出や遺伝子発現解析などに用いられている．

■イオン電極法

目的とするイオンを選択的に感応するイオン選択性電極と比較電極を生体試料中に挿入して，両電極間に生じる電位差よりイオン濃度を測定する．膜のタイプによって，ガラス電極，固体膜電極，液体膜電極に大別される．ガラス電極はNa^+の測定，銀-塩化銀を固体膜とした固体膜電極によるCl^-の測定，ニュートラルキャリア型と呼ばれるバリノマイシンを溶かした液体膜電極はK^+の測定に用いられる．

■イムノアッセイ (immunoassay)

抗原抗体反応の特異性を利用した測定法の総称である．分析対象は高分子の蛋白はもとより，ホルモンや合成医薬品などそれ自体には免疫原性をもたない低分子物質（ハプテン）でも免疫方法を工夫することで抗体作製が可能であることから，多岐にわたる生体成分の分析に応用可能である．生体試料中の抗体の測定にも用いることができる．抗原または抗体に種々の物質を標識することで，抗原抗体反応を高感度に検出することができる．この標識物質の種類や検出法の違いによってさまざまな方法に分類される．また，標識物質は用いず抗原抗体複合体によって生じる溶液中の濁りを光学的に検出する方法もある．これらの方法は，自動分析装置を用いて測定することが可能なため，さまざまな臨床検査に利用されている．

●RIA (radio immunoassay：ラジオイムノアッセイ)

RI（放射性同位元素）を標識物質として用いるイムノアッセイである．測定物質（非標識抗原）と一定量のRI標識された同一抗原の共存のもと，一定量の特異抗体を加えると，非標識抗原と標識抗原が抗体に対して競合的に反応し，測定物質の量に伴って標識抗原と抗体との複合体形成量が減少する．この抗体と複合体を形成した標識抗原の放射活性だけを検出すれば，間接的に非標識抗原が定量できる．そのためには，反応液中の標識抗原を抗体に対して結合型（bound：B）と遊離型（free：F）に分離し遊離型を除く必要があり，これをB/F分離という．このような測定原理を競合法と呼び，標識物質を用いたイムノアッセイとして初めて確立された方法である．B/F分離を容易にするため，抗原抗体複合体に第2抗体を結合させる手法をRIA2抗体法と呼ぶ．それ以外に抗体を固相化，沈殿試薬を用いてB/F分離を行う方法もある．後述の非競合法を原理とした方法（IRMA）もRIAに含まれる．ただし，競合法を原理としRIを標識物質とするイムノアッセイを狭義のRIAとして用いられることが多い．

●IRMA (immunoradiometric assay：イムノラジオメトリックアッセイ)

RIAの1つで，チューブの内壁やウェルの底，ビーズなどに過剰量の測定物質に対する抗体を固定化させ，測定物質（抗原）を含む試料を反応させたのち，固定化抗体とは異なる部分を認識するRI標識抗体と反応させ，B/F分離後に放射活性を測定する．このような測定原理を非競合法と呼び，抗原を2種類の抗体で挟みこむことからサンドイッチ法と呼ばれる．一般的に，IRMAは競合法を原理としたRIAより特異性が高い．

●EIA (enzyme immunoassay：酵素免疫測定法)

酵素を標識物質として用いるイムノアッセイで，測定原理はRIAと同様で競合法あるいは非競合法が用いられる．B/F分離後に標識酵素の触媒反応を利用して基質を発色させ，吸光度を測定

することで測定物質を定量する．標識酵素にはペルオキシダーゼ，アルカリホスファターゼなどが用いられる．通常マイクロプレートを固相に用いた場合をELISA（enzyme linked immunosorbent assay：酵素結合免疫吸着測定法）という．

- **CLEIA**（chemiluminescent enzyme immunoassay：化学発光酵素免疫測定法）

酵素を標識物質として用いる点ではEIAと同様である．最終的な検出反応が異なり，標識酵素が触媒して生じる発光を検出する．標識酵素として用いられるペルオキシダーゼの基質にはルミノール誘導体，アルカリホスファターゼにはAMPPDおよびその誘導体が用いられる．酵素によって基質を発色させ吸光度を測定するより，発光を検出することで高感度な測定が可能となる．

- **CLIA**（chemiluminescent immunoassay：化学発光免疫測定法）

化学発光物質を標識物質として用いるイムノアッセイで，競合法あるいは非競合法が用いられる．B/F分離後に標識された化学発光物質による発光を測定する方法である．化学発光物質としてはアクリジニウムエステルなどが用いられる．標識物質としてよく用いられる酵素と比較すると，アクリジニウムエステルの分子量がかなり小さいため，標識物質による抗原抗体反応の阻害を抑えやすいことが利点である．

- **ECLIA**（electrochemiluminescence immunoassay：電気化学発光免疫測定法）

ルテニウム錯体を標識物質に用いた高精度な測定法である．ルテニウム錯体が電気的なトリガーによって発光することから，電気化学発光免疫測定法と呼ばれる．標識された2価ルテニウム錯体は，電子供与体に第三アミンを用いて電荷をかけると，電極表面上でルテニウム錯体は酸化され3価になり，同時に過剰に存在する第三アミンの反応によって電子が移動し励起状態のルテニウム錯体が生成される．これが基底状態に戻るときに発する発光を検出する方法である．

- **LA**（latex agglutination immunoturbidimetry：ラテックス凝集比濁法）

抗原抗体反応によって生じる濁度を光学的に測定することで，生体試料中の成分（抗原）や抗体を定量する方法である．抗原抗体反応によってコロイド状に混濁した溶液に光を入射すると，その混濁粒子によって光の散乱が起こり，透過率すなわち吸光度が低下する．抗原または抗体を結合させたラテックスを測定試薬に用いることで抗原抗体反応を増幅して検出することができ，高感度な測定が可能になる．吸光度を測定することから，一般的な生化学検査に用いる自動分析装置で測定することができるため，汎用性が高く，さまざまな臨床検査に利用されている．ラテックス凝集法，ラテックス凝集免疫比濁法などと呼ばれることもある．近赤外光を入射して透過率を測定する方法であるラテックス近赤外免疫比濁法（LPIA：latex photometric immunoassay）と区別されるが，基本的な原理は同様である．

- **FA**（fluorescence antibody method：蛍光抗体法）
- **IFA**（indirect fluorescent antibody method：間接蛍光抗体法）

蛍光色素を標識した抗体を用いて，生体試料中の病原体，抗体などを検出するために用いられる．FAでは，検体の塗抹標本に蛍光標識された抗体を直接反応させ，蛍光顕微鏡で観察することで抗原（病原体）の有無を判断できる．一方，血清中の病原体に対する抗体を調べる方法として，抗原となる病原体もしくは病原体が感染した細胞などが付着したスライドに血清を反応させた後，抗体に結合できる蛍光標識した抗体を反応させる方法をIFAと呼ぶ．いずれも蛍光抗体法に分類されるが，一般的にFAが直接法，IFAが間接法と区別される．

- **PA**（passive（particle）agglutination：受身（粒子）凝集反応）
- **RPHA**（reversed passive hemagglutination：逆受身赤血球凝集反応）

PAは抗原を吸着させたゼラチン粒子などの感作粒子を用いて，抗原抗体反応によって生じる凝集の有無から抗体を検出する方法をいう．そのうち特に，感作粒子として抗原を吸着させた赤血球を用いて抗体を検出する方法をPHA（passive hemagglutination：受身赤血球凝集反応）と呼び，一方，感作粒子として抗体を吸着させた赤血球を用いて抗原を検出する方法をRPHAと呼ぶ．これらの方法は，血清中の病原体抗原や病原体に対する抗体の有無を，定性もしくは半定量的に検出する際に用いる．

■ イムノクロマト法

抗原抗体反応と毛細管現象を利用したクロマトグラフィーを併用した，抗原あるいは抗体を検出するための測定法である．抗原を検出する測定

キットの場合を例にすると，検体滴下部に抗原を認識する標識抗体が含まれ，判定部には抗原の異なる部位を認識する抗体（キャプチャー抗体）が固定化されている．抗原を含む検体が滴下されると，標識抗体と免疫複合体を形成しながらクロマト担体中を移動して判定部でキャプチャー抗体によってトラップされる．標識物質としては金コロイドなどを用いると，検体中の抗原が2種類の抗体でサンドイッチされることで，結果として判定部に標識物質が集積しライン状の発色を生じるため，目視で抗原の有無を判定することができる．クロマトグラフィー担体にはニトロセルロース膜やガラス繊維フィルターなどが用いられる．操作が簡便で特別な装置が不要なため，さまざまな病原体抗原および病原体に対する抗体，妊娠反応，心筋マーカーの迅速測定などに広く利用されている．

■ウエスタンブロット法

蛋白の検出法の1つで，一般的にSDS-ポリアクリルアミドゲル電気泳動で分離した蛋白をニトロセルロース膜上に転写し（この過程をブロッティングと呼ぶ），その膜上で検出蛋白の特異抗体を反応させた後，酵素標識された2次抗体を反応させる．標識された酵素が触媒する化学発光などを検出することで，特定の蛋白を同定することができる．現在キット化されているHIV抗体検出用のウエスタンブロット試薬では，精製抗原が膜上のあらかじめ定められた位置に固定化されており，転写の操作を要しない．

■酵素法

酵素は基質に対する特異性が高く，その性質を利用すれば臨床検体中に混在した多種多様な成分から目的物質を酵素によって選別できる．目的物質を1つもしくは複数の酵素反応を組み合わせて最終的に吸光度分析に適した物質に変換させ，その吸光度を測定することによって目的物質を定量することができる．このように，酵素を試薬として目的物質を測定する方法をとくに酵素的測定法といい，臨床検査の分析法の多くを占める．また，検体中に存在する酵素自体の量的変化によって反応する基質量が変化することを利用して，酵素自体を測定することも可能である．これも酵素法の1つでさまざまな生体試料中の酵素活性測定に用いられている．

■電気泳動法

電気泳動とは，荷電した粒子が電場のもとで，その荷電と反対の電荷をもった電極のほうに向かって移動する現象である．一般に荷電した粒子の電気泳動速度（v）は，粒子の電荷（Q）および単位電極間距離あたりの電圧（電場の強さ：V/L）に比例し，粒子の半径や溶媒の粘度には反比例する．粒子の電荷は溶媒の種類，pHおよびイオン強度によって定められる．電気泳動による分離にはさまざまな支持体を用いる．セルロースアセテート膜は血清蛋白分画の測定に，アガロースゲルはリポ蛋白分画・アイソザイム分析・DNA分析に，ポリアクリルアミドゲルはウエスタンブロット法による蛋白分析やリポ蛋白分画にも用いられる．このような支持体を用いる電気泳動法に対してキャピラリー電気泳動法は，キャピラリーと呼ばれる内壁がフューズドシリカの管（内径20～100 nm）にバッファーを充填し電気泳動を行うもので，優れた分離能をもち微量な試料の分析が可能なため，血清蛋白分画などの測定に用いられている．

■フローサイトメトリー法

細胞浮遊液を高流速のシース液に流し，それぞれの細胞に対してレーザー光を照射して得られる情報から細胞を解析する方法である．前方散乱光（細胞の大きさ）と側方散乱光（細胞内部の複雑さ）の情報から白血球を分類することができる．蛍光情報も取得することが可能なため，蛍光色素を結合させた特異性の高い抗体を使用すれば，細胞表面抗原の解析を行うことができる．またDNAに結合する蛍光色素を用いることで細胞内のDNA量も解析できる．FACS（fluorescence-activated cell sorting）はさらに機能性を加えたフローサイトメトリーで，蛍光標識抗体を用い特定の細胞を選別し分取することが可能である．

第1章 病態検査を理解する上での基礎と検査データの見方

A 検査データの見方

B 検査に用いる検体の種類

C 臨床検査値の生理的変動

D 検体の取扱い,注意点,留意点

A 検査データの見方

1 基準値(基準範囲)とは

　個々の検査項目について,検査値を評価するための指標として基準値(基準範囲)が設定されている.多数の基準個体を測定した検査値を統計学的に処理し,大小それぞれ2.5%を除外した95%に入る上下限値の範囲が基準値(基準範囲)とされている(図1A-1).

　したがって,この基準値の設定には基準個体の厳密な選択が必要で,測定値に影響を与える因子を厳格に規定する方法が推奨されている.その方法では,喫煙,飲酒,肥満,妊娠,既往歴などから,測定値に影響を与えることがわかっている要因をもつ個体をあらかじめ除外し,採血時間,体位,食事など測定値に与える生理的な影響を考慮した上で採取した試料を用いる.性別や年齢などに分類した上で測定値の分布を解析し,その分布が異なる場合は,それぞれの分類に応じた基準範囲が設定されることもある.

　基準範囲は,測定値に影響を与える因子をできるだけ除外された健常者(基準個体)集団が示す測定値の分布にすぎず,各個人が「正常」か「異常」を完全に決定できるものではない.その理由として,この統計学的な基準値の設定方法では,厳密に選択された基準個体でもその5%は必然的に基準範囲からはずれることになる.また一般的に,基準個体が一定の基準で選択された集団であっても,異なる個体から集めた測定値の広がりは,健常者の測定値の変動幅より大きい.健常時の個人の生理的変動幅が本来の基準になるが,それを把握することは難しい.

2 カットオフ値とは

　基準値はそれぞれの検査値を評価するための指標にはなるが,特定の疾患に罹患しているかどうかを判断できるものではない.診断しようとする目的の疾患群と非疾患群の検査値の分布を比較し設定された,検査結果が陽性か陰性かの境界値のことをカットオフ値という.理想的には疾患群と非疾患群の検査値の分布が完全に分離していればその間にカットオフ値を設定することで,目的の疾患を確実に診断することができる(図1A-2).しかし,実際は両者の分布には重な

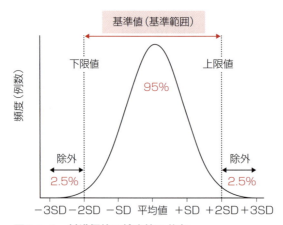

図1A-1　基準個体の検査値の分布

りがあるので，その範囲の中にカットオフ値を設けることになる．この設定には，検査の感度と特異度を考慮する必要がある．感度とは疾患群の中で検査値が陽性となる確率を表し，特異度とは非疾患群の中で検査値が陰性となる確率のことである．

例えば，カットオフ値を高く設定すると，特異度は上がるが感度は下がることになる．このことは，病気でないのに検査が陽性となること（偽陽性）は少なくなるが，病気であるにもかかわらず検査が陰性となること（偽陰性）が多くなる．一方，カットオフ値を低く設定すると，その逆で，感度は上がるが特異度は下がり，偽陰性は減るが偽陽性が多くなる（表1A-1）．このように，感度と特異度が相反関係にあるので，カットオフ値の設定は，対象疾患に対しての検査の位置づけや診断目的によって異なる．例えばスクリーニング検査なら，偽陰性（疾患の見落とし）が少ない，感度が高くなるカットオフ値が要求される．また，この相反関係にある感度と特異度

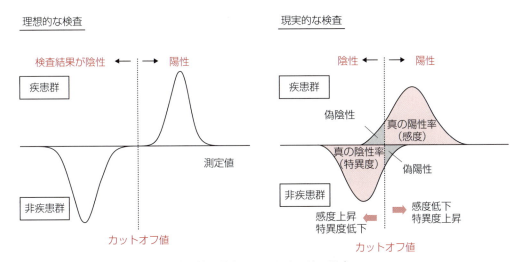

図1A-2 疾患群と非疾患群の検査値の分布とカットオフ値の設定

表1A-1 カットオフ値の変動による感度と特異度の変化（膵がんにおける血清CA19-9の例）

	膵がん	良性の膵臓・肝臓・胆道疾患	合計	感度	特異度
1. カットオフ値：37 U/mL					
陽性	71	24	95	71/91	87/111
陰性	20	87	107	78%	78%
合計	91	111	202		
2. カットオフ値：100 U/mL					
陽性	66	7	73	66/91	104/111
陰性	25	104	129	73%	94%
合計	91	111	202		

（Haglund C, Roberts PJ, Kuusela P, Scheinin TM, Mäkelä O, Jalanko H：Evaluation of CA 19-9 as a serum tumour marker in pancreatic cancer. *Br J Cancer* 53(2)：197-202, 1986）

を組み合わせ評価する指標として，尤度比が用いられる．尤度比とは，「疾患群がある検査結果を得る確率と，非疾患群が同じ検査結果を得る確率の比」と定義され，陽性尤度比＝感度/（1－特異度）すなわち感度/偽陽性率は，疾患群が陽性の結果をどれくらい得やすいかを，陰性尤度比＝（1－感度）/特異度すなわち偽陰性率/特異度は，疾患群が陰性の結果をどれくらい得にくいかを示す．いずれも尤度比＝1では疾患群と非疾患群を鑑別できないことを意味し，陽性尤度比は大きいほど，陰性尤度比は小さいほど，その鑑別能力が優れていることを示す．

3 治療と検査の関係

基準値はその検査値の評価の指標にはなるが，診断や治療の判断には直接適用できない．診断や治療の判断には，病態識別値（診断閾値）・治療閾値・予防医学的閾値などの臨床判断値が用いられる．さらに，救急診療においてはパニック値が必要不可欠である．

病態識別値は特定の疾患群と非疾患群を判断するカットオフ値で，結果が陽性であってもさらに確定診断のための検査が必要で，その値がすぐ治療に結びつくとは限らない．それに対して治療閾値は，多数の臨床事例をもとに設定された値ですぐに治療が必要と考えられる臨界値である．検査項目によっては，関連学会のガイドラインによって治療閾値が設定されているが，医学的経験則によって個々で判断される場合もある．

コレステロール，中性脂肪，尿酸など生活習慣病の危険因子とされている検査項目では，疫学調査の結果から発症が予測され，予防医学の見地から一定の対応が必要とされる臨界値として予防医学的閾値が用いられる．

パニック値は「生命が危ぶまれるほど危険な状態にあることを示唆する異常値で，直ちに治療を開始すれば救命し得るが，その診断は臨床的な診察だけでは困難で，検査によってのみ可能である」と定義されている．基準値から極端に低値もしくは高値に逸脱した場合がその値となり得るが，検査項目によっては必ずしも生命が危ぶまれるほどの状態にあるとは限らない．したがって，診療側との協議によって作成されたパニック値リストをもとに，検査部門から担当医に速報値として連絡され，臨床的対応がとられる．パニック値は，医療安全対策の一環として，構築されたシステムによって確実に扱われなければならない．パニック値の中でも，特に緊急対応を要するため，直ちに担当医への報告が必要となる検査項目を例としてあげる（表1A-2）．

このように臨床検査データは，病気の診断や治療の必要性，将来の病気の危険性に対する対応に用いられるが，治療後においてはさらにあらゆる場面で検査は重要な役割を担う．病気の進行の判断，合併症の診断，薬物治療効果および副作用の判定，薬物血中濃度のモニタリング，病気の治癒の判定，予後の判定などに不可欠である．また，最近では薬物代謝酵素など患者個々の遺伝子情報をもとに，個別化医療がすすめられており，ヒト遺伝学的検査も治療に必要なものになっている．

4 検査に用いられる主な単位

検査で用いられる単位は，濃度系，活性系，力価系に大別される（表1A-3）．

ほとんどの濃度系の単位は，検査対象それぞれの血中濃度によって単位は異なるが，主に「検査試料の単位容量中の検査対象の質量（質量/容量）」で表されている．この単位を検査値の共有

表1A-2 パニック値の例

項目	低値	高値
グルコース	50 mg/dL	350 mg/dL（外来） 500 mg/dL（入院）
カリウム（K）	1.5 mmol/L	7.0 mmol/L
ヘモグロビン（Hb）	5 g/dL	20 g/dL
血小板数（Plt）	3万/μL	100万/μL
プロトロンビン時間（INR）		2.0（ワルファリン治療時は4.0）

（値は一般社団法人 日本臨床検査医学会：臨床検査「パニック値」運用に関する提言書，2021に基づく）

表1A-3 検査に用いられる主な単位

体系	単位	代表的な検査項目（血清または血漿中）
濃度	g/dL	総蛋白（TP），アルブミン
	mg/dL	血糖，総コレステロール（TC），ビリルビン
	μg/mL	テオフィリン，フェニトイン
	μg/dL	鉄，不飽和鉄結合能（UIBC）
	ng/mL	α-フェトプロテイン（AFP），ジゴキシン
	ng/dL	遊離サイロキシン（FT$_4$）
	pg/mL	遊離トリヨードサイロニン（FT$_3$），アドレナリン
	mEq/L	Na，K，Cl
活性	U/L（IU/L）	AST，ALT，AMY
力価	U/mL	抗サイログロブリン抗体，抗GAD抗体，CA19-9
	mU/mL	黄体形成ホルモン（LH），卵胞刺激ホルモン（FSH）
	μU/mL	甲状腺刺激ホルモン（TSH），インスリン

化のために国際的な統一が提唱されているSI単位系で表現すれば，g/L，mg/Lのような単位を使用する必要があるが，長年の経験からg/dL，mg/dLなどのSI単位系としては不適切な表記が広く用いられている．NaやClなどの一部の電解質もSI単位のmmol/Lではなく電荷数を考えに入れたmEq/Lが使用されている．このように，国内の臨床現場ではSI単位系が浸透していないのが現状である．

活性系の単位は生体中の酵素分析で用いられ，その酵素活性の単位は国際単位としてU/LまたはIU/Lと表示する．1 U/Lとは，「試料1 L中に，温度30℃で1分間に1 μmolの基質量を変化させることができる酵素量」と定義されるが，酵素活性は，通常，反応温度が37℃で測定されているため，37℃の国際単位が一般的に用いられている．

また，力価系の単位はmU/mLやμU/mLなどの表示で，一部のホルモンや抗体などの単位に用いられることがある．Uは力価を表し，ホルモンや抗体の生物学的応答性や抗原抗体反応などの生物学的な反応を使用し，国内外の諸機関によってそれぞれの検査項目ごとに1 Uが定義されている．WHOはその機関の一つで，力価が決定された国際生物学的標準物質を各国に供給している．このような人為的に定義された標準物質を原器的標準物質といい，測定値はこれらの物質を一次標準として値づけされたものである．

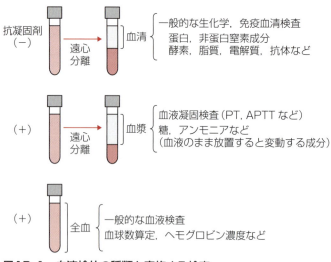

図1B-1　血液検体の種類と実施する検査

B 検査に用いる検体の種類

　臨床検査の検査材料として，血液，排泄物（尿，糞便），分泌液（胃液，膵液，胆汁，唾液など），穿刺液（髄液，胸水，腹水，関節腔液など），組織片などが用いられる．最も広く用いられる血液検体は，採血後の処理によって，血清，血漿，全血に分けられ，検査によって適切な検体を用いる必要がある（図1B-1）．採血後，抗凝固剤未添加の採血管内で血餅収縮させた後に遠心分離し，その上清として得られるのが血清である．多くの血液中成分の測定に用いられるが，血液凝固によってフィブリノゲンなどの凝固因子が消費されているので，プロトロンビン時間などの血液凝固検査に用いることができない．このような検査は，抗凝固剤を添加した採血管で採血後すみやかに遠心分離し，その上清として得られる血漿を用いる必要がある．血漿は，採血後すぐに血球成分と分離することが可能という利点があるものの，抗凝固剤が血液中成分の測定に影響を与える場合が多いことから，特別な場合を除いて血清が検体として用いられる．一方，赤血球，白血球，血小板の算定や，ヘモグロビン濃度の測定など，血球成分そのものまたは血球内成分の測定には，抗凝固剤によって凝固を阻止した血液そのものとしての全血検体を用いる．

C 臨床検査値の生理的変動

　臨床検査値が病態と関係なく変化することを生理的変動という．それには性別，年齢，血液型，遺伝，人種，生活環境，長期的な生活習慣などが要因となる個体間変動と，日内変動する成分，食事，運動，喫煙，飲酒といった日常の行動やストレスが要因となる個体内変動がある．採血時の体位や妊娠が臨床検査値に影響することもあり，これも個体内変動に関わる．臨床検査値を正しく評価するためには，この生理的変動と後述する検体の取り扱いについて十分理解しておく必要がある．生理的変動を考慮すべき代表例を示す（表1C-1）．

表1C-1 臨床検査値の生理的変動

個体間変動		
要因	変動	変動する検査項目(例)
性別	男性＞女性	Hb, Ht, RBC, 血清鉄, BUN, クレアチニン, CK, 尿酸, TG, γ-GT
	女性＞男性	赤沈(赤血球沈降速度), HDL-C
年齢	新生児〜幼児期に高値	AST, ALT, LD, γ-GT, ALP, 無機リン
	閉経後に高値	LDL-C, TG, ALP
	加齢で上昇傾向	BUN, クレアチニン
血液型	B, O型＞A, AB型	ALP(小腸型)
	Le(a-b-)で低値	CA19-9
生活習慣	高脂肪食で高値	LDL-C, TG, 尿酸
	高蛋白食で高値	アルブミン, BUN, アミノ酸
	核酸を多く含む食事で高値	尿酸
	飲酒により高値	γ-GT, TG, 尿酸
	喫煙により高値	WBC, CRP, CEA
生活環境	高地居住で高値	Hb
個体内変動		
要因	変動	変動する検査項目(例)
日内変動	朝＞夜	ACTH, コルチゾール, 血清鉄
	深夜＞日中	GH, TSH
食事	食後＞空腹時	血糖, TG, インスリン, ALP(小腸型)
	空腹時＞食後	遊離脂肪酸, 無機リン
運動	運動後＞運動前	CK, AST, LD, ミオグロビン
嗜好	過度の飲酒で高値(短期的)	TG, 尿酸
	喫煙で高値(短期的)	血糖, 遊離脂肪酸
体位	臥位の採血で低値	総蛋白, アルブミン, 血清鉄, カルシウム
妊娠	妊娠時に高値	ALP(胎盤型), 甲状腺ホルモン, LDL-C, TG
	妊娠時に低値	総蛋白, アルブミン, Hb, RBC, 血清鉄, フェリチン

D 検体の取扱い，注意点，留意点

臨床検査値は，病気の診断，治療方針の決定，治療効果および予後の判定に欠かせないものである．そのためには，いくら正確な値を得るための測定法が確立していたとしても，測定前誤差の要因について把握しておかなければ測定値をもとにした判断を誤ることになる．

a) 採血管と抗凝固剤の影響

血液を材料とした検査において，目的に応じて抗凝固剤を含んだ血漿や全血を用いる以外は血清が検体として用いられる．ただ，検査の迅速化や血清検体が不足している場合など，代わりに血漿を用いる場合もあることから，抗凝固剤による測定値への影響を把握しておく必要がある．例えば，血清に比べ血漿で総蛋白濃度が高値になることや，血漿中に含まれるEDTA塩の種類によって，ナトリウムやカリウムが高値となる．一方，そのキレート作用によって，カルシウム，鉄，ALPなどが低値となる．また，血清検体を得るために分離剤入りの採血管を一般的に用い

るが，フェニトイン，フェノバルビタールなど一部の薬剤はその分離剤に吸着し測定値が低下する可能性があるため，その血中濃度測定には，分離剤を含まないプレーン採血管を用いて血清分離する必要がある．

b) 溶血の影響

検査室で日常的によく遭遇する測定前誤差の要因として，血清が赤く色づく溶血がある．採血手技に起因するものが多く，赤血球膜の損傷によって細胞内成分が血清（血漿）中に漏れ出すことによって，比較的に赤血球内に高濃度で存在する成分の測定値に大きく影響するので，その注意が必要である．LD，AST，カリウムなどが特に影響を受けやすく，測定値が高値となる．

c) 保存条件による影響

血清または血漿を材料とした検査では，採血後の血液をそのまま保存することは望ましくない．室温で保存した場合，赤血球内の酵素の働きで血漿中のグルコースが消費される．一方，冷蔵保存した場合でも，赤血球内の酵素活性が低下することで，能動輸送が働かなくなることにより，ナトリウムやカリウムの濃度に変化が生じる．このように，すべての臨床検査値に最適な保存条件はないことから，できるだけ早く，遠心分離によって血清または血漿を分離し，直ちに測定することが必要である．すぐ測定できない場合は，血清酵素の失活防止などのため，冷蔵もしくは冷凍で保存する．また，遮光保存することで，光によるビリルビンなどの血清成分の分解を防ぐことができる．

d) 薬剤による影響

薬剤が検査値に及ぼす影響は，投与された薬剤の薬理作用による場合（間接干渉）と，投与された薬剤が検査の測定系や検査値に直接影響する場合（直接干渉）がある．前者は病態改善という薬剤の本来の目的を反映したものである（一部は副作用によるものもある）のに対し，後者は実際の病態を反映しない誤った結果を示すことになる．薬剤の直接干渉は少なくないことから，その情報を把握しておくことは検査値の正しい解釈に必要である．

第2章 病態検査を行うにあたり必要な検査項目

A　血球検査

B　臨床化学検査

C　免疫検査

D　遺伝子検査

E　微生物感染症検査

F　生理機能検査

G　一般検査

A-1 血球

末梢血の固形成分は血球からなる．その体積と数の大半を占める細胞は赤血球である．次に数が多い血球は血小板である．白血球は，血小板よりもさらに少ないが，種類は多く，顆粒球，単球，リンパ球に分かれ，役割も異なっている．血液細胞は，骨髄において<u>造血幹細胞</u>から生成される（図2A-1）．造血幹細胞から分化した各種の血球の前駆細胞が成熟した後，血液中に現れる．

白血球数（WBC）とは

血液内の単位体積あたりの白血球数であり，通常1 μL（1 mm³）あたりの白血球数として表す．

基準値と代表的な測定法および材料

項目	基準値	測定法	材料
白血球数	3.3～8.6×10³/μL	フローサイトメトリー法	血液

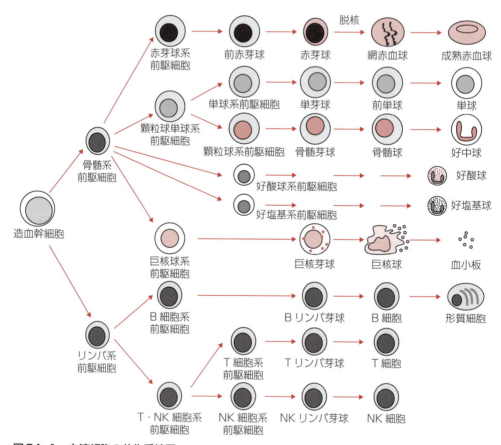

図2A-1 血液細胞の分化系統図

検体の取扱い

ストレス環境下では高値傾向を示す．静脈血よりも耳朶血では15％ほど高値を示す．全自動血液分析装置の測定では凝集した血小板を白血球として認識することがあるので注意する．

異常値の出るメカニズム

顆粒球コロニー刺激因子（G-CSF）の産生が増加すると，末梢血の好中球は増加する．また，白血病において芽球と称される未熟で異常な細胞が骨髄から血液に流入すると白血球数は増加する．一方，再生不良性貧血や抗悪性腫瘍薬の投与後など，骨髄における前駆細胞の増殖が障害されると，血液中の白血球数は減少する．

異常値を示す疾患と病態・関連検査

[高値] 炎症性疾患，血液系悪性腫瘍（白血病など，☞p.164）
[低値] 再生不良性貧血（☞p.162），抗悪性腫瘍薬投与後
[関連検査] 白血球分画，CRP，赤沈

白血球分画とは

末梢血中の白血球は，リンパ球，単球，顆粒球からなる．顆粒球はさらに染色性の違いから，好中球，好酸球，好塩基球に分類される．好中球は成熟度の違いから桿状核好中球と分葉核好中球に分類される．血液腫瘍など骨髄に異常を生じた場合には，上記に分類することのできない異常な形態の白血球（芽球）が出現する．白血球分画は，白血球を染色特性の違いから分類したものであるが，近年では，細胞の大きさや細胞内の構造や密度の違いによって白血球の種類を自動的に判定する装置も利用される．

基準値と代表的な測定法および材料

項目	基準値	測定法	材料
好中球桿状核球	0.5～ 6.5%	フローサイトメトリー法，鏡検法	血液
好中球分葉核球	38.0～74.0%		
好酸球	0～ 8.5%		
好塩基球	0～ 2.5%		
単球	2.0～10.0%		
リンパ球	16.5～49.5%		

検体の取扱い

抗凝固薬で長時間処理した血液では，白血球が形態変化を起こすので，鏡検法では注意する．

異常値の出るメカニズム

細菌感染症や急性炎症性疾患では，好中球の割合が増加する．なかでも骨髄で分化した直後の好中球である桿状核球の比率が増加する．アレルギー疾患においては好酸球が増加することが多

い．血液悪性腫瘍では，本来骨髄外では検出されない芽球と称される血液細胞の前駆細胞が検出される．リンパ系の腫瘍では，リンパ球が増加する．

異常値を示す疾患と病態・関連検査

高値 好中球：細菌感染，炎症性疾患，骨髄系腫瘍（慢性骨髄性白血病，☞p.164）
　　　好酸球：アレルギー性疾患，蠕虫感染症
　　　単球：細菌感染，炎症性疾患，骨髄系腫瘍（慢性骨髄性白血病）
　　　リンパ球：リンパ系腫瘍（リンパ性白血病）

低値 好中球：再生不良性貧血（☞p.162），抗悪性腫瘍薬投与後
　　　リンパ球：抗悪性腫瘍薬投与後，免疫不全症（先天性，後天性）

赤血球数（RBC）とは

　血液中の単位体積あたりの赤血球数を表す．通常 1 μL あたり，すなわち 1 mm³ あたりの数で表す．赤血球は酸素を輸送することに特化した細胞である．赤血球は骨髄で前駆細胞となる赤芽球が作られ，脱核して成熟赤血球となる．赤血球数の減少は酸素輸送能力の低下を反映する．一方で，赤血球は固形成分であることからその数が増加すると血液の粘稠度（粘り気）が増加し，流れにくくなるので，心臓の負担が増したり，血圧が過度に上昇したりする．赤血球が十分な機能を果たすためには，数に加えて赤血球の形状や体積，内容物の量が重要であり，異常が生じると体内における酸素の供給力の低下というかたちで自覚症状が現れる．

基準値と代表的な測定法および材料

項目	基準値	測定法	材料
赤血球数	男性：4.35〜5.55×10⁶/μL 女性：3.86〜4.92×10⁶/μL	電気抵抗検出法	血液

検体の取扱い

　溶血の影響を防ぐため，なるべく早く測定する．

異常値の出るメカニズム（図2A-2）

　赤血球の主要な構成成分はヘモグロビンであり，ヘモグロビンの材料となる鉄が不足したり（鉄欠乏性貧血），ヘムの合成が低下したりする（鉄芽球性貧血）と，赤血球数が減少する．また，赤血球は骨髄の造血幹細胞から産生されるが，その産生過程に障害が生じたり（再生不良性貧血，巨赤芽球性貧血，赤芽球癆），赤血球の前駆細胞の赤芽球の産生を促進するエリスロポエチンの産生量が減少する（腎性貧血）と，赤血球数は減少する．赤血球の破壊が過度に生じた場合にも赤血球数は減少する（溶血性貧血）．逆に，赤芽球の増殖シグナルが病的に亢進した場合には赤血球数が増加する（赤血球増加症）．

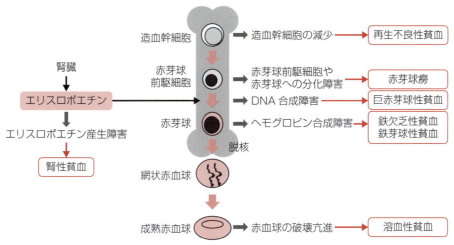

図2A-2 赤血球の分化過程と貧血の病態

異常値を示す疾患と病態・関連検査

[高値] 赤血球増加症（真性，二次性），脱水
[低値] 貧血（☞p.162）
[関連検査] ヘモグロビン，ヘマトクリット，赤血球恒数，鉄，ビタミン B_6，ビタミン B_{12}，クレアチニン，エリスロポエチン，ビリルビン，白血球数

ヘモグロビン（Hb）とは

ヘモグロビンは，2種類のグロビン蛋白が2つずつ組み合わさった4量体を形成しており，2価の鉄イオン（Fe^{2+}）が配位されたヘムを分子内にもつ．ヘモグロビンは，赤血球の第一義的な機能である酸素輸送にとって不可欠な存在である．ヘモグロビン濃度は赤血球の酸素輸送能力を反映しており，ヘモグロビン濃度が低下すると酸素輸送能が低下して，貧血の諸症状が出現する．

基準値と代表的な測定法および材料

項目	基準値	測定法	材料
ヘモグロビン	男性：13.7～16.8 g/dL 女性：11.6～14.8 g/dL	SLS-Hb法（ラウリル硫酸ナトリウム-ヘモグロビン法）	血液

検体の取扱い

採血の体位に影響され，臥位において採取した血液は立位の場合よりも1割ほど低値となる．

異常値の出るメカニズム

ヘモグロビンはグロビン蛋白とヘムからなる．鉄が不足すると，ヘムの量が低下するため，ヘモグロビン濃度は減少する．また，プロトポルフィリンの合成過程に障害が生じてもヘムの量が

低下し，ヘモグロビン濃度は減少する．グロビン蛋白の産生低下はヘモグロビン濃度を減少させる．

　ヘモグロビンは赤血球の産生過程で生合成されるので，赤血球の産生数が減少するとヘモグロビン濃度は減少する．また，赤血球の産生数が増加する（赤血球増加症）とヘモグロビン濃度は増加する．標高の高い地に暮らす人は赤血球の産生が活発になって，標高の低い地に暮らす人よりもヘモグロビン濃度が高くなる傾向にある．

異常値を示す疾患と病態・関連検査

[高値] 赤血球増加症，脱水
[低値] 貧血（☞p.162）
[関連検査] 赤血球数，ヘマトクリット，赤血球恒数

ヘマトクリット(Ht)とは

　ヘマトクリットは，血液中の赤血球の体積比を示す．値は百分率で与えられる．ヘマトクリットが単独で血液疾患の評価に用いられることはなく，赤血球数，ヘモグロビンとともに貧血や赤血球増加症の評価に用いられる．また，赤血球恒数（指数）を求めるために赤血球数，ヘモグロビンとともに用いられる．赤血球数やヘモグロビンと同様に生殖年齢の女性は同年代の男性よりも値が低くなる傾向がある．

基準値と代表的な測定法および材料

項目	基準値	測定法	材料
ヘマトクリット	男性：40.7〜50.1% 女性：35.1〜44.4%	赤血球パルス波高値検出法	血液

検体の取扱い

　採血の体位に影響され，臥位において採取した血液は立位の場合よりも1割ほど低値となる．

異常値の出るメカニズム

　ヘマトクリットは，赤血球数に比例するので，赤血球数が増加すると値が増加する．赤血球数が変化しない場合でも，脱水などで循環血漿量が減少すると，相対的に赤血球の体積の比率が増加するのでヘマトクリットは増加する．赤血球の数が減少した場合やヘモグロビン合成の障害などにより赤血球の体積が減少した場合にはヘマトクリットは減少する．

異常値を示す疾患と病態・関連検査

[高値] 赤血球増加症，脱水
[低値] 貧血（☞p.162）
[関連検査] 赤血球数，ヘモグロビン，赤血球恒数（指数）

赤血球恒数(指数)とは

　赤血球恒数(指数)は，1個の赤血球の状態を反映する値である．赤血球数とヘモグロビンとヘマトクリットの検査値から求められる．平均赤血球容積(MCV)，平均赤血球血色素(ヘモグロビン)濃度(MCHC)，平均赤血球血色素(ヘモグロビン)量(MCH)が求められる．

　MCVは赤血球1個あたりの平均容積を示し，下記の式にて求められる．MCVの単位はfL(フェムトリットル) = 10^{-15} Lである．

$$\text{MCV (fL)} = \text{Ht (\%)} \times 10/\text{RBC} (\times 10^6/\mu L)$$

　MCHCは単位容積あたりのヘモグロビン濃度を示し，下記の式にて求められる．MCHCの単位はg/dLである．

$$\text{MCHC (g/dL)} = \text{Hb (g/dL)} \times 100/\text{Ht (\%)}$$

　MCHは赤血球1個あたりに含まれるヘモグロビン量を示し，下記の式にて求められる．MCHの単位はpg(ピコグラム) = 10^{-12} gである．

$$\text{MCH (pg)} = \text{Hb (g/dL)} \times 10/\text{RBC} (\times 10^6/\mu L)$$

基準値と代表的な測定法および材料

項目	基準値	測定法	材料
MCV	83.6〜98.2 fL	赤血球数，ヘモグロビン，ヘマトクリットの検査値より算出	
MCH	27.5〜33.2 pg		
MCHC	31.7〜35.3 g/dL		

検体の取扱い

赤血球数，ヘモグロビン，ヘマトクリットの計測に準じる．

異常値の出るメカニズム

　MCV，MCHC，MCHの値は，赤血球を構成する主たる物質であるヘモグロビンの合成系に障害が生じると低値になる．一方，赤血球の前駆細胞のDNA合成に障害が生じると，そこから体積の大きい赤血球を生じ，MCVは増加する．また，赤血球が球形となる遺伝性球状赤血球症では，血液中の単位体積あたりの細胞数が増加することから，その値を反映するMCHCの値が増加する．この場合，赤血球1個あたりのヘモグロビン量を反映するMCHは正常値となる．

異常値を示す疾患と病態・関連検査

[高値] MCV：巨赤芽球性貧血(悪性貧血，葉酸欠乏性貧血など，☞p.162)
　　　MCHC：遺伝性球状赤血球症
[低値] MCV：鉄欠乏性貧血，鉄芽球性貧血，サラセミア
　　　MCHC：鉄欠乏性貧血，鉄芽球性貧血，サラセミア
　　　MCH：鉄欠乏性貧血，鉄芽球性貧血，サラセミア
[関連検査] 赤血球数，ヘモグロビン，ヘマトクリット

網状赤血球(網赤血球)数とは

赤血球の生み出される過程では赤芽球内でヘモグロビンが活発に産生され，十分なヘモグロビンを合成した後に，脱核し，成熟赤血球となる．脱核後しばらくは細胞小器官が残るため，リボソームなどを染色するメチレンブルーで超生体染色を行うと，網状の染色像を呈した赤血球が検出される．これを網状赤血球(網赤血球)と称する．網状赤血球数が増加することは，赤血球の産生が亢進していることを意味する．

基準値と代表的な測定法および材料

項目	基準値	測定法	材料
網状赤血球数	$0.04〜0.08×10^6/\mu L$	フローサイトメトリー法 Brecher法	血液

検体の取扱い

網状赤血球は，成熟赤血球となるまでの期間が短いので採血後はなるべく早く測定することが望ましい．

異常値の出るメカニズム

出血や溶血などで，体内の赤血球数が減少したり，血液内の酸素分圧が長期にわたって低下したりすると，赤血球の産生系が亢進する．その結果，骨髄における赤芽球の産生が亢進する．それを反映して，赤芽球が脱核した直後の網状赤血球の割合が増加する．再生不良性貧血など，造血幹細胞からの赤芽球の産生過程に障害が生じると，赤芽球の数が減少し，赤芽球の脱核の過程で生み出される網状赤血球の数も減少する．

異常値を示す疾患と病態・関連検査

高値 溶血性貧血(☞p.162)，出血性疾患，長期にわたる血中酸素分圧の低下，エリスロポエチン投与後，鉄欠乏性貧血の患者への鉄剤投与後

低値 再生不良性貧血，赤芽球癆

関連検査 赤血球数，ヘモグロビン，ヘマトクリット

赤沈とは

赤沈とは，赤血球沈降速度の略語であり，英名の略称から ESR とも称される．凝固を抑制した血液中における赤血球の沈降速度を表す．赤血球は，膜が負に荷電しており，互いに電気的に反発して塊を作りにくいため，抗凝固剤入りの血液中で静置するとゆっくり沈む．血漿成分の変化により，正の荷電をもつ蛋白が増加するなどして赤血球膜の負の荷電が打ち消されると，赤血球が塊(連銭)を形成して速く沈殿するようになる．この現象を赤沈の亢進という．

基準値と代表的な測定法および材料

項目	基準値	測定法	材料
赤沈 (赤血球沈降速度)	男性：2～10 mm/時 女性：3～15 mm/時	Westergren法	血液

検体の取扱い

血液の希釈状態が値に影響するので，抗凝固剤と血液の量比を厳守する．温度変化に注意する．

異常値の出るメカニズム

フィブリノゲンやγ-グロブリン（免疫グロブリン）などの濃度が上昇すると赤沈は亢進するので，赤沈の亢進は炎症性疾患・免疫疾患や感染症と関連づけられる．また，ネフローゼ症候群などで，アルブミンが失われても，赤沈は亢進する．一方，赤血球の数が増加する赤血球増加症やフィブリノゲンが減少した場合には赤沈は低下する．

異常値を示す疾患と病態・関連検査

[亢進] 炎症性疾患，免疫疾患，感染症，ネフローゼ症候群（☞p.192）
[遅延] 赤血球増加症，低フィブリノゲン血症
[関連検査] CRP，白血球数，赤血球数，フィブリノゲン，尿蛋白，アルブミン

以下の記述の正誤を答えよ．
1 細菌感染時には，白血球数が増加する．
2 貧血では，ヘモグロビンの値が上昇する．
3 赤血球恒数は，貧血の型の判別に用いられる．
4 エリスロポエチン投与後に，網状赤血球の数は減少する．
5 炎症性疾患では，赤沈が亢進する．

A-2 凝固・線溶系

血管が損傷すると，血液の血管外への流出を防ぐため，損傷血管の傷口を塞ぐための応急処置が行われる．この系には主として血小板が関与する系と血漿成分の血液凝固因子が関与する系がある．血管内層を形成する血管内皮細胞の脱落によって基底膜のコラーゲンが露出すると，フォン・ウィルブランド（von Willebrand）因子が結合し，次いで血小板が粘着して活性化する．活性化した血小板は互いに結合して血栓を形成する（凝集）．このようにして形成される血栓を一次血栓といい，一次血栓が形成される過程を一次止血という．また，損傷した組織から放出される組織因子（血液凝固第Ⅲ因子）や一次血栓の血小板に由来するリン脂質は血漿中のプロテアーゼである血液凝固因子の連鎖的活性化を引き起こす．その結果，最終的には血漿中のフィブリノゲンが不溶性のフィブリンとなり，血球を絡めとりながら不溶性の血栓を形成する．これを二次血栓という．二次血栓が形成される過程を二次止血という．血管の修復が完了すると，血栓を除

去するために別種のプロテアーゼの連鎖的な活性化が生じる．これを線維素溶解（線溶）という．血液凝固系と線溶系は，必要なときにのみに活性化するよう厳格に制御されている．

血小板数とは

　血小板は，骨髄内で巨核球の細胞質から産生される無核の細胞である．細胞内の濃染顆粒にはセロトニン，ADPなどの生理活性物質が，α顆粒には血小板由来成長因子，血小板第Ⅳ因子，トロンボスポンジンなどの生理活性物質が貯蔵されている．血小板を生み出す巨核球は造血幹細胞より産生され，その過程にはトロンボポエチンが関わっている（図2A-3）．血小板の減少は，一次止血機構の障害に直結することから，出血傾向につながる．血小板の増加は，血管内血栓を生じる頻度を高め，血栓症のもとになる．

基準値と代表的な測定法および材料

項目	基準値	測定法	材料
血小板数	158〜348×10³/μL	電気抵抗検出法	血液

検体の取扱い

　血液の一部が凝固した検体では血小板数が見かけ上少なくなる．全自動血液分析装置を用いた場合には凝集した血小板が白血球と認識される場合がある．溶血性貧血の検体では破砕した赤血球が血小板と誤認されることがある．このような検体では，鏡検法を用いて確認する必要がある．

異常値の出るメカニズム

　血小板のもととなる巨核球の産生系に異常をきたすと血小板数は減少する（再生不良性貧血）．また，血小板に対する自己免疫が生じて，網内系での処理が亢進すると減少する（特発性血小板減少性紫斑病）．フォン・ウィルブランド因子の形状の変化（血栓性血小板減少性紫斑病）や感染症や全身性の炎症反応のために血管内における凝集が亢進（播種性血管内凝固症候群）しても，減少する．一方，骨髄における巨核球の産生が亢進すると，血小板数は増加する．

異常値を示す疾患と病態・関連検査

[高値] 本態性血小板血症，慢性骨髄性白血病（☞p.164），真性赤血球増加症

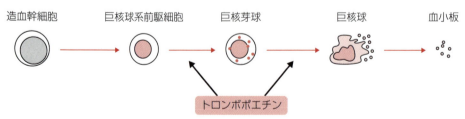

図2A-3　血小板の分化過程

[低値] 再生不良性貧血（☞p.162），特発性血小板減少性紫斑病，血栓性血小板減少性紫斑病，播種性血管内凝固症候群（☞p.166）
[関連検査] 赤血球数，白血球数，出血時間，フィブリノゲン

出血時間とは

皮膚に創傷を人為的に作り，そこからの出血が止まる時間を測定する．血小板数あるいは血管壁の機能を反映する．耳朶（耳たぶ）に傷をつけて止血するまでの時間を測定するデューク法と，前腕部に傷をつけて止血する時間を測定するアイビー法があるが，わが国ではデューク法が基本である．いずれも傷をつけてから湧出する血液を濾紙で30秒ごとに吸い取って止血を確認する．

基準値と代表的な測定法および材料

項目	基準値	測定法
出血時間	1～5分	デューク法

検体の取扱い

被験者にストレスがかかっている場合，出血時間が延長することがある．

異常値の出るメカニズム

血小板数が低下すると延長する．血小板数が正常であってもその機能に異常があれば延長する．血小板の凝集にはフォン・ウィルブランド因子が必要であるため，血中のフォン・ウィルブランド因子の量が低下しても出血時間は延長する．

異常値を示す疾患と病態・関連検査

[延長] 血小板減少性紫斑病（特発性，血栓性），再生不良性貧血（☞p.162），播種性血管内凝固症候群（☞p.166），ベルナール・スーリエ症候群，ストレージ・プール病，血小板無力症，フォン・ウィルブランド病，溶血性尿毒症症候群，抗血小板薬投与中

プロトロンビン時間（PT），活性化部分トロンボプラスチン時間（APTT）とは

血液凝固系には内因性経路と外因性経路の2つの経路が存在する（図2A-4）．内因性経路では，第XII因子が陰性荷電に触れることにより活性化し，第XI因子，次いで第IX因子を活性化する．活性化第IX因子は活性化第VIII因子と複合体を作り，第X因子を活性化する．外因性経路では，組織因子（第III因子）が第VII因子を活性化して，次いで第X因子を活性化する．両経路によって活性化される第X因子は第V因子（活性化第V因子）とともにプロトロンビンを活性化してトロンビンとし，トロンビンはフィブリノゲンからフィブリンを形成する．プロトロンビン時間（PT）は，外因性経路の活性を反映する．組織トロンボプラスチンを血漿中に添加して血液が凝固するまでの時間を測定する．PTは第VII因子，第X因子，プロトロンビン，フィブリノゲンの量を反映する．

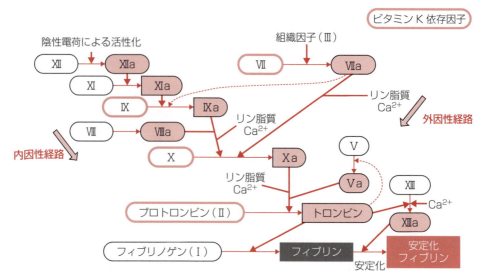

図2A-4 血液凝固因子とその活性化の過程
リン脂質は主として活性化した血小板から提供される．

　活性化部分トロンボプラスチン時間（APTT）は，内因性経路の活性を反映する．クエン酸ナトリウム加血漿にリン脂質や陰性荷電体とカルシウムを含むAPTT試薬を添加した後に生じる血液凝固までの時間を測定する．内因性経路に関与する第XII因子，第XI因子，第VIII因子，第IX因子，第X因子，プロトロンビン，フィブリノゲンの量を反映する．血友病のスクリーニングの目的で，PTとともに測定される．

基準値と代表的な測定法および材料

項目	基準値	測定法	材料
PT*	10〜13秒	クイック1段法	血漿
PT-INR*	0.9〜1.1		
プロトロンビン活性	80〜120%		
PT比	0.85〜1.15		
APTT	24〜36秒	凝固時間法	

> **NOTE** *PTとPT-INR（プロトロンビン時間国際標準比 prothrombin time-international normalizing ratio）：PTは血漿に組織トロンボプラスチンを添加して血液が凝固するまでの時間である．使用する試薬のメーカーや測定する施設によってばらつく値を標準化する目的で，検体の血漿のPTの標準検体のPTに対する比に，試薬力価を累乗して算出されるPT-INRが用いられる．

検体の取扱い

添加するクエン酸ナトリウムと血液の量比を正確にする．

異常値の出るメカニズム

　PTは，血液凝固因子のうち，第V因子，第VII因子，第X因子，プロトロンビン，フィブリノ

ゲンの肝臓における産生量の減少や先天的欠損に伴って延長する．血液凝固が亢進する疾患において血液凝固因子が消費された場合にも延長する．

APTTは，血液凝固因子のうち，第XII因子，第XI因子，第VIII因子，第IX因子，第X因子，プロトロンビン，フィブリノゲンの肝臓における産生量が減少したときや先天的欠損に伴って延長する．血液凝固が亢進する疾患において血液凝固因子が消費された場合にも延長する．

炎症性疾患では，肝臓における血液凝固因子の産生量が増加するため，値が増加することがある．

PT-INRは，抗凝固薬のワルファリンの効果を測定するときに用いられ，値が過度に増大しているときには出血傾向になっていることを意味する．

異常値を示す疾患と病態・関連検査

短縮 血栓症，血液凝固能の亢進時
延長 （下表）

PT	APTT	疾　患
正常	延長	血友病A（第VIII因子の異常），血友病B（第IX因子の異常），第XII因子の異常，第XI因子の異常
延長	正常	第VII因子の異常
延長	延長	播種性血管内凝固症候群（☞p.166），肝不全，肝硬変，抗凝固薬投与時，ビタミンK欠乏症，血液腫瘍，第X因子の異常，第V因子の異常，プロトロンビンの異常，フィブリノゲン量の異常

関連検査 血小板数，フィブリノゲン，出血時間，アンチトロンビン活性，トロンビン・アンチトロンビン複合体

フィブリノゲンとは

フィブリノゲンは，Aα鎖，Bβ鎖，γ鎖の3種のポリペプチドが重合した2量体からなる蛋白である．肝臓で生合成される．フィブリノゲンは中心部のE領域と，E領域をはさむ2つのD領域からなる（図2A-5）．フィブリノゲンのE領域に位置するAα鎖とBβ鎖の一部がトロンビンにより切断されると，フィブリンモノマーとなる（図2A-6）．フィブリンモノマーどうしが結合してフィブリンポリマーが形成される．この時，活性化第XIII因子が存在すると2つのD領域が架橋されて安定化フィブリンとなる（図2A-6）．

基準値と代表的な測定法および材料

項目	基準値	測定法	材料
フィブリノゲン	150〜400 mg/dL	凝固時間法（トロンビン時間法） 免疫学的測定法	血漿

検体の取扱い

加齢や運動の有無によって大きく変動し，炎症性徴候がある場合には増加するため，個人差や被験者の置かれた環境の影響を受けやすい．

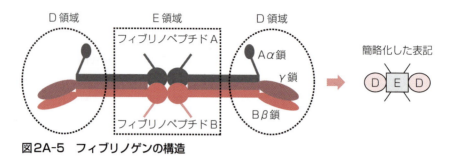

図2A-5 フィブリノゲンの構造

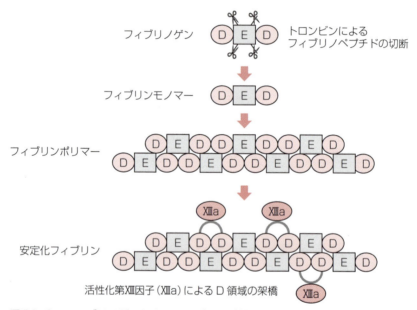

図2A-6 フィブリノゲンからのフィブリン線維の形成

異常値の出るメカニズム

フィブリノゲンは肝臓で生合成されるため，肝機能が低下すると血漿中の濃度が減少する．また，凝固系が過度に亢進して，消費が進んだ場合やプラスミンの過度な活性化で分解が亢進しても血漿中の濃度は減少する．一方，感染症や全身性の炎症によって肝臓における蛋白合成が亢進すると血中濃度は増加する．ネフローゼ症候群に伴って失われたアルブミンの合成が肝臓で盛んになった場合にも，同時にフィブリノゲンの合成も増加するので血漿中の濃度は増加する．加齢，妊娠，運動後にも増加する．

異常値を示す疾患と病態・関連検査

高値 全身炎症性疾患，ネフローゼ症候群（☞p.192）
低値 肝不全，肝硬変（☞p.178），播種性血管内凝固症候群（☞p.166），大量出血

アンチトロンビン活性，トロンビン・アンチトロンビン複合体（TAT）とは

アンチトロンビン（アンチトロンビンⅢ）は，肝臓で合成される内因性の抗凝固物質であり，活性化第X因子やトロンビンの活性を直接抑制する．凝固経路の活性化に伴って生成されるトロンビンは直ちにアンチトロンビンと結合し，トロンビン・アンチトロンビン複合体（TAT）を形成する．

基準値と代表的な測定法および材料

項目	基準値	測定法	材料
アンチトロンビン活性	79〜121%	合成基質法	血漿
トロンビン・アンチトロンビン複合体	3.0 ng/mL以下	CLEIA	

検体の取扱い

アンチトロンビン活性は肝機能の影響を大きく受ける．加齢，ストレスの有無，食習慣の影響を受けやすい．

異常値の出るメカニズム

アンチトロンビンは肝臓で生合成されるため，肝機能が低下すると血漿中の濃度が低下する．全身炎症性疾患では，肝臓における炎症性蛋白の合成とともに生合成されるため，血中濃度は増加する．また，凝固系が亢進すると，増加したトロンビンと複合体を形成するためにアンチトロンビンの活性が減少する一方で，トロンビンとアンチトロンビンの複合体の量は増加する．アンチトロンビン活性は合成と消費の動向で値が変動することから，血液凝固系や線溶系の各種指標や肝機能の指標とともに評価する必要がある．

異常値を示す疾患と病態・関連検査

高値 アンチトロンビン活性：急性炎症性疾患，急性感染症
トロンビン・アンチトロンビン複合体：播種性血管内凝固症候群（☞p.166），敗血症，悪性腫瘍，血栓症，肝炎（☞p.174），術後

低値 アンチトロンビン活性：播種性血管内凝固症候群，肝不全，肝硬変（☞p.178），ネフローゼ症候群（☞p.192）

関連検査 フィブリノゲン，CRP，各種肝機能の指標，各種凝固系の指標，各種線溶系の指標

フィブリン・フィブリノゲン分解産物（FDP），D-ダイマーとは

線溶系の酵素であるプラスミンは，フィブリンとフィブリノゲンをどちらも分解する．フィブリンとフィブリノゲンのプラスミンによる分解産物は区別できないので，フィブリン・フィブリノゲン分解産物（FDP）と称している（図2A-7）．フィブリノゲンの分子は，2つのD領域と1つのE領域の合計3つの領域に区分することができるが，プラスミンによって分解を受けると，

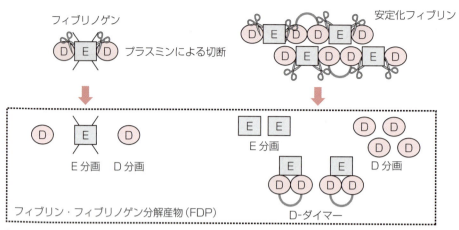

図2A-7 フィブリノゲンとフィブリン線維のプラスミンによる分解

これらの領域は切り離されて，D領域からなる分画（D分画）とE領域からなる分画（E分画）が生成する（一次線溶）（図2A-7）．血液凝固系が活性化する過程で，活性化第XIII因子によって，異なるフィブリノゲン分子に由来する2つのD領域が架橋されたフィブリン線維（安定化フィブリン）が生じる．このようなフィブリン線維がプラスミンによって分解される過程で2つのD領域がつながった分解物が生み出される．これをD-ダイマーという（図2A-7）．D-ダイマーの存在は，血液凝固系が活性化されて安定なフィブリン線維を生成した後の線溶系の活性化（二次線溶）を意味する．

基準値と代表的な測定法および材料

項目		基準値	測定法	材料
フィブリン・フィブリノゲン分解産物	P-FDP	5 μg/mL 未満	LPIA	血漿
	total FDP	10 μg/mL 未満	LA	血清
		100 ng/mL 未満	LPIA	尿
D-ダイマー		1.0 μg/mL 未満	LPIA	血漿

検体の取扱い

血清を検体として用いる場合には，使用する抗体によってはフィブリノゲンとの交叉反応を生じるので，血液凝固中のFDPの生成を防ぐための特別な処理を施した試験管内に採血した後，調製する必要がある．

異常値の出るメカニズム

線溶系の活性化によってFDPの値が増加する．一方，血液凝固系の活性化後に線溶系が活性化した場合には，FDPの値とともにD-ダイマーの値も上昇する．尿中のFDPの上昇は腎臓における二次線溶の結果として出現するものであり，腎臓の炎症性疾患を反映している．

異常値を示す疾患と病態・関連検査

[高値] FDP：悪性腫瘍，播種性血管内凝固症候群（☞p.166），血栓溶解療法（アルテプラーゼやウロキナーゼの投与後），糸球体腎炎（尿中），溶血性尿毒性症候群（HUS）（尿中）
D-ダイマー：播種性血管内凝固症候群，血栓症

プラスミノゲンとは

プラスミノゲンは肝臓で生合成され，血栓上で組織型プラスミノゲン活性化因子（t-PA）によって活性型酵素のプラスミンになる．プラスミンは，血栓中のフィブリンを分解する．

基準値と代表的な測定法および材料

項目		基準値	測定法	材料
プラスミノゲン	活性	75～125%	合成基質法	血漿
	抗原量	7.0～13.0 mg/dL	TIA	

検体の取扱い

プラスミノゲンは日内変動を示し，早朝で高値となる．抗原量が正常値で活性が低下している場合には分子異常症の疑いがある．

異常値の出るメカニズム

プラスミノゲンは肝臓にて生合成されるため，肝機能の低下によって血中濃度は減少する．また，線溶系が活性化されると，活性化体のプラスミンに変換されるため，その血中濃度は減少する．線溶系の活性化は凝固系の活性化に伴う血栓形成によっても引き起こされることから，凝固系の強い活性化を生じてフィブリン線維が多く作られた後にもプラスミノゲンの値は減少する．

異常値を示す疾患と病態・関連検査

[高値] 全身炎症性疾患
[低値] 肝硬変（☞p.178），肝不全，播種性血管内凝固症候群（☞p.166），ウロキナーゼの投与後
[関連検査] フィブリノゲン，フィブリン・フィブリノゲン分解産物，D-ダイマー

プラスミンインヒビター（α_2PI），プラスミンインヒビター・プラスミン複合体（α_2PIC）とは

プラスミンインヒビター（α_2-プラスミンインヒビター，α_2PI，アンチプラスミン）は，プラスミンと結合してプラスミンの活性を阻害する内因性の蛋白であり，肝臓で生合成される．プラスミノゲンは血栓上で，組織型プラスミノゲン活性化因子によってプラスミンに変換され，血栓上のフィブリンを分解する．フィブリンを分解した後，血液中に逸脱したプラスミンは速やかにα_2PIと結合して不可逆的に不活性化される．プラスミンの活性化に伴って，単体のα_2PIは消費され，プラスミンとの複合体［α_2-プラスミンインヒビター・プラスミン複合体（α_2PIC）］が増加

する．

基準値と代表的な測定法および材料

項目	基準値	測定法	材料
α_2PI	85〜115%	合成基質法	血漿
α_2PIC	0.8 μg/mL 未満	LPIA	

検体の取扱い

値は肝機能に影響を受けやすい．

異常値の出るメカニズム

　肝機能の低下に伴って生合成量が低下すると，α_2PIの活性が低下する．また，線溶系の活性化に伴ってα_2PIとプラスミンの複合体（α_2PIC）が増加し，単体のα_2PIは減少する．

異常値を示す疾患と病態・関連検査

[低値] α_2PI：肝不全，肝硬変，播種性血管内凝固症候群（☞p.166）
[高値] α_2PIC：播種性血管内凝固症候群

以下の記述の正誤を答えよ．
1 血小板数が減少すると，出血時間が短縮する．
2 血液凝固が亢進すると，トロンビン・アンチトロンビン複合体が増加する．
3 線溶系が亢進すると，α_2-プラスミンインヒビターが増加する．
4 D-ダイマーの値の上昇は，線溶系の活性化の前に凝固系が活性化していたことを意味する．
5 第Ⅷ因子の欠損によって，プロトロンビン時間が延長する．

B-1 電解質

電解質は，体液中で一定の濃度で存在し，体水分，浸透圧および酸塩基平衡の恒常性と，細胞の機能を維持している．細胞内液と細胞外液では，組成と濃度が異なる（図2B-1）．電解質濃度の異常は，電解質の増減と水分の増減により起こる．血清中のNa，K，Ca，P濃度および水分量は内分泌系により狭い範囲に調節されている．

血液のpHは，肺と腎臓が互いに代償的に働くことによって一定（7.35〜7.45）に維持されている．これらの機能が障害されると，pHの恒常性を維持できなくなり，pHが低下していく状態をアシドーシス，上昇していく状態をアルカローシスといい，どちらも酸塩基平衡が異常な方向に進んでいることを示す．肺と腎臓の代償作用がまだ残っており，pHの値は血液のpHが基準範囲内である場合もある．なお，pH＜7.35をアシデミア（酸血症），pH＞7.45以上をアルカレミア（アルカリ血症）という．

ナトリウム（Na）とは

Na^+は，細胞外液の主要陽イオンであり，細胞外液の水分量と血漿浸透圧を調節している．血清Na濃度は，水分量とNa^+量により調節されている．血漿浸透圧により，下垂体後葉からバソプレシン（抗利尿ホルモン，ADH）が分泌し，腎臓の集合管で吸収される水分量が最終的に調節されている．Na^+量はレニン・アンギオテンシン・アルドステロン系を介して腎尿細管でのNa^+再吸収によって調節されており，Na^+の移動には水が伴うので，細胞外液量はNa^+量に決定される．循環血液量が過剰になると，心房から心房性ナトリウム利尿ペプチド（ANP）や心室から脳性ナトリウム利尿ペプチド（BNP）が分泌され，腎臓の水排泄を増加させるとともに，ADH分泌を抑制する．血清Na濃度の変動は，細胞外液量の変動を意味する．細胞外液量の異常が推

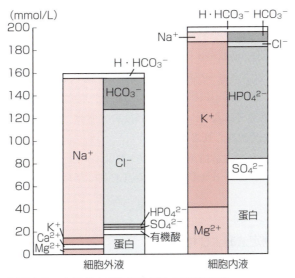

図2B-1　血漿および細胞内液の電解質組成

定される脱水や浮腫では必要な検査値である．高Na血症より，低Na血症の異常が圧倒的に多い．

> **NOTE** 低Na血症（＜138 mEq/L）では倦怠，悪心，精神異常，痙攣など，高Na血症（＞145 mEq/L）では頭痛，悪心，嘔吐，痙攣，筋力低下，意識障害（細胞内脱水による症候）などの症状がみられる．

基準値と代表的な測定法および材料

項目	基準値	測定法	材料
Na	138～145 mEq/L	イオン電極法	血清

検体の取扱い

血清Na濃度は日内変動せず，食事の影響，年齢差，性差もない．全血での放置は（特に冷蔵）血球膜 Na^+/K^+-ATPase活性低下により低値となるため，採血後2時間以内に分離することが望ましい．

異常値の出るメカニズム

低Na血症は，Na^+喪失よりも水分過剰（希釈性低Na血症）による場合が多い．
高Na血症は，Na^+過剰よりも，脱水状態による場合が多い．

異常値を示す疾患と病態・関連検査

高値 脱水症，尿崩症（☞p.212），原発性アルドステロン症，クッシング症候群（☞p.209）など
低値 アジソン病，ネフローゼ症候群（☞p.192），腎不全（☞p.188），下痢・嘔吐
関連検査 Cl，副腎皮質ホルモン

カリウム（K）とは

K^+は細胞内の主要な陽イオンであり，細胞外液には，体内総Kの2％程度が存在する．細胞内K濃度は，細胞膜の Na^+/K^+-ATPaseよって維持されている．K^+は酸塩基平衡，細胞内浸透圧および細胞膜電位の維持，筋収縮に関与している．K^+の摂取量と尿中排出量はほぼ等しく，糸球体を通過した K^+ は，ほとんどすべて近位尿細管で再吸収され，腎臓から尿量に比例して，遠位尿細管から Na^+ との交換で尿中に排泄される．アルドステロンによっても K^+ 排泄が調節されているが，Na^+ ほど効果的ではない．血清K濃度の異常は，心臓・筋肉・神経の機能に影響し，心電図には特徴的な異常がみられる．

> **NOTE** 低K血症（＜3.6 mEq/L）では，筋脱力，筋麻痺が生じる．特徴的な心電図は，U波増高に伴うT波の平低下である．高K血症（＞4.8 mEq/L）では，不整脈を生じる．特徴的な心電図は，テント状T波である．

基準値と代表的な測定法および材料

項目	基準値	測定法	材料
K	3.6～4.8 mEq/L	イオン電極法	血清

検体の取扱い

赤血球内のK濃度は血清より20～30倍高いため，溶血により偽高値となる．

採血後すみやかに血清分離する．全血の放置は，血球からのK^+の遊出と血球内への取込みが生じる．全血の冷蔵保存ではNa^+/K^+-ATPase活性低下し血球から遊出し高値となる．

異常値の出るメカニズム

低K血症は，鉱質コルチコイド過剰（原発性アルドステロン症，クッシング症候群），アルカローシス，インスリン過剰（K^+の細胞内取込み促進），利尿薬などによって引き起こされる．

高K血症は，高度の腎障害によるGFR低下によるK^+排泄量の減少，鉱質コルチコイドの作用低下（アジソン病），薬剤（カリウム保持性利尿薬など），インスリン欠乏やアシドーシスによる細胞内からのK^+の移動増大，細胞壊死，溶血などによって引き起こされる．

異常値を示す疾患と病態・関連検査

[高値] アシドーシス，インスリン欠乏，アジソン病，腎機能障害
[低値] 原発性アルドステロン症，クッシング症候群（☞p.209），下痢，嘔吐，アルカローシスなど
[関連検査] 副腎皮質ホルモン，ADH

クロール（Cl）とは

Cl^-は，細胞外液で最も多い陰イオンであり，細胞外液の量，血漿浸透圧，酸塩基平衡の維持，胃酸産生，クロライドシフト（赤血球でCO_2とO_2が交換するとき，Cl^-が赤血球を出入する）に関わっている．Na^+血清Cl^-は，NaClの形で喪失・摂取されることが多い．消化液中に分泌されたCl^-は，腸管で吸収され，腎臓の糸球体濾過および尿細管再吸収，血中濃度が維持される．血清Cl濃度は，相補的陰イオンであるNa濃度と並行して増減する他，体内で酸を中和する塩基である血清HCO_3^-濃度と逆方向に変動する．Cl^-とNa^+の血清濃度比が（通常）約1：1.4からはずれると，酸塩基平衡に異常があると考えられる．

基準値と代表的な測定法および材料

項目	基準値	測定法	材料
Cl	101～108 mEq/L	イオン電極法	血清

検体の取扱い

血清Cl濃度は，胃液分泌によりわずかに低下し，加齢に伴い減少する傾向がある．

異常値の出るメカニズム

細胞外液の総陰イオン数にあたるCl^-とHCO_3^-の和は，一定で総陽イオン数と平衡している．酸塩基平衡の異常では，腎臓からHCO_3^-を再吸収できないとき，血漿HCO_3^-が減少し，Cl^-は増加する（アニオンギャップ*が正常な代謝性アシドーシス）．また，肺からCO_2を排泄できて

いないとき，動脈血 $PaCO_2$ 圧が上昇すると，腎臓では代償的に HCO_3^- を再吸収して血漿 HCO_3^- が増加し，Cl^- は減少する（呼吸性アシドーシス）．肺と腎臓による酸塩基平衡は，分母と分子の関係にあり，互いに代償作用が働く．

異常値を示す疾患と病態・関連検査

高値 高張性脱水症，尿細管性（HCO_3^- 不足：アニオンギャップが正常な代謝性）アシドーシス，呼吸性アルカローシス（過呼吸，動脈血 CO_2 分圧低下）

低値 嘔吐，呼吸性アシドーシス，代謝性アルカローシス，低 Na 血症をきたす疾患

関連検査 Na，HCO_3^-，アニオンギャップ*

> **NOTE** *アニオンギャップ（AG）：基準値 $12±4$ mEq/L，$AG = Na^+ - (Cl^- + HCO_3^-)$ で計算され，この値は他の陰イオン濃度（通常，測定されない有機酸や無機酸の濃度）を表している．代謝性アシドーシスのうち，H^+ の生成過剰［①ケトン体の増加（糖尿病，飢餓），②乳酸の増加，③硫酸塩，リン酸塩の増加（尿毒症）］では AG は著しく増加するが，腎臓からの HCO_3^- 供給不足では AG は正常である．AG は，これらアシドーシスの鑑別に使われる．

カルシウム（Ca）とは

Ca は骨・歯を構成し，Ca の代謝プールとなる他，神経活動，酵素の活性化，血液凝固，筋収縮，腺の分泌機能など種々の細胞内情報伝達物質として重要な役割を担っている．血清 Ca の約 50% はアルブミンなどの蛋白と結合し，非結合型 Ca^{2+} が生理活性を担っている．血清 Ca 濃度は血液 pH と蛋白，副甲状腺ホルモン（PTH），ビタミン D，カルシトニンによって調節され（表2B-1），腎尿細管における Ca^{2+} 再吸収の調節と骨形成・骨吸収による Ca^{2+} の調節により恒常性が保たれている．低 Ca 濃度では筋神経の静止電位が低下し興奮性が高まり，テタニー（強直），しびれ，意識消失発作が出現し，心電図では QT（特に ST）延長がみられる．高 Ca 濃度では興奮性が低下し，悪心，嘔吐，意識障害，心電図では QT 短縮がみられる．

基準値と代表的な測定法および材料

項目	基準値	測定法	材料
Ca	8.8～10.1 mg/dL	OCPC法	血清
	0.1～0.3 g/日	アルセナゾIII法	尿
イオン化 Ca	2.2～2.6 mEq/L	イオン電極法	血清

表2B-1 内分泌系による Ca 代謝の調節

	ビタミン D	PTH	カルシトニン
小腸からの Ca の吸収	↑	―	―
尿細管からの Ca 再吸収	↑	―	―
骨からの Ca 放出	↑	↑	↓
血清 Ca 濃度	↑	↑	↓

検体の取扱い

性差はない．新生児では成人の約1.1倍高値であるが，5歳くらいで成人値になる．アシドーシスではイオン型が増加し，アルカローシスでは結合型が増加する．血清アルブミン濃度低下に伴い総Ca濃度が低下するため，血清アルブミン濃度が4 g/dL以下ではPayneの補正式*を用いる．抗凝固剤はヘパリンNaを用いる（カルシウムキレート剤を使用しない）．

> **NOTE** *Payneの補正式：補正Ca値（mg/dL）＝血清Ca値−血清アルブミン値（g/dL）＋4.0

異常値の出るメカニズム

ビタミンD過剰，副甲状腺機能亢進（副甲状腺ホルモンの分泌増加）では高Ca血症（血清Ca濃度10.5 mg/dL以上）となる．悪性腫瘍では骨からのCa^{2+}の遊離が促進され，高Ca血症になる．ビタミンD不足，副甲状腺機能低下では低Ca血症（血清Ca濃度8.5 mg/dL以下）となる．ビタミンDは肝臓と腎臓でそれぞれ水酸化を受け活性化ビタミンDとなり，小腸でのCa^{2+}の吸収に関与するが，腎不全では活性型ビタミンD合成能が低下し，尿中Ca^{2+}排泄が亢進し低Ca血症になる．

異常値を示す疾患と病態・関連検査

高値 原発性副甲状腺機能亢進症，悪性腫瘍，多発性骨髄腫など
低値 慢性腎不全（☞p.188），副甲状腺機能低下症，ビタミンD欠乏症など
関連検査 PTH，ビタミンD，無機リン，ALP

鉄（Fe）とは

鉄は必須微量元素として，生体内に3～4 g存在し，その3分の2はヘモグロビンおよびミオグロビンのヘム鉄，3分の1は貯蔵鉄（フェリチン）として肝臓，脾臓，骨髄に存在する．血清に存在する血清鉄の総量はわずか3～4 mgである．鉄は2価と3価を容易に変化し，電子伝達，酵素活性化などの酸化還元反応に利用されている．一方で，フリーラジカルの発生源ともなるため，血清および組織中の鉄はFe^{3+}となり，細胞傷害性を発揮しないように各アポ蛋白と結合し，トランスフェリン，フェリチンとして存在する．血清鉄は，小腸より吸収した鉄や，崩壊したヘモグロビンから回収した鉄を，赤血球合成の場である骨髄や貯蔵する肝臓まで輸送する．貯蔵鉄は，ヘモグロビン合成に供給する鉄を貯蔵している（図2B-2）．

基準値と代表的な測定法および材料

項目	基準値	測定法	材料
鉄	男性：50～200 μg/dL 女性：40～180 μg/dL	ニトロソPSAP法	血清

検体の取扱い

食事の影響はない．日内変動がある（朝は高く，夕方は低い）．1日の小腸から鉄の吸収と排泄

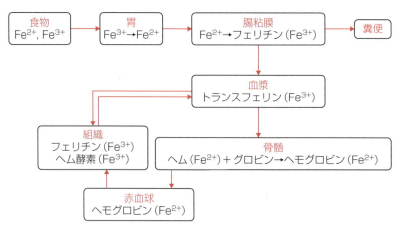

図2B-2　鉄の代謝

は約1 mgで釣り合っている．女性は1回の月経で約20 mgの鉄を失うため，男性に比べ貯蔵鉄は少なく，血清鉄値も低く，鉄欠乏状態になりやすい．血清鉄はアポトランスフェリンと結合しているため，総鉄結合能や不飽和鉄結合能とともに測定する．

異常値の出るメカニズム

鉄欠乏性貧血では，貯蔵鉄の減少後，血清鉄が減少するので，鉄の不足がかなり大きいことを示す．血清鉄値は骨髄の造血機能を反映する．再生不良性貧血では，骨髄における造血が減退して血清鉄の流れが停滞し，血清鉄値は上昇する．赤血球が壊れる（溶血）と血清鉄値は上昇する．肝炎では貯蔵鉄が放出されるので血清鉄値は上昇する．

異常値を示す疾患と病態・関連検査

高値 再生不良性貧血，巨赤芽球性貧血，鉄芽球性貧血（☞p.162），肝硬変（☞p.178），ヘモクロマトーシス

低値 鉄欠乏性貧血，真性多血症，悪性腫瘍，慢性炎症性疾患

関連検査 鉄結合能，不飽和鉄結合能，フェリチン

鉄結合能とは

血清鉄はすべてがFe^{3+}としてトランスフェリンに存在し，血漿中には十分な量のアポ蛋白が存在する．総鉄結合能（TIBC）は，血漿中アポトランスフェリンの総量を，結合できる鉄の量で表している．通常，TIBCの3分の1に鉄が結合しており，残り3分の2のアポトランスフェリンに結合できる鉄の量を不飽和鉄結合能

TIBC （300 μ/dL）	
血清鉄 (1/3)	UIBC (2/3)

約100 μg/dL

図2B-3　鉄結合能
TIBC＝UIBC＋血清鉄．
*UIBC：不飽和鉄結合能 unsaturated iron binding capacity．鉄が未結合のアポトランスフェリンの量．

(UIBC)という(図2B-3).

基準値と代表的な測定法および材料

項目	基準値	測定法	材料
TIBC	男性：253〜365 µg/dL 女性：246〜410 µg/dL	Fe, UIBC値より算出	
UIBC	男性：104〜259 µg/dL 女性：108〜325 µg/dL	ニトロソPSAP法	血清

検体の取扱い

TIBCの場合，トランスフェリンの半減期が9日と長いので，日内変動はほとんどない．UIBCは血清鉄とは逆に，朝低く，夕方高くなる．

異常値の出るメカニズム

UIBC＝TIBC−血清鉄であり，UIBCはアポトランスフェリンの合成（肝臓）と排泄（腎臓・腸）および血清鉄に影響を受ける．アポトランスフェリンの合成量（TIBC）は，鉄欠乏で増加し，鉄過剰や肝障害で減少する．造血機能の低下（再生不良性貧血）や全身に鉄が過剰蓄積する鉄代謝異常症（ヘモクロマトーシス）では血清鉄は増加するため，UIBCは減少する．

異常値を示す疾患と病態・関連検査

高値 TIBC：鉄欠乏性貧血（☞p.162），真性多血症，妊娠など
　　　 UIBC：鉄欠乏性貧血，真性多血症など
低値 TIBC：悪性腫瘍，ネフローゼ症候群（☞p.192），トランスフェリンの生合成低下（肝疾患，低栄養状態）など
　　　 UIBC：ヘモクロマトーシス，再生不良性貧血など
関連検査 血清鉄，フェリチン

フェリチンとは

鉄と結合した可溶性蛋白で，生体内の貯蔵鉄量を反映し，肝臓や脾臓の網内系に存在する．血中フェリチン濃度はきわめて低いが，組織内の貯蔵鉄量をよく反映し，鉄代謝の指標になる．貧血などの鉄欠乏状態や鉄過剰状態の判定に用いる．血清フェリチン値は鉄欠乏症・過剰症の評価に適している．鉄が欠乏すると貯蔵鉄，血清鉄，ヘモグロビン鉄量の順に減少し貧血となり，造血機能が正常であれば赤血球が小球化するが数は減少しない．

基準値と代表的な測定法および材料

項目	基準値	測定法	材料
フェリチン	男性：13〜301 ng/mL 女性： 5〜178 ng/mL	CLIA（化学発光免疫測定法）	血清

検体の取扱い

性差があり，男性のほうが高い．血清フェリチン値は貯蔵鉄量を表すとともに組織や細胞の破壊に依存しており，消化器がん，肺がんで上昇しやすいが臓器特異性は低い．また，肝障害，心筋梗塞，感染症でも細胞破壊による逸脱により貯蔵鉄量とは関係なく上昇する．

異常値の出るメカニズム

血清フェリチン値は，組織内の貯蔵鉄量と相関し，鉄欠乏状態が把握できる．鉄欠乏性貧血では貯蔵鉄が減少し，血清フェリチン値の低下がみられる．血清鉄，ヘモグロビン濃度，TIBCも測定し診断を確定する．肝臓や脾臓などの貯蔵鉄の増減はフェリチンの増加に影響する．ヘモクロマトーシス，再生不良性貧血など鉄過剰状態では血清フェリチン値は上昇する．悪性腫瘍，急性肝炎など組織の破壊では鉄量に関係なく血清フェリチン値が上昇する．

異常値を示す疾患と病態・関連検査

[高値] ヘモクロマトーシス，再生不良性貧血（☞p.162），悪性腫瘍，急性肝炎（☞p.174）
[低値] 鉄欠乏性貧血，潜在性鉄欠乏状態など
[関連検査] 血清鉄，鉄結合能

マグネシウム（Mg）とは

体内に約25g存在し，約57％が骨中に，40％が筋肉に存在し，約0.2％のみが細胞外液中に分布する．Mg^{2+}は細胞内で2番目に多い陽イオンであり，Ca^{2+}と拮抗的に働き，血清中においてもMg^{2+}が増加するとCa^{2+}は減少する．Mgは細胞内でリン酸伝達反応とATPが関与する酵素反応系で酵素の活性化に関与する．ほとんどが腎臓から排泄されるため，腎不全患者では高値となる．

基準値と代表的な測定法および材料

項目	基準値	測定法	材料
Mg	1.7〜2.6 mg/dL	キシリジルブルー法	血清

検体の取扱い

年齢差や性差はない．食事による変動や日内変動は少ない．血漿Mgはイオン型（約55％），アルブミン結合型（約30％），塩と結合した複合体型（約15％）の3種類に分けられ，イオン型にはpH依存性がある．

異常値の出るメカニズム

低Mg血症は，摂取不足，腸管（吸収不良，嘔吐・下痢）や腎臓（尿細管再吸収低下）からの喪失により起こる．高Mg血症は，腎不全（糸球体濾過低下），糖尿病（インスリン不足による細胞内取込み低下），過剰摂取（Mg含有制酸剤，緩下剤）により起こる．また細胞外液から細胞内液

へのMg^{2+}の移動（インスリン分泌増加，アルカローシス）や骨から細胞外液へのMg^{2+}の移動（副甲状腺ホルモン分泌増加）が増加すると，血漿Mg濃度は増加する．急性膵炎により増加した血漿遊離脂肪酸がMg^{2+}に結合すると，血漿Mg濃度は低下する．

異常値を示す疾患と病態・関連検査

高値 腎機能低下，急性・慢性腎不全（☞p.188）
低値 蛋白栄養不良症，飢餓，偏食，Mg欠乏輸血などによる摂取不良
関連検査 Ca，P

以下の記述の正誤を答えよ．
1 慢性腎不全では，高Na血症，低K血症がみられる．
2 インスリン分泌増加では，高K血症がみられる．
3 血清Cl濃度は，HCO$_3^-$濃度と並行して増減する他，血清Na濃度と逆方向に変動する．
4 アシドーシスとは，血液のpHが7.35以下の場合である．
5 アニオンギャップは，アシドーシスとアルカローシスを鑑別するときに使われる．
6 低蛋白血症では，血清Ca濃度は高値となる．
7 総鉄結合能は，貯蔵鉄の量を評価する検査である．

B-2 糖質・糖質代謝物

血糖とは

血液中のD-グルコース（ブドウ糖）濃度を血糖値といい，通常100 mg/dL前後である．グルコースは，全細胞のエネルギー源となり，赤血球，脳や神経細胞では必須であるため，その血中濃度はインスリンとインスリン拮抗ホルモン（グルカゴン，アドレナリン，成長ホルモン，コルチゾールや甲状腺ホルモン）により一定に保たれている．

食後血糖値が上昇すると，インスリンの作用により，血中グルコースは全身の細胞内に取込まれ，ATP生成に消費される他，肝臓や筋肉でグリコーゲンに合成・蓄積される．さらに余剰のグルコースは，アセチルCoAを経て脂肪として脂肪組織に蓄積される．食物として摂取されるショ糖，乳糖由来のガラクトースやフルクトースも肝臓で解糖系の中間体となり，最終的にグルコース代謝に合流する．インスリンの分泌は，血糖値に比例して，小腸より分泌されるインクレチンであるGLP-1（グルカゴン様ペプチド-1）とGIP（グルコース依存性インスリン分泌刺激ポリペプチド）により増強されている．空腹時，血糖値が低下するとグルカゴンの作用により，肝臓ではグリコーゲン分解とさらに糖新生によりグルコースが生成され血中に放出されるので，血糖値は一定に維持される．筋肉のグリコーゲンは，筋肉内でATP生成に利用される．血糖値の低下は，視床下部でも認識され，交感神経，副交感神経または下垂体を介し，インスリン拮抗ホルモンが分泌されると血糖値が上昇する．

血糖値は，低血糖や高血糖状態，糖尿病その他の糖代謝異常およびその重症度の診断に必要な

検査値である．糖尿病や耐糖能障害の診断あるいは病態の判断に75g経口ブドウ糖負荷試験（75g OGTT）が実施される．

> **NOTE** *75g OGTT：絶食後に5分以内にグルコース75g溶液を経口負荷し，負荷前，負荷後30分，60分，120分に血糖と血中インスリンを測定する．

基準値と代表的な測定法および材料

項目	基準値	測定法	材料
血糖	73〜109 mg/dL	酵素法	血液，血漿

検体の取扱い

血糖値は食事の影響を受け，食後上昇し30分でピークとなり，約2時間で食前の値に低下する．高カロリー輸液投与では高値になる．小児では低く，加齢，肥満により上昇する．採血後も全血では赤血球がグルコースを消費するので，採血時にNaFなど解糖阻止剤を用いる．

異常値の出るメカニズム

血糖値が空腹時126 mg/dL（7 mmol/L）以上や75g OGTT 2時間値または随時200 mg/dL以上では，糖尿病型と判定される．糖尿病では（遺伝子異常や内臓脂肪の蓄積などが原因となり），膵β細胞の減少・欠損やインスリンのシグナル伝達機構の欠陥により，インスリン分泌または作用発現が障害され，血糖値が上昇する．肝疾患ではグリコーゲン代謝の異常，内分泌疾患やグルカゴン産生腫瘍では，インスリン拮抗ホルモンが過剰分泌される．感染症（心筋梗塞，脳出血，手術時など）では，強いストレスによりアドレナリン分泌が亢進され，副腎皮質ステロイドなど薬剤の影響によっても，血糖値が上昇する．

逆に，インスリンの過剰分泌（インスリン分泌腫瘍，胃切除），インスリンや血糖降下薬（スルホニル尿素系）作用の過剰，内分泌疾患では糖質コルチコイドなどインスリン拮抗ホルモンの欠乏，肝疾患ではグリコーゲン分解の障害，肝機能不全や腎不全では糖新生低下，また飢餓ではグルコースの枯渇により，低血糖（60 mg/dL未満）となる．

血糖値160〜180 mg/dL（排泄閾値）までは，腎糸球体で濾過されたグルコースは近位尿細管でほぼ完全に再吸収され，尿中に排泄されない．腎性糖尿では排泄閾値が低下し，血中濃度が基準範囲内でも尿中にグルコースが検出され，低血糖になることもある．また，血糖値30 mg/dL以下は意識不明，痙攣，死亡など，危険な状態である．

異常値を示す疾患と病態・関連検査

高値 糖尿病（☞p.214），慢性膵炎（☞p.185），肝硬変（☞p.178），内分泌疾患［褐色細胞腫，先端巨大症，クッシング症候群（☞p.209），甲状腺機能亢進症（☞p.206）］，グルカゴノーマ（グルカゴン産生腫瘍）

低値 インスリンの過剰分泌：インスリノーマ（インスリン産生腫瘍），肝硬変，肝がん（☞p.180）
副腎皮質機能不全：アジソン病，甲状腺機能低下症，血糖降下薬

関連検査 HbA1c，グリコアルブミン

HbA1cとは

赤血球中の成熟ヘモグロビンにグルコースが非酵素的に共有結合してできた**グリコヘモグロビン（糖化ヘモグロビン）**が**HbA1c**である．HbA1cは，グルコース濃度に比例し非可逆的に生成され，赤血球の寿命120日で分解する．過去1～2ヵ月の平均血糖値を反映し，糖尿病の診断や経過観察に使われる．HbA1c値は全ヘモグロビンに対する比率（％）で表される．糖尿病型は6.5％以上で，血糖値の正常化は6.0％未満，合併症の予防には7.0％，治療強化が困難なときは8.0％未満を目標値とする．

基準値と代表的な測定法および材料

項目	基準値	測定法	材料
HbA1c	4.9～6.0％（NGSP値）	HPLC，酵素法，LA	血液

NGSP：国際標準値（national glycohemoglobin standardization program）

検体の取扱い

食事の影響，性差，年齢差はないが，加齢で軽度上昇する．著しい高血糖では，アマドリ転位していない不安定なシッフ塩基型（図2B-4）が増加するため，HPLC法での分析では問題となる．赤血球寿命が短縮する溶血性や出血性貧血では，成熟ヘモグロビンが減少するため，また鉄剤（貧血用）やエリスロポエチンで鉄欠乏性貧血の治療開始時には，幼若なヘモグロビンが増加するため，HbA1c値は見かけ上の低値となる．鉄欠乏性貧血では，全ヘモグロビンが減少するため，高値となる．HbA1cは血糖値よりかなり遅れて変動するため，糖尿病の治療効果，急速な悪化時はより短期間の血糖コントロールを反映するグリコアルブミン値（2週間）や1,5-アンヒドロ-D-グルシトール（1,5-AG）値（24時間）を利用する．

異常値の出るメカニズム

成熟ヘモグロビン（α鎖β鎖2本ずつからなる）のβ鎖N末端バリンのα-アミノ基にグルコースのアルデヒド基が非酵素的に結合してシッフ塩基が形成され，アマドリ転位して安定な構造であるケトアミンとなり，HbA1cが生成する（図2B-4）．通常，赤血球中全ヘモグロビンのうち，数パーセントがHbA1cであるが，慢性的に高血糖状態が続くとHbA1c値は上昇する．血糖値が一時的に正常化しても糖化は不可逆であるため，HbA1cがなくなるまで低下しない．

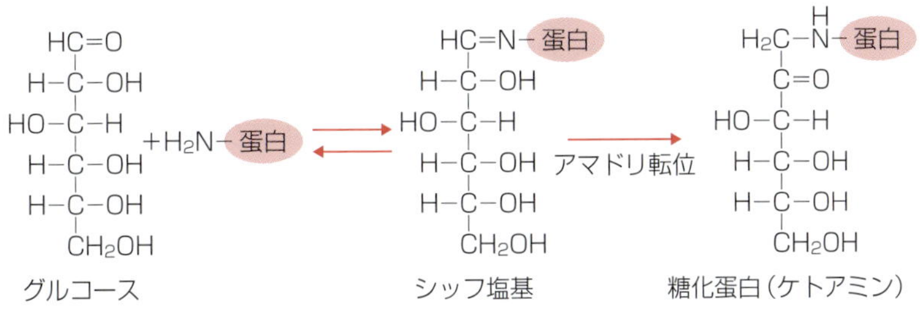

図2B-4　蛋白の糖化反応

異常値を示す疾患と病態・関連検査

高値 糖尿病（☞p.214）
低値 インスリノーマなど
関連検査 血糖値，グリコアルブミン

グリコアルブミンとは

アルブミン分子中4個のリシン残基のε-アミノ基にグルコースが結合して，シッフ塩基が形成され，アマドリ転位して安定な構造であるケトアミンとなった**糖化アルブミンをグリコアルブミン**という．グルコース濃度に比例して非可逆的に生成し，アルブミンの半減期が約17日であることから，グリコアルブミン濃度は最近1〜2週間の平均血糖値を表す．糖尿病の診断や経過観察にHbA1cより短期の血糖コントロールの指標として使われる．値は総アルブミンに対する比率（％）で表される．

基準値と代表的な測定法および材料

項目	基準値	測定法	材料
グリコアルブミン	11〜16%	酵素法	血清

検体の取扱い

性差，日内変動，食事の影響はなく，随時採血できる．溶血性貧血などHbA1cの評価が困難な場合に使用できる．

異常値の出るメカニズム

単糖は，蛋白や核酸などに非酵素的に結合する性質がある．蛋白のN末端α-アミノ基と単糖のアルデヒド基で糖の濃度に比例してシッフ塩基が可逆的に形成され，続いてアマドリ転位反応が起こり，安定なケトアミン型糖化蛋白が生成し，ケトアミンの糖鎖がフルクトース構造をとるためフルクトサミンと呼ばれる（**図2B-4**）．そのうち最も多いグリコアルブミンであるが，フルクトサミンは種々の血清糖化蛋白であるため，含まれる各蛋白の濃度，代謝速度などに影響を受ける．グリコアルブミンは単一な蛋白である．慢性的に高血糖状態が続くとHbA1cと同様にグリコアルブミン値は上昇し，血糖値が正常化しても糖化は不可逆的であるため，グリコアルブミンがなくなるまで低下しない．フルクトサミンより正確に過去1〜2週間の血糖コントロールを評価できる．

肝硬変，甲状腺機能低下症では，アルブミンの血中半減期が延長するため高値となり，ネフローゼ症候群，甲状腺機能亢進症では，アルブミンの血中半減期が短縮するため低値となる．

異常値を示す疾患と病態・関連検査

高値 糖尿病（☞p.214）
低値 ネフローゼ症候群（☞p.192），甲状腺機能亢進症（☞p.206）

関連検査 血糖値，HbA1c

以下の記述の正誤を答えよ．
1 血糖値とは，血液中のすべての糖を意味し，グルコース以外に微量だがD-フルクトースやD-ガラクトースなど他の糖が含まれている．
2 随時血糖値が126 mg/dL以上であれば，糖尿病型と判定される．
3 HbA1c 6.0％以上は，糖尿病型と判定される．
4 グリコアルブミンは，過去1〜2ヵ月間の平均血糖値を反映する．
5 貧血では，HbA1c値は高値となる．

B-3 脂質・脂質代謝物

総コレステロール（TC）とは

　血液中のコレステロールは主にリポ蛋白中に取込まれて移動するため，血清中の総コレステロール（TC）は，実質的にはリポ蛋白（HDL，LDL，VLDLなど）に含まれるコレステロールの総和を表す．

　生体内において，コレステロールは細胞膜の構成成分として細胞膜の流動性に関わるだけでなく，脂質の消化管からの吸収を助ける胆汁酸，性ホルモンなどを含むステロイドホルモンやビタミンDの前駆体であるため，生体内において大変重要な物質の一つとされている．

　コレステロールは，肝臓や小腸においてアセチルCoAを出発物質としてメバロン酸経路を介して合成されるが，その合成量は食事により摂取されるコレステロール量よりも多いため，コレステロールの血中濃度は肝臓におけるコレステロールの生成・代謝能やリポ蛋白代謝能によって大きく影響を受ける．そのため，TC量の測定は肝機能障害や種々の脂質代謝能の異常を調べるためには大変有効な方法である．

> **NOTE　総コレステロールと脂質異常症**
> 　従来は，TC値とLDL-C値の良好な相関性から220 mg/dL以上のTC値を示す場合を高脂血症（高コレステロール血症）の診断基準としていた．しかし，NIPPON DATA80をはじめとする数多くの疫学的調査に基づいて策定された「動脈硬化性疾患予防ガイドライン2007年版」では，「高脂血症」という病名を「脂質異常症」に改めただけでなく，日本人ではTC値の増減が必ずしもLDL-C値と一致しないことを勘案して，脂質異常症はTC値よりもむしろLDL-C値，HDL-C値およびTG値で判定されることとなった．また最近では，TC値からHDL-C値を差し引いたnon-HDL-C値が脂質異常症の新たな診断基準として注目されている．

基準値と代表的な測定法および材料

項目	基準値	測定法	材料
TC	142〜248 mg/dL	酵素法	血清
遊離型	30〜 60 mg/dL	酵素法	血清
エステル型	80〜200 mg/dL	酵素法	血清

検体の取扱い

　TC値は食事により変動するため，採血前には絶食が必要である．また，妊娠の有無によっても変動がみられる．採取した血清を保存する場合は，冷暗所に静置すべきであるが，沈殿物を生じることがあるので長期保存は望ましくない．

異常値の出るメカニズム

　多種多様な機序により変動するが，主に肝機能の障害によるコレステロールの過剰生成が原因となってTC値の増加をもたらす．

異常値を示す疾患と病態・関連検査

[高値] 主な疾患として，家族性高コレステロール血症などの脂質異常症（☞p.218），甲状腺機能低下症（☞p.206），クッシング症候群（☞p.209），ネフローゼ症候群（☞p.192），閉塞性黄疸，肝細胞がんなど．それ以外に肥満，糖質コルチコイドの投与など

[低値] β-リポ蛋白欠損症，家族性低リポ蛋白血症，吸収不良症候群，タンジール病，アジソン病，甲状腺機能亢進症（☞p.206）

[関連検査] HDL-C，LDL-C，TG，リン脂質，遊離脂肪酸，β-リポ蛋白，LCAT，リポ蛋白(a)など

HDL-コレステロール（HDL-C）とは

　HDL（高比重リポ蛋白）は，比重1.063〜1.210の脂質-蛋白複合体粒子である．その粒子は図2B-5に示すような構造をとっており，アポ蛋白A-Iやアポ蛋白A-Ⅱなどのアポ蛋白分子とレシチンなどのリン脂質が粒子表面に，コレステロールエステルやトリグリセリドなどが粒子内部に存在する．HDL-コレステロール（HDL-C）は，このHDL粒子中に含まれる遊離コレステロールとコレステロールエステルの和をさす．

　血中のHDLは，末梢組織からコレステロールを引き抜いて肝臓へ運ぶ役割を担っている．末梢組織の細胞表面から引き抜かれた余剰なコレステロールは，レシチンコレステロールアシルトランスフェラーゼ（LCAT）の作用によりコレステロールエステルとして粒子内部に蓄えられる．そして，コレステロールエステルは，コレステロールエステル転送蛋白（CETP）を介してHDLからLDL，IDLやVLDLに渡され，それらにより肝臓へと輸送される．HDLはこのようなコレステロール逆輸送系に加えて，動脈硬化の主要危険因子とされる酸化LDLの生成やそれによる血管壁障害を抑制することから抗動脈硬化因子とも呼ばれる．

　HDLの生体内での生成は，肝臓や小腸で合成されたアポ蛋白A-Iに少量のリン脂質と遊離コレステロールが結合して幼若型HDL（preβ-HDL）を形成することにより始まる（図2B-6）．preβ-HDLにLCATが結合して，その作用によりコレステロールエステルが生成されると未熟型HDL_3（リポ蛋白分画参照）となり，さらに多くのコレステロールエステルを蓄積することにより低密度の成熟型HDL_2を生成する．血中にはこれらHDL_2とHDL_3が多く存在するが，HDL_3の血中濃度はあまり変動しないため，HDL-C値の増減はHDL_2-Cに起因するといわれている．また，HDL-Cは狭心症や脂質異常症，糖尿病などの動脈硬化関連疾患患者では低値であ

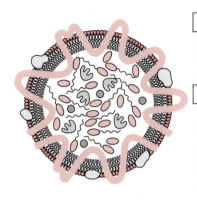

図2B-5　HDL粒子の構造
（　）の数字は全HDL粒子構成成分に対する相対含量（%）を示す.

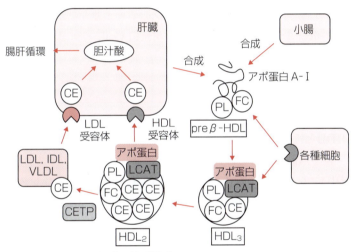

図2B-6　HDLの生成と代謝機序
PL：リン脂質，FC：遊離コレステロール，CE：コレステロールエステル

るため，これらの疾患の進展度を評価するのにHDL$_2$-Cはよい指標になると考えられている.

基準値と代表的な測定法および材料

項目	基準値	測定法	材料
HDL-C	男性：38～ 90 mg/dL 女性：48～103 mg/dL	酵素法	血清

検体の取扱い

　日常生活（特に食事）によって変動するので，空腹時に採血することが望ましい．また，一般に性差（女性＞男性）が存在し，妊娠時には高値を示す．血液を採取して血清を分離した場合には，HDLの粒子の構造や性状が変化することがあるので，長期保存や凍結は避け，冷暗所に保

存して早期に使用すべきである．やむを得ず長期保存する場合は，0.1% EDTAや0.02% NaN₃存在下にフィルター濾過するべきである．

異常値の出るメカニズム

疫学的調査により脂質異常症や糖尿病など動脈硬化関連疾患患者においてHDL-Cが低下することは判明しているが，その機序の詳細についてはいまだに明らかになっていない．

異常値を示す疾患と病態・関連検査

高値 CETP欠損症，肝性トリグリセリドリパーゼ（HTGL）欠損症，原発性胆汁性肝硬変（PBC，☞p.178）や慢性閉塞性肺疾患（COPD，☞p.198）など

低値 アポ蛋白A-I欠損症，アポ蛋白C-Ⅱ欠損症，LCAT欠損症，タンジール病，魚眼病，肝硬変（☞p.178），慢性腎不全（☞p.188），甲状腺機能亢進症（☞p.206）や糖尿病（☞p.214）

関連検査 リポ蛋白分画，TC，LDL-C，TG，リン脂質，遊離脂肪酸，β-リポ蛋白，LCAT，リポ蛋白(a)，アポ蛋白A-I，アポ蛋白A-Ⅱ，アポ蛋白C-Ⅱ，アポ蛋白C-Ⅲ，アポ蛋白Eなど

LDL-コレステロール（LDL-C）とは

LDL（低比重リポ蛋白）は，比重1.019～1.063の脂質-蛋白複合体粒子である（図2B-7）．その粒子の形状はHDLとほぼ同じであるが，その粒子表面を構成する蛋白はアポ蛋白B（主にアポB100）であり，粒子内部に存在する主要脂質成分はコレステロールエステル（全脂質成分の約半分）である．LDL-コレステロール（LDL-C）は，LDL中に含まれるコレステロールのことをさす．血清TCの約3分の2はLDL中に含有されるため，TC値はLDL-C値を反映するともいわれている．

◆LDL

LDLは脂質，特にコレステロールエステルを肝臓から末梢組織の細胞に輸送するのに重要な役割を果たしている．LDLはアポB100を介してほとんどの細胞表面に存在するLDL受容体に

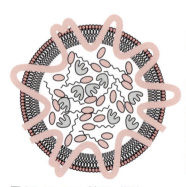

蛋白成分
　アポ蛋白：アポ蛋白B（約25%）
脂質成分
　リン脂質（約20%）
　遊離コレステロール（約10%）
　コレステロールエステル（約35%）
　トリグリセリド（約10%）

図2B-7　LDL粒子の構造
（　）内の数字は全LDL粒子構成成分に対する相対含量（%）を示す．

結合することで細胞内に取込まれ，その成分は異化反応に利用される．また，LDLは肝臓において合成されたVLDL（超低比重リポ蛋白）のリポ蛋白リパーゼ加水分解産物であるIDL（中間比重リポ蛋白，VLDLレムナントとも呼ばれる）から生成する（図2B-8）．血中LDLが過剰になると，特に血管壁細胞に過剰に取込まれて血管壁でのコレステロールの異常沈着を起こすことにより動脈硬化の引き金となる．このLDL受容体の欠損により発症するのが家族性高コレステロール血症である．動脈硬化巣に沈着しているコレステロールは主にLDLに由来するものであり，LDL-Cの低下は動脈硬化の発症抑制につながることが知られている．逆に，LDL-Cが高値でHDL-Cが低値の場合は，心筋梗塞や脳梗塞といった動脈硬化性疾患の危険度が大変大きくなるといわれている．

◆酸化LDL

LDLは種々の刺激により酸化変性を受けると酸化LDLとなるが，それは動脈硬化の主要発症因子の一つである．酸化LDLは血管壁細胞の傷害を引き起こすだけでなく，血管壁でマクロファージに取込まれて泡沫化細胞の形成に関わる．そして，血管内皮下における泡沫化細胞の蓄積と酸化LDLに起因する平滑筋細胞の異常増殖により粥腫ができるといわれている．

基準値と代表的な測定法および材料

項目	基準値	測定法	材料
LDL-C	65～163 mg/dL	酵素法	血清

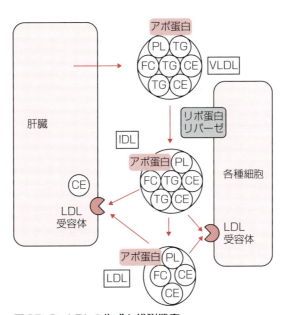

図2B-8　LDLの生成と代謝機序

> **NOTE　計算法による LDL-C の測定法**
>
> 世界で幅広く採用されているベータ定量法は，キロミクロンおよび VLDL 除去血漿中の TC 値と HDL-C 値を測定し，それらの検査値から算出する方法である．それ以外にも，多数の脂質異常症患者の調査により設定されたフリードワルドの計算式が幅広く受け入れられている．
>
> $$TC = LDL\text{-}C + HDL\text{-}C + (TG/5)\ (フリードワルドの計算式)$$
>
> VLDL 値は日常的な臨床検査においては測定されないため，VLDL 中に含まれるコレステロール量は血中 TG 値 (mg/dL) のおよそ 5 分の 1 であるという仮定に基づいて TG/5 を採用している．また，本計算式は経験的に TG≦400 mg/dL の患者においてよい相関を示すことが知られている．

検体の取扱い

日常生活（特に食事）によって変動するので，空腹時に採血することが望ましい．血清の保存方法については HDL-C に準ずる．

異常値の出るメカニズム

HDL-C 値と同様に，LDL-C 値の変動機序の詳細についてはいまだに明らかになっていない．

異常値を示す疾患と病態・関連検査

[高値] 家族性高コレステロール血症，特発性高コレステロール血症，高 LDL-C 血症（☞p.218），糖尿病（☞p.214），甲状腺機能低下症（☞p.206），クッシング症候群，閉塞性黄疸，肝細胞がん，ジーブ症候群，ネフローゼ症候群（☞p.192）や肥満など TC と同様の疾患

[低値] β-リポ蛋白欠損症，家族性低リポ蛋白血症，甲状腺機能亢進症（☞p.206），肝硬変（☞p.178），劇症肝炎（☞p.174）や吸収不良症候群など

[関連検査] TC，HDL-C，TG，リン脂質，遊離脂肪酸，β-リポ蛋白，LCAT，酸化 LDL，アポ蛋白 B など

トリグリセリド (TG) とは

トリグリセリド (TG) は皮下や肝臓に蓄えられている貯蔵脂質であり，必要に応じて血液中に送り出されてエネルギーとなる．TG はコレステロールと同様に脂質異常症の原因となり得る物質であるため，脂質代謝機能を把握するのに大変重要な検査項目の一つである．

生体内には 3 価のアルコールであるグリセロールに 1 分子または 2 分子の脂肪酸がエステル結合した中性脂肪（モノグリセリドおよびジグリセリド）も少量存在するが，ほとんどが 3 分子の脂肪酸のエステル結合体の形で存在するため，中性脂肪といえば一般に TG をさす．腸管で吸収された TG は，アポ蛋白と結合することによりキロミクロンを形成して，リンパ管や胸管を介して肝臓に輸送される（図 2B-9）．そして，必要時に肝臓で合成された超低比重リポ蛋白（VLDL）中に含有されて血中を移行し，リポ蛋白リパーゼによってエネルギー源である脂肪酸を生成する．

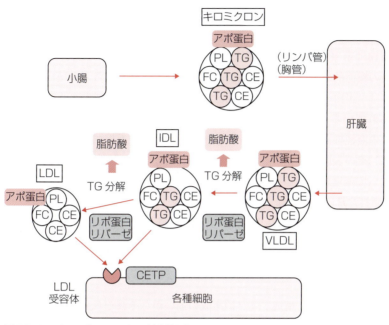

図2B-9 トリグリセリドの輸送経路

基準値と代表的な測定法および材料

項目	基準値	測定法	材料
TG	男性：40〜234 mg/dL 女性：30〜117 mg/dL	酵素法	血清

検体の取扱い

食事の影響を大きく受けるため，通常空腹時に採血されるが，逆に，長時間空腹状態が続くと，生体内のTG生合成系が高まって上昇することがあるので注意が必要である．

異常値の出るメカニズム

継続的な高脂肪食の摂取などの生活習慣，遺伝的要因や二次的要因により高値になるが，TGの変動機序の詳細についてはいまだ明らかとなっていない．

異常値を示す疾患と病態・関連検査

[高値] 家族性高リポ蛋白血症，脂肪肝，閉塞性黄疸，ネフローゼ症候群（☞p.192），痛風，急性・慢性膵炎（☞p.184），甲状腺機能低下症（☞p.206），糖尿病（☞p.214），クッシング症候群（☞p.209），肥満，アルコール依存症など

[低値] β-リポ蛋白欠損症，肝がん，肝硬変，甲状腺機能亢進症（☞p.206），副腎皮質機能低下症，吸収不良症候群など

[関連検査] TC，LDL-C，遊離脂肪酸，リン脂質，レムナント様リポ蛋白-コレステロールなど

リポ蛋白分画とは

　血清リポ蛋白は循環血中の脂質運搬だけでなく，各組織における脂質代謝に密接に関わるため，リポ蛋白の機能的および量的な変動は，脂質異常症にとどまらず各種疾病の臨床診断に応用されている．リポ蛋白の分画方法には，超遠心分離法，電気泳動法，ゲル濾過法やポリアニオン法などが知られているが，日常的な臨床検査においては簡便な電気泳動法が広く採用されており，リポ蛋白の亜種の詳細を検討する際には超遠心分離法が選択される．

　リポ蛋白は，その表面に存在するアポ蛋白と脂質成分（リン脂質，コレステロールやTGなど）の構成比によって密度は異なる（表2B-2）．高比重リポ蛋白（HDL）においては，アポ蛋白含量は最も多く，脂質含量は最も少ないため，リポ蛋白粒子の中で最も比重が大きい．それに次いで，低比重リポ蛋白（LDL），中間比重リポ蛋白（IDL），超低比重リポ蛋白（VLDL）およびキロミクロンの順に粒子の比重は小さくなる．これらの性質を利用したのが超遠心分離法であり，この分離法によりそれぞれのリポ蛋白を単離できるため，その詳細な構造変化を調べる上では大変有用な方法である．

　リポ蛋白中のアポ蛋白は，構成アミノ酸組成の違いからそれぞれ異なる荷電を有し，かつそれらの構成比の違いによりリポ蛋白粒子はそれぞれ特有の陰性荷電をもつ．この特性を利用してリポ蛋白を分離する方法にはアガロースゲルやセルロースアセテート膜を支持体とした電気泳動法が知られている（図2B-10）．

　それぞれのリポ蛋白の泳動開始点からの移動度の大きいものから，α，preβ，βの三つの分画に大別され，それらはそれぞれ HDL，VLDL，LDL にほぼ対応する．また，キロミクロンは電気泳動ではほとんど移動せず，原点にとどまる．リポ蛋白の比重は粒子径と逆の相関があり，この粒子径を指標に分離する方法としてポリアクリルアミドゲル電気泳動法がある（図2B-11）．

表2B-2　血清リポ蛋白の性状

リポ蛋白の種類	比　重	アガロースゲル電気泳動での移動度（位置）	相対的な大きさ（粒子径 nm）
キロミクロン	<0.95	原点	80 〜1,000
VLDL	0.95〜1.006	preβ	30 〜 75
IDL	1.006〜1.019	中間	22 〜 30
LDL	1.019〜1.063	β	19 〜 20
HDL$_2$	1.063〜1.125	α	8.5〜 10
HDL$_3$	1.125〜1.210	α	7.0〜 8.5

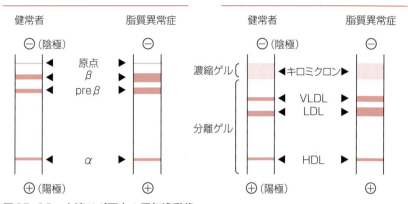

図2B-10 血清リポ蛋白の電気泳動像
ここには，代表的な脂質異常症患者として家族性Ⅱb型高リポ蛋白血症患者（LDLとVLDLの量的増加が顕著）の血清の分離パターンを示す．両電気泳動により分離されたLDL（β）とVLDL（preβ）のバンドの移動度が逆になることに注意すること．

基準値と代表的な測定法および材料

	アガロースゲル電気泳動	ポリアクリルアミドゲル電気泳動	HPLC	材料
キロミクロン（原点）	〜3%	—	—	血清
VLDL（preβ分画）	男性：8〜32% 女性：7〜21%	男性：5〜20% 女性：4〜17%	2.4〜 18.9 mg/dL	
LDL（β分画）	男性：33〜55% 女性：38〜51%	男性：44〜69% 女性：42〜65%	67.1〜137.1 mg/dL	
HDL（α分画）	男性：25〜50% 女性：35〜51%	男性：22〜50% 女性：26〜53%	40.3〜 88.2 mg/dL	

リポ蛋白名の下の（ ）内には，アガロースゲル電気泳動による移動度（または分画）を示した．

検体の取扱い

TC，HDL-CやLDL-Cと同様に食事による影響が大きいため，早朝空腹時に採血すべきである．また，採取された血清の長期保存は望ましくない．

異常値の出るメカニズム

それぞれのリポ蛋白は，次項の「異常値を示す疾患と病態」に示すように，肝機能や脂質代謝に関わる酵素の欠損などにより大きく増減する．

異常値を示す疾患と病態・関連検査

HDL（α分画）およびLDL（β分画）については，それぞれ HDL-C および LDL-C の項目を参照のこと．ここには，VLDL（preβ分画）およびキロミクロンの変動に関わる疾患を挙げる．

[高値] VLDL：家族性高TG血症やアポ蛋白E欠損症などの脂質異常症（☞p.218），糖尿病（☞p.214）やネフローゼ症候群（☞p.192）など

キロミクロン：特発性高キロミクロン血症，家族性リポ蛋白リパーゼ欠損症や家族性アポ蛋白C-Ⅱ欠損症など

[低値] VLDL：無β-リポ蛋白血症や低β-リポ蛋白血症など
キロミクロン：無β-リポ蛋白血症や吸収不良症候群など

[関連検査] TC，HDL-C，LDL-C，TG，β-リポ蛋白，レムナント様リポ蛋白-コレステロール，アポ蛋白A-I，アポ蛋白B，アポ蛋白C-Ⅱ，アポ蛋白Eなど

以下の記述の正誤を答えよ．
1 TC値は，HDL-C値と良好な相関性を示す．
2 LDL-C値が高値になるほど，動脈硬化症の発症リスクは高くなる．
3 狭心症や脂質異常症の患者の血中HDL_2-C値は，一般的に高値である．
4 血中TG値が高い状態が続くと，脂肪肝につながる．
5 日常的な臨床検査では，リポ蛋白分画法としてポリアニオン法が採用されている．

B-4　蛋白・蛋白代謝物

総蛋白（TP）・蛋白分画とは

　ヒトの血液中には多種多様な蛋白が存在し，そのうちアルブミンや$α_1$-グロブリンといった多くの蛋白は肝臓で合成されている．肝臓はこれら蛋白の生合成や異化などを調節することにより，血中蛋白の恒常性の維持に重要な役割を果たしている．そのため，血清総蛋白（TP）量の変動を知ることは，栄養状態や肝臓などの病態を把握する上で大変重要である．
　主な血清蛋白成分にはアルブミンやグロブリンがあり，これらが血清蛋白の大部分を占めるため，血清蛋白量に異常がみられた場合には，これらを分画（蛋白分画）して，個々の蛋白成分の増減を調べると詳細な情報を得ることができる．

◆アルブミン
　アルブミンはヒト血漿中の主要蛋白であり，TPの約60％を占める．アルブミンは血清浸透圧の調節に関わるだけでなく，ビリルビンや脂肪酸などと結合してそれらの血中移動にも重要な役割を果たしている．アルブミンは肝臓によって合成されるため，特に肝機能低下時に低値を示す．また，それ以外に，腎臓，消化管や網内系での異化および血管外への漏出などによっても変動する．

◆グロブリン
　グロブリンはリンパ球などで合成され，生体防御機構において重要な役割を果たす．蛋白電気泳動により，$α_1$，$α_2$，βとγの四つに分画されるが，その中で免疫グロブリンを含むγ-グロブリン画分の含量が最も多い．また，それぞれのグロブリン画分は肝障害や炎症などによって異なる挙動を示すため，それぞれの変動をモニターすることにより病態把握につながる．

◆蛋白分画
　濾紙よりも高分離能かつ短時間で分離できるセルロースアセテート膜を使用した電気泳動が最

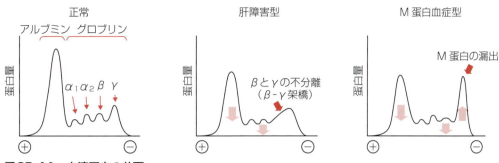

図2B-11 血清蛋白の分画
ここには，代表的な蛋白分画異常例として，肝疾患（肝障害型）およびM蛋白血症型（多発性骨髄腫）の典型的な分離パターンを示す．

表2B-3 蛋白分画により得られた各画分中に含まれる主な蛋白

画分	画分に含まれる主な蛋白
アルブミン	アルブミン
α_1-グロブリン	α_1-アンチトリプシン，HDLなど
α_2-グロブリン	ハプトグロビン，α_2-マクログロブリン，セルロプラスミンなど
β-グロブリン	LDL，トランスフェリン，補体など
γ-グロブリン	免疫グロブリン（IgG，IgA，IgMなど）

も一般的に行われている．蛋白分画は，肝疾患，腎疾患，悪性M蛋白血症や免疫不全症の疑いがみられる際に行われることが多い．

アルブミンは，グロブリンよりも水に対する溶解度が高く，等電点も低いため，電気泳動において最も陽極側へ移動する．また，グロブリンは，α_1，α_2，βおよびγの順に移動しやすい．それぞれの疾患において特徴的な分離パターン（図2B-11）とそれぞれの画分に含まれる主な蛋白（表2B-3）を示す．

> **NOTE** 蛋白分画により検出された異常の評価
> 蛋白分画により得られたそれぞれの画分は，単一の蛋白ではなく，複数の蛋白から構成されているので，個々の蛋白成分の動きを把握するのは不可能である．また，本分析法はある特定の疾患を検査する方法ではないため，他の検査結果と併用して病態を判断する必要がある．

基準値と代表的な測定法および材料

項目		基準値	測定法	材料
TP		6.6～8.1 g/dL	ビウレット法	血清
蛋白分画	アルブミン	60.8～71.8%	セルロースアセテート膜電気泳動法	血清
	α_1-グロブリン	1.7～2.9%		
	α_2-グロブリン	5.7～9.5%		
	β-グロブリン	7.2～11.1%		
	γ-グロブリン	10.2～20.4%		

検体の取扱い

TPは食事の影響を受けることがあり，日常生活や運動により水分が減少して相対的に増加することがあるため，TP測定や蛋白分画に使用する血清は早朝絶食時に採取することが望ましい．また，妊娠中は低値になることがある．

異常値の出るメカニズム

自己免疫疾患や腫瘍形成などのリンパ球の異常増殖時にグロブリンなどの蛋白合成能が高まり増加する．肝切除による肝臓の細胞絶対数の減少や栄養不良などにより減少する．また，腎機能の低下により浮腫が生成して体内の浸透圧が変動すると，それに応じてTPも変動する．

異常値を示す疾患と病態・関連検査

[高値] TP：骨髄腫による合成過多や，脱水状態などによる血液濃縮など
[低値] TP：ネフローゼ症候群（☞p.192），肝切除，蛋白漏出性胃腸症，吸収不良症候群や栄養不足時など
蛋白分画の異常：肝機能・腎機能異常，悪性M蛋白血症，栄養不足，蛋白欠乏症など
[関連検査] アルブミン，アルブミン/グロブリン比，免疫電気泳動，チモール混濁試験，硫酸亜鉛混濁試験など

アンモニアとは

アンモニアは蛋白代謝時にアミノ酸の脱アミノ化反応によって主に生成するが，食事により摂取したアミノ酸の腸内細菌による分解によっても生成する．ここで生成したアンモニアのほとんどは，肝臓の尿素サイクルを介して毒性の少ない尿素に変換されて腎臓から体外に排出されるが，一部はアミノ酸の同化反応に再利用される．アンモニアは中毒性が大変高く，その血中での蓄積は中枢神経障害を引き起こすため，重篤な肝障害時にみられる肝性昏睡（肝性脳症ともいう）の病態を知るために血中アンモニアを測定することは重要である．

基準値と代表的な測定法および材料

項目	基準値	測定法	材料
アンモニア	30～80 μg/dL	直接比色法	除蛋白血清

検体の取扱い

アンモニアは食事や運動により影響を受けるため，早朝絶食時の採取が望ましい．また，採血後の血液の長時間放置は，血球中のアンモニアの漏出や除蛋白不良により異常値となることがあるので，採血後は速やかに除蛋白操作を行う必要がある．

異常値の出るメカニズム

アンモニアは，重度な肝障害やアミノ酸代謝系の先天的異常により血中に蓄積されて高値とな

り，貧血や低栄養状態によりアミノ酸代謝能が低下すると減少する．

■ 異常値を示す疾患と病態・関連検査

[高値] 肝性昏睡，劇症肝炎（☞p.174），肝硬変（☞p.178），先天性尿素サイクル酵素欠損症，先天性アミノ酸代謝異常症，ショックなど
[低値] 貧血（☞p.162），低蛋白食摂取など
[関連検査] アミノ酸分析，総分岐鎖アミノ酸/チロシンモル比，アルブミン，ビリルビンなど

尿素窒素とは

血中尿素窒素（BUN）は，血液中の尿素由来の窒素量のことであり，実質的に尿素含有量を示す．BUNの測定には血液よりも血清を使用されるのが一般的であるが，血清を検体としたときの測定値は血液による測定値よりも高くなる．これは血球中の水分含量が少ないためといわれている．

BUNは血清の蛋白以外の窒素成分（尿素，アンモニア，尿酸，クレアチニンやビリルビンなど）の総称である非蛋白窒素（NPN）の約50％を占めるといわれている（表2B-4）．

尿素は，蛋白代謝過程の尿素サイクルにおいてアンモニアとCO_2を原料として肝臓で合成され，生成した尿素は腎臓において一部再吸収されるもののほとんどが糸球体濾過されて尿中に排泄されるため，BUNは腎機能の指標として日常的に使用されている．

尿素1分子中には2分子の窒素を含んでいるため，それらの分子量を用いて尿素（分子量60）濃度から尿素窒素（分子量$14 \times 2 = 28$）濃度を算出することができる．

$$尿素窒素濃度（mg/dL）= 尿素濃度（mg/dL）\times 28/60（0.467）$$

> **NOTE** 腎糸球体濾過機能が半分以下に低下してもBUNは正常域であることが多く，腎機能の約4分の3が失われてはじめて上昇がみられることがある（言い換えれば，BUNの上昇がみられたときには腎機能の低下が重度であることを意味する）．このように，BUNは腎機能を鋭敏に反映していないため，腎機能の程度を正確に把握するためにはBUNだけでなく尿蛋白や血清クレアチニン値を測定して総合的に評価する必要がある．

表2B-4 主なNPNとそれらの変動の意義

NPN	基準値	増加機序
総窒素量	5〜18 g/日	外傷やネフローゼ症候群，糖尿病で増加
尿素窒素	8〜20 mg/dL	腎機能障害で増加し，肝機能障害や低蛋白食で低下
尿酸 （☞p.54）	男性：3.7〜7.8 mg/dL 女性：2.6〜5.5 mg/dL	痛風や腎機能障害，腫瘍形成で増加
アンモニア （☞p.50）	30〜80 μg/dL	肝機能障害で増加
クレアチニン	男性：0.65〜1.07 mg/dL 女性：0.46〜0.79 mg/dL	腎機能障害で増加し，筋ジストロフィーで低下
ビリルビン （☞p.56）	総量：0.4〜1.5 mg/dL 直接：〜0.4 mg/dL	肝機能障害で増加

基準値と代表的な測定法および材料

項目	基準値	測定法	材料
BUN	8〜20 mg/dL	酵素法(ウレアーゼ・LED・UV法,ウレアーゼ・GLDH法)	血清

検体の取扱い

食事で摂取した蛋白により影響を受けることがあるので,事前の摂取量を調節してから採取すべきである.

異常値の出るメカニズム

BUNは腎糸球体濾過機能の低下時に加えて,熱傷,消化管出血,高蛋白食など尿素生成に関わる要因や尿路結石,尿路閉塞性疾患などの排泄機能の低下によっても高値を示す.また,尿素の生成に関わる肝機能の低下時や低蛋白食の摂取により低下する.

異常値を示す疾患と病態・関連検査

- 高値 腎不全(☞p.188),ネフローゼ症候群(☞p.192),尿毒症,尿路閉塞性疾患,尿路結石,熱傷,消化管出血,脱水症や蛋白の大量摂取など
- 低値 肝不全,低蛋白食,妊娠や利尿薬使用時など
- 関連検査 Cr,Cys-C,尿酸,β_2-マイクログロブリン(血清,尿),N-アセチル-β-D-グルコサミニダーゼ(NAG)など

クレアチニン(Cr)とは

クレアチニン(Cr)は,筋肉の収縮に必要なエネルギーの供給源であるクレアチンリン酸の脱水反応産物である.生成したCrは糸球体濾過された後,尿細管からほとんど再吸収されることなく尿中に排泄される.そのCr排泄量は総筋肉量や糸球体濾過量と比例関係にあるため,糸球体濾過機能を知るための検査項目として利用されている.

血清Crは食事や尿量などの外的要因による影響を受けにくいため,BUNよりも腎機能を反映するが,BUNと同様に鋭敏な検査法ではなく,腎機能が正常の半分以下に低下してはじめて上昇し始める.そこで,腎機能の正確な状態を知るためにクレアチニンクリアランス(Ccr)*が利用されている.

> **NOTE** *Ccr(クレアチニンクリアランス)
> 血清中のクレアチニンのクリアランス(腎臓が身体の老廃物を排泄する能力)を計算し,腎機能を推定する検査値である.
> 血清クレアチニン濃度(mg/dL),尿中クレアチニン濃度(mg/dL),尿量(V,mL/分)を用いてCcrを計算できる.
>
> $$Ccr = \frac{尿中 Cr \times V}{血清 Cr}$$
>
> Cockcroft & Gault(コッククロフトとゴールト)の式では血清クレアチニン濃度(mg/dL)と年齢,体重(kg)を用い,蓄尿せずにCcrを推定できる.

$$推算 Ccr = \frac{(140 - 年齢) \times 体重}{72 \times 血清 Cr}$$

女性は筋肉量が少ないため算出した値を0.85倍する．この式は18歳以上の成人に用い，乳児や小児，60歳以上で筋肉量の極端に減った患者には別の式を用いる．

基準値と代表的な測定法および材料

項目	基準値	測定法	材料
Cr	男性：0.65〜1.07 mg/dL 女性：0.46〜0.79 mg/dL	酵素法	血清

検体の取扱い

Crの日内変動は少ないのでいつ採取してもよいが，昼食前が1日の平均的な値に近いとされている．また，Crは筋肉活動により生成するため，激しい運動後には高値になることがある．

異常値の出るメカニズム

CrはBUNと同様に腎糸球体濾過機能に依存するため，その機能が低下すると増加する．また，筋肉量にも影響を受けるため，先端巨大症などの筋細胞の肥大により増加し，筋細胞の萎縮により低下する．

異常値を示す疾患と病態・関連検査

高値 腎不全（☞p.188），糸球体腎炎，尿路閉塞性疾患，先端巨大症，心不全（☞p.156），脱水症，熱傷やショックなど

低値 筋ジストロフィー，尿崩症，甲状腺疾患（☞p.206），肝障害，妊娠，長期臥床など

関連検査 BUN，Cys-C，尿酸，β_2-マイクログロブリン（血清，尿），NAG，浸透圧，フェノールスルホンフタレイン試験など

シスタチンC（Cys-C）とは

シスタチンC（Cys-C）は，全身の有核細胞から分泌される蛋白であり，生体内においてはシステインプロテアーゼ阻害剤として機能している．Cys-Cは低分子量であると同時に血中の他の蛋白と複合体を形成しないため，血中のCys-Cは腎糸球体において容易に濾過され，糸球体濾過されたCys-Cのほぼ全量が近位尿細管で再吸収された後に分解される．血中Cys-Cは，BUNや血清Crとは異なり，年齢，食事，炎症，筋肉量，性別の違いなどによって影響を受けにくい．また，血清Crは高度な腎機能障害（1分間あたりの糸球体濾過量が約30 mL）が起こってから上昇するのに対し，血中Cys-Cは軽度〜中等度の腎機能障害（糸球体濾過量が約70 mL）でも上昇するため，腎機能障害の早期診断を可能にする有用な指標である．

基準値と代表的な測定法および材料

項目	基準値	測定法	材料
シスタチンC	男性：0.63〜0.95 mg/L 女性：0.56〜0.87 mg/L	金コロイド凝集法	血清

検体の取扱い

新鮮な検体を使用する．長期保存する場合には，−20℃以下で凍結保存し，凍結融解の繰り返しは避けるべきである．また，採血時には溶血等を起こさないように注意する必要がある．

異常値の出るメカニズム

血清 Cys-C は BUN や Cr と同様に腎糸球体濾過機能に依存するため，その機能が低下すると増加する．

異常値を示す疾患と病態・関連検査

[高値] 腎不全（☞p.188），慢性腎臓病（☞p.190），ネフローゼ症候群（☞p.192），甲状腺機能亢進症，転移性メラノーマ，直腸がんや副腎皮質ステロイド服用など

[低値] 甲状腺機能低下症，HIV感染，シクロスポリン服用など

[関連検査] BUN，Cr，尿酸，β_2-マイクログロブリンなど

以下の記述の正誤を答えよ．
1 アルブミンは，血液中の水分保持など浸透圧維持に関与する．
2 肝機能が低下すると，血中アンモニア濃度は高くなる．
3 BUNは腎機能を鋭敏に反映する検査項目である．
4 推算Ccr値はフリードワルドの計算式によって算出できる．

B-5　核酸代謝産物・ビリルビン

核酸代謝物・尿酸とは

核酸代謝物には，核酸（DNA，RNA）を構成するプリン塩基（アデニンおよびグアニン）の最終代謝産物である尿酸が代表的なものである．尿酸は，肝臓で生成され，腎糸球体でほぼ完全に濾過されるが，ほとんどが近位尿細管で再吸収され，尿中に排泄される量は少ない．

尿酸は，生体内で合成されるプリン体と食事に含まれるプリン体とで供給される（図2B-12）．プリン体を多く含む食事（レバー，内臓，白子など）の過剰摂取，飲酒，肥満などにより，尿酸の産生が亢進して血中濃度が上昇する．高尿酸血症では，プリン体の過剰摂取や肥満による尿酸の産生亢進により尿酸値が上昇し，この高尿酸血症にさらに尿酸値が上昇すると痛風が引き起こされ，血清中で溶解できない尿酸が関節腔，組織などに沈着し，痛風結節，痛風腎を生じる．

図2B-12　尿酸の生成と排泄

基準値と代表的な測定法および材料

項目	基準値	測定法	材料
尿酸	男性：3.7〜7.8 mg/dL 女性：2.6〜5.5 mg/dL	酵素法（ウリカーゼ法）	血清

検体の取扱い

　血中の尿酸については，通常，早朝空腹時に採取する．高尿酸血漿患者では過飽和の尿酸が析出する可能性があるので，冷蔵保存は避ける．血清尿酸値の日内変動は，朝に低く，夕方に高い傾向にある．性差も認められ，男性が高く，思春期以降も上昇する．女性は，思春期以降はほぼ一定であるが，閉経後は上昇する．食事，運動，飲酒の影響を受ける．

異常値の出るメカニズム

　血清尿酸値の上昇は，尿酸値の産生増加あるいは排泄障害によって起こる．尿酸値の産生増加については，プリン体合成亢進，食事からのプリン体摂取の増加，組織崩壊による核酸の分解亢進によって増加する．また，排泄障害は，腎臓の障害によって引き起こされ，尿酸値が上昇する．遺伝性疾患のレッシュ・ナイハン症候群では，プリン塩基を核酸に再合成するヒポキサンチングアニンホスホリボシル転移酵素が欠損する劣性遺伝によって高尿酸値となる．白血病，悪性腫瘍，溶血性貧血などでは，細胞破壊亢進により尿酸産生が増加する．腎不全などの腎障害では，GFRの低下による尿酸排泄阻害のため，血中尿酸が高値となる．キサンチン尿症においては，キサンチン脱水素酵素の欠損する遺伝疾患によって尿酸の産生の低下が引き起こされる．

異常値を示す疾患と病態・関連検査

[高値] 高尿酸血症，痛風（☞p.220），腎不全（☞p.188），悪性腫瘍（骨髄腫など），白血病（☞p.164），溶血性貧血（☞p.162），レッシュ・ナイハン症候群，薬剤（サイアザイド系利尿薬，ループ利尿薬，ピラジナミド，エタンブトール）など

[低値] プリンピリミジン代謝異常症（キサンチン尿症）など

ビリルビンとは

　ビリルビンは，大部分（約75%）が赤血球ヘモグロビンのヘムに由来する．赤血球が約120日の寿命に達すると脾臓などでヘムとグロビンに分離される．ヘムは，脾臓においてビリベルジンとなり，さらに代謝され，黄色の遊離型ビリルビン（非抱合型）に代謝される．非抱合型ビリルビンは，大部分が血中のアルブミンと結合することで水溶性となり，肝臓に運ばれる．非抱合型ビリルビンは，肝臓に取込まれた後，グルクロン酸抱合され，抱合型ビリルビンになる．抱合型ビリルビンは，非抱合型ビリルビンよりもかなり水に溶けやすい構造であり，胆汁中に排泄される．小腸に達した抱合型ビリルビンは，腸内細菌により加水分解され，再び非抱合型ビリルビンになり，さらに，腸内細菌によってウロビリノゲン（無色）へと還元される．その後，大腸などでステロコビリノゲンなどに変換され，最終的に便中に排泄される．ウロビリノゲンの一部は，腸管から吸収され，肝臓に取込まれ，再びビリルビンと抱合体になり，胆汁へ排泄され，腸肝循環を行う（図2B-13）．また，一部は，腎臓を経て尿中に排出され，尿中で酸化されて，ウロビリン（黄色）となる．ビリルビンは，測定に用いられるジアゾ試薬との反応性との違いによる，直接ビリルビンと間接ビリルビンの分類が広く用いられている．直接ビリルビンは，ジアゾ試薬と前処理なしで直接反応して測定できるグルクロン酸抱合型ビリルビンを示す．間接ビリルビンは，アルコールなどの促進剤を用いて非抱合型ビリルビンを測定する方法である．近年においては，ジアゾ試薬ではなく化学酸化法や酵素法が広く用いられるようになってきており，直接ビリルビン，抱合型ビリルビンの両方の呼称が使用される．通常の臨床検査では，総ビリルビン，直接ビリルビン（グルクロン酸抱合型ビリルビン），間接ビリルビン（非抱合型ビリルビン）が測定，算出される．健常人においては，大部分が間接ビリルビンである．血清中の総ビリルビン，直接ビリルビン，間接ビリルビンをそれぞれ測定することは，肝臓・胆道疾患の診断，黄疸・貧血の鑑別などに用いられる．

基準値と代表的な測定法および材料

項目	基準値	測定法	材料
ビリルビン	総ビリルビン：0.4〜1.5 mg/dL 直接ビリルビン：0.4 mg/dL以下	化学酸化法（バナジン酸酸化法）	血清

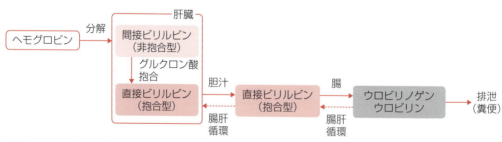

図2B-13　ビリルビンの代謝

検体の取扱い

検体採取の際に,溶血しないように注意を払う.ビリルビンは<u>光に対して不安定</u>であるため,光にさらさないようにする.性差があり,男性が女性よりも総ビリルビン,直接ビリルビンがわずかではあるが,高値である.絶食により間接ビリルビンが上昇する.成人では年齢による変動はみられない.

異常値の出るメカニズム

ビリルビンは,肝臓・胆道疾患によって変動するが,溶血性貧血においても上昇する.肝臓・胆道疾患の閉塞性黄疸では,胆汁の流出障害で直接ビリルビンが血中に流れ出ることにより,直接ビリルビンの血中濃度が上昇する.ウイルス性肝炎では,肝細胞の破壊や胆汁うっ滞により,肝細胞中の直接ビリルビンが血中に流れ出ることで,直接ビリルビンの血中濃度が上昇する.

溶血性貧血では,赤血球のヘモグロビンの分解が促進されることによって間接ビリルビンが過剰産生される.新生児黄疸においては,ヘモグロビンの破壊と肝細胞におけるグルクロン酸抱合能が低下することによって間接ビリルビンが上昇する.

そのため,総ビリルビンの上昇を認めたときは,直接ビリルビンか間接ビリルビンのどちらが優位かを判定することが重要である.

異常値を示す疾患と病態・関連検査

高値 間接ビリルビン:<u>溶血性貧血</u>(☞p.162),<u>新生児黄疸</u>など
　　　 直接ビリルビン:<u>閉塞性黄疸</u>,ウイルス性肝炎(☞p.174),<u>胆汁うっ滞</u>など

関連検査 胆道系酵素(γ-GT,ALP,LAPなど)

以下の記述の正誤を答えよ.
1 痛風の治療では,プリン体の食事制限も重要である.
2 尿酸は,プリン体の代謝物である.
3 腎不全によって血中尿酸値が低下する.
4 ビリルビンは血液中の核酸から生成する.
5 抱合型ビリルビンは,硫酸抱合されたものである.
6 黄疸は,ビリルビンの濃度の上昇によって引き起こされる.

B-6 酵素

AST, ALTとは

　AST（アスパラギン酸アミノトランスフェラーゼ）は，ピリドキサールリン酸を補酵素とするアミノ基転移酵素である．肝臓，骨格筋，心筋，腎臓，赤血球など多くの臓器組織細胞中に含まれ，これらの障害で血中に逸脱する．

　ASTは相対的には肝臓に最も多く含まれるため，主に肝疾患の診断に用いられる．しかし，ALTが肝特異的であるのに対し，ASTは骨格筋や心筋疾患，溶血性疾患でも上昇をみる．したがってAST単独による肝疾患の鑑別診断は難しいが，AST/ALT比を考慮することにより特異性は向上する．

　ASTには臓器特異的なアイソザイム*はみられないが，細胞内局在を異にするm-AST（ミトコンドリア分画），s-AST（細胞上清分画）の二つのアイソザイムが存在する．臓器細胞が障害を受けると，通常まずs-ASTが逸脱するが，細胞障害性が強くミトコンドリアにまで及ぶときはm-ASTが血中に出現するようになる．m-ASTはs-ASTに比べ血中に遊出しにくく，半減期が短い．半減期は，s-ASTが17時間，m-ASTが5時間である．健常者のASTのうち15～30％がm-ASTである．

　ALT（アラニンアミノトランスフェラーゼ）は，ピリドキサールリン酸を補酵素とするアミノ基転移酵素である．肝臓，腎臓，心筋などほぼすべての臓器組織細胞中に含まれているが，特に肝臓に多く含まれており，ASTと比較して他臓器への分布量が少ないため，肝臓に特異的であるといわれている．しかしその値の大小が，必ずしも細胞壊死や肝障害の大きさを反映するものではない．

　ALTは肝炎の経過観察によく用いられ（☞p.174），肝細胞の破壊に伴いALT値が上昇し，1,000 U/Lを上回る場合もある．また，インターフェロン治療などが奏効するとALT値も鋭敏に低下し，治療効果の指標となる．しかし，逸脱すべきALTが残り少なくなるとそれほど高値を示さなくなることがあり，肝硬変などでは軽度上昇にとどまる．

> **NOTE** *酵素には同一の反応を触媒するがアミノ酸（蛋白の構造）の異なる酵素群がある．これをアイソザイムと呼び，細胞内の部位（上清分画，ミトコンドリア分画）や臓器による差などで認められる．したがって総酵素量が異常値を示す場合は，さらにどのアイソザイムが増えているかを調べることによって，その病変部位や病変の性質を把握することができる．

基準値と代表的な測定法および材料

項目	基準値	測定法	材料
AST	13～30 U/L	JSCC標準化対応法	血清
m-AST	7 U/L以下	プロテアーゼ法	血清
ALT	男性：10～42 U/L 女性：　7～23 U/L	JSCC標準化対応法	血清

検体の取扱い

赤血球中には多量のASTが含まれるため，溶血血清や溶血性疾患では高値を示す．激しい運動後には，活性上昇が認められる．

異常値の出るメカニズム

AST，ALTは肝臓，心筋，骨格筋などの臓器や組織に炎症や壊死などの障害が発生すると，細胞内から血液中に逸脱し，活性値が上昇する．AST，ALTとともに急性肝炎の早期診断，慢性肝疾患の経過観察などに不可欠な検査であり，<u>ASTとALTの比率は各種肝疾患で一定の傾向を示すことが多いため鑑別上有力な指標</u>となる（図2B-14）．

急性肝炎では早期からASTおよびALTの上昇がみられ，最高値は500 U/L以上になる．初期にはAST＞ALT，次いで回復期にはAST＜ALTとなり，治癒期（基準範囲付近）になってからAST＞ALTに復帰する．回復期では，半減期の長いALTが血中に残存するため，AST，ALTの逆転が起こる．

劇症肝炎では，肝細胞の急激な破壊によりAST＞ALTとなる．また，病状の改善が認められないのに，AST，ALTの値が低下する場合があるが，これは予後不良状態の徴候である．

慢性肝炎や脂肪肝（過栄養性）では軽度の上昇が基準範囲を示しAST＜ALTの場合が多く，肝硬変，肝がんではAST＞ALTの場合が多い．

心筋梗塞や進行性筋ジストロフィーでは，ASTが主として増加し，ALTはほぼ基準値内か軽度上昇にとどまる．急性心筋梗塞では，発作後1〜2日でピークに達し，重症度に応じて活性値が比例する．

異常値を示す疾患と病態・関連検査

高値 肝疾患：劇症肝炎，急性肝炎，慢性肝炎（☞p.174），肝硬変（☞p.178），肝がん（☞p.180），脂肪肝

胆道疾患：胆道閉塞，胆石症（☞p.182），胆嚢胆管炎

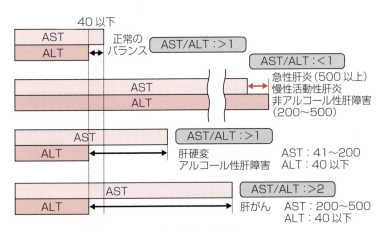

図2B-14　病態によるASTとALTの比率

心疾患：心筋梗塞（☞p.160），心筋炎
その他：筋ジストロフィー，多発性筋炎，溶血性疾患

m-ASTは，肝・胆道疾患と心筋梗塞（☞p.160）などの細胞破壊や壊死を伴った疾患において，その重症度・予後の判定に役立つ．

関連検査

肝臓・胆道疾患：ALP，γ-GT，LAP，凝固系検査，ウイルス性肝炎関連検査
心疾患：LD，LDアイソザイム，CK
炎症：CRP

LD・LDアイソザイムとは

LD（乳酸脱水素酵素）は可溶性分画に属する酵素でほとんどの組織や臓器に広く分布する．LDが含まれている臓器が損傷を受けると，その組織からLDが逸脱し血清中濃度が上昇する．通常はスクリーニングとして総活性を測定し，高値をみた場合にアイソザイムを測定し損傷臓器を推定する．

LDは，アミノ酸の異なる心筋型（H型）と骨格筋型（M型）のサブユニットからなる4量体で構成されているため，その組み合わせにより5種類のアイソザイムが存在する．電気泳動法で移動度の大きいほうからLD_1（H_4），LD_2（H_3M_1），LD_3（H_2M_2），LD_4（H_1M_3），LD_5（M_4）と命名されている（図2B-15）．LD総活性が量的検査であるのに対し，LDアイソザイムは質的検査である．H型を多く含むLDは心筋梗塞と溶血の場合に，M型を多く含むLDは骨格筋障害と肝障害の場合に増加する．

基準値と代表的な測定法および材料

項目	基準値	測定法	材料
LD	124〜222 U/L	IFCC標準化対応法	血清
LDアイソザイム	LD_1　21〜31% LD_2　28〜35% LD_3　21〜26% LD_4　7〜14% LD_5　5〜13%	アガロースゲル電気泳動法	血清

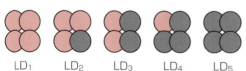
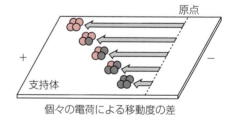

図2B-15　LDアイソザイムの分子構造

検体の取扱い

採血後の検体保存は，凍結保存が望ましいが室温保存でも可能．冷蔵保存ではデータの低下傾向がみられるので避けること．赤血球中には，LD_1・LD_2が多く含まれるので，溶血には十分注意が必要である．

異常値の出るメカニズム

LDは，<u>心筋，肝臓，骨格筋</u>などの炎症や障害によって，血中に流出する逸脱酵素である．

急性肝炎では，初期に上昇し，経過とともに低下する．慢性肝炎や肝硬変では正常か軽度上昇を示す．悪性腫瘍では，比較的高値を示す場合が多く，特に肝がんでは鋭敏に上昇し，原発性がんに比較して転移性肝がんに高値傾向がみられる．溶血性貧血や悪性貧血などの赤血球系の血液疾患でも高値を示す．

また同時にASTを測定し，<u>LD/AST比</u>をとる．LD/AST比が<u>高値（10〜25）の場合は悪性腫瘍や溶血性疾患</u>が疑われる．LD/AST比の上昇が<u>中程度の場合は感染症か肝臓以外の実質性の臓器障害</u>が考えられ，また<u>悪性腫瘍が存在する</u>可能性もある．このため各種画像診断の他，障害が推定される臓器に関する腫瘍マーカー（☞p.113）の検査を行う．LD/AST比が<u>低い場合は肝臓疾患</u>が疑われる．

アイソザイムの疾患別パターンとしては，以下のようにそれぞれの特徴がみられる．

▶ 心筋梗塞，赤血球系疾患：LD_1，LD_2が優位．
▶ 白血病，悪性リンパ腫：LD_2，LD_3が優位．
▶ 急性肝炎，肝細胞がん：LD_5が優位．

異常値を示す疾患と病態・関連検査

◆LD

[高値] 肝疾患：急性肝炎，慢性肝炎（☞p.174），肝がん
　　　 血液疾患：白血病（☞p.164），悪性貧血，溶血性貧血（☞p.162）
　　　 心疾患：心筋梗塞（☞p.160），うっ血性心不全（☞p.156）
　　　 悪性腫瘍：肉腫，がん転移
　　　 筋疾患：筋ジストロフィー

[低値] LDサブユニット欠損症，抗がん薬や免疫抑制薬の投与　など

◆アイソザイム型別疾患

　LD_1・LD_2型上昇：心筋梗塞，溶血性貧血，悪性貧血
　LD_2・LD_3型上昇：筋ジストロフィー，多発性筋炎・皮膚筋炎，膠原病（☞p.242），ウイルス感染，白血病，リンパ腫，肺がん（☞p.204），胃がん（☞p.170）
　LD_5型上昇：急性肝炎，原発性肝がん

[関連検査]
　肝臓・胆道疾患：AST，ALT，ALP（ALPアイソザイム），γ-GT，LAP，ChEなど
　心疾患：CRP，AST，ALT，CK（CKアイソザイム）
　血液疾患：白血球などの血算，CRPなど

悪性腫瘍：腫瘍マーカーなど

ALP・ALPアイソザイムとは

ALP（アルカリホスファターゼ）は，生体の細胞膜に幅広く存在し，主にリン酸モノエステルを加水分解する酵素で，アルカリ性側に至適pHをもつ．肝臓，骨芽細胞，胎盤，腎臓，小腸に多く存在する．また，酸性側に至適pHをもつホスファターゼとして，前立腺（特に多い），赤血球，脾臓などの各組織に多く含まれるACP（酸性ホスファターゼ）が知られている．なお，酒石酸抵抗性酸性ホスファターゼ活性は，骨代謝マーカー（☞p.69）として測定されている．前立腺由来のACPは，L-酒石酸によって95%程度阻害を受ける．

ALPは，主として肝臓・胆道疾患，骨疾患，悪性腫瘍などで活性が上昇する．また，ALPは，糖鎖構造の違いから，数種の異なる臓器に由来するアイソザイムが存在する．ALPアイソザイムは，その抗原性の違いにより，肝臓，胎盤，小腸由来などに由来する6種類のALPアイソザイム（ALP_1〜ALP_6）が存在するが，LDの場合と異なりすべての分画が出現するのではなく，病態により1〜4分画が出現する．

基準値と代表的な測定法および材料

項目	基準値	測定法	材料
ALP	38〜113 U/L	IFCC標準化対応法	血清
ALPアイソザイム	成人：ALP_2＞ALP_3 小児：ALP_2＜ALP_3 ALP_1： 0〜 5.3% ALP_2：36.6〜69.2% ALP_3：25.2〜54.2% ALP_5： 0.0〜18.1%	アガロースゲル電気泳動法	血清

検体の取扱い

抗凝固剤入りの試験管での採血は，低値を示す．小児期では，骨新生が盛んなため，成人の3倍高くなる．

異常値の出るメカニズム

限局性肝疾患（肝がん，肝膿瘍など）では，肝臓での生成亢進と胆汁への排泄障害に伴いALPは著明に上昇する．肝炎では軽度の上昇にすぎない．肝外胆道閉塞では，肝臓由来のALPの胆汁中の排泄が阻害されるため，血中にうっ滞し上昇する．胆管胆石症，胆管がん，胆管炎などによる閉塞性黄疸でも高値となる．また，肝内胆汁うっ滞では，比較的広範囲に病巣が存在する原発性胆汁性肝硬変などでALP上昇が著しい．

骨代謝が亢進している場合，骨由来ALPが骨芽細胞により産生されて血中に逸脱するため高値を示す（小児では成人の数倍の値を示す）．

血液型がB型およびO型でルイス式血液型の分泌型の人では，小腸由来ALPにより，特に高

脂肪食後で上昇する．

妊娠では，エストロゲン分泌亢進によって胎盤由来ALPが多量に産生されて上昇する．また，まれではあるが，がんなどで，胎盤由来ALPに類似したALPを産生する場合がある．

<u>低ホスファターゼ症</u>（ALPの異常により骨の石灰化が障害され，骨が弱くなる疾患）では，ALP遺伝子のSNP変異により活性低下を示す．低ホスファターゼ症の多くは常染色体潜性遺伝（劣性遺伝）であるが，軽症の場合は常染色体顕性遺伝（優性遺伝）の場合もある．現在は，<u>ALP酵素を補充する酵素薬が開発され，以前は早期に死亡していた重症患者も救命できる</u>ようになった．

異常値を示す疾患と病態・関連検査

◆ ALP

[高値] 肝臓・胆道疾患：閉塞性黄疸，原発性胆汁性肝硬変（PBC，☞p.178），急性肝炎，慢性肝炎（☞p.174），肝硬変

骨疾患：骨肉腫，多発性骨髄腫，骨軟化症，副甲状腺機能亢進症，パジェット病，骨粗鬆症（☞p.222），ビタミンD欠乏症，骨折

その他：甲状腺機能亢進症（☞p.206），慢性腎不全（☞p.188），悪性腫瘍（特に骨転移），妊娠，小児期の骨新生（小児〜思春期では骨の新生が盛んなため，健常者でも成人の2〜3倍の高値を示すことがある）

[低値] 先天性低ホスファターゼ症

◆ アイソザイム型別疾患

ALP_1の出現（由来：肝臓）：閉塞性黄疸，限局性肝障害

ALP_2の出現（由来：肝臓）：各種疾患，胆道疾患（☞p.182）

ALP_3の出現（由来：骨芽細胞）：骨疾患，副甲状腺機能亢進症

ALP_4の出現（由来：胎盤，腫瘍）：妊娠後期，悪性腫瘍の一部

ALP_5の出現（由来：小腸）：肝硬変，慢性肝炎，慢性腎不全（☞p.188）

ALP_6の出現（由来：ALP結合性免疫グロブリン*）：潰瘍性大腸炎（☞p.172）の活動期，免疫異常

[関連検査]

肝臓・胆道疾患：AST，ALT，LD，γ-GT，LAP，ChEなど

骨疾患：Ca，P，骨代謝マーカー（☞p.69）

その他：副甲状腺などのホルモンなど

> NOTE ＊酵素のアイソザイムで，分画の過剰出現や欠損あるいは偏位を示すことをアノマリー（anomaly：異常なものの意）という．アノマリーは成因によって，①免疫グロブリン結合，②サブユニットの合成欠損または低形成，③遺伝的変異，④腫瘍産生に大別される．LD，ALP，AMY，CKなどの酵素でその存在が確認されている．

AMY・AMYアイソザイムとは

AMY（アミラーゼ）はデンプンを分解しグルコース，マルトースやオリゴ糖を生成する酵素に命名された総称であり，別名ジアスターゼとも呼ばれる．主に膵臓と唾液腺より分泌されるが，膵臓から最も多量に分泌されるので膵障害を調べるための代表的な検査となっている．通常血清中と尿中の両方を測定する．血中のAMYは，膵臓と唾液腺に由来し，膵臓由来のP型，唾液腺由来のS型の2種類のアイソザイムが存在する．膵疾患では尿中AMYの異常の頻度と程度が高いが，尿量によりその濃度が著しく変動するので血中AMYの補助として用いられている．

基準値と代表的な測定法および材料

項目	基準値	測定法	材料
AMY	44～132 U/L	酵素法*	血清
	120～1,200 U/L	酵素法*	尿
AMYアイソザイム	P型：30～60% S型：40～70%	アガロースゲル電気泳動法	血清
	P型：55～90% S型：10～45%	アガロースゲル電気泳動法	尿
P型AMY	20～70 U/L	免疫阻害法	血清
ACCR	1～4%	酵素法	血清，尿

*測定法により基準値は大きく異なり，施設間差が大きい．

検体の取扱い

唾液中には，多量のAMYが含まれるため，血清や尿への混入には注意を要する．マルトースの点滴中や点滴後の採血は，影響があるため避ける．尿中AMYは，血中AMYと並行して検査することが多い．

異常値の出るメカニズム

原発性・続発性急性膵炎では，膵臓の外分泌細胞の炎症破壊によって上昇する．慢性膵炎では，急性膵炎を合併すると，血中・尿中AMYが上昇する．急性膵炎の場合，血中AMYの上昇は発症後2～12時間以内に始まり，多くは12～72時間でピークに達して，5日以内に正常化するが，6日以降に正常化をみることもある．上昇頻度は70～100%である．尿中AMYは血中AMY正常化後も高値が維持されるため，発症から時間が経過した場合でも異常を検出でき，有用である．尿中AMYは尿量の影響を受けるので，クレアチニン補正をするか，アミラーゼクリアランスをクレアチンクリアランスで補正したACCR*を計算して評価する必要がある．

唾液分泌障害が起こると，血中・尿中AMYが上昇する．流行性耳下腺炎（ムンプス）などがある．血中で高値であるのに尿中で低値の場合は，腎機能の低下，もしくはマクロアミラーゼ血症のようにAMYが免疫グロブリンなどと結合し（アノマリー），大分子化して尿中に排泄されない病態が考えられる．

一般にAMYは膵炎の病態と必ずしも一致しない場合がある．これはAMYが膵臓の外分泌細

胞の量に依存しており，膵炎の病態が進行した結果，大規模な膵細胞の荒廃をきたしている場合には血中・尿中AMYが上昇しないため注意が必要である．例えば，アルコール依存症や脂質異常症を伴う急性膵炎では，AMYが高値とならない場合がある．

膵切除，唾液腺摘出後などに低値がみられる．

> **NOTE** *アミラーゼ/クレアチニンクリアランス比（ACCR）
> ACCRは，血清AMYの腎臓からの排泄や，膵臓および膵臓以外の疾患での血清AMY上昇機序を検索するのにも有効である．急性膵炎で上昇し，マクロアミラーゼ血症で著しい低下がみられる．
>
> $$\text{ACCR計算式：ACCR（\%）} = \frac{\frac{\text{尿中 AMY}}{\text{血清 AMY}} \times \text{尿量}}{\frac{\text{尿中 Cr}}{\text{血清 Cr}} \times \text{尿量}} \times 100$$

異常値を示す疾患と病態・関連検査

◆**AMY**

高値 急性膵炎（☞p.184），慢性膵炎急性増悪期，膵がん（☞p.186），膵囊胞，耳下腺炎，各種外科手術後，AMY産生腫瘍，マクロアミラーゼ血症

◆**アイソザイム型別疾患**

P型増加：急性膵炎，慢性膵炎再燃時，マクロアミラーゼ血症など
S型増加：唾液腺疾患，外科手術，AMY産生腫瘍（肺がん・卵巣がん・大腸がん）

関連検査 膵疾患関連：エラスターゼ1，リパーゼ，トリプシン

CK・CKアイソザイムとは

CK（クレアチンキナーゼ）は，クレアチンとATPからクレアチンリン酸とADPを生成する酵素である．骨格筋，心筋平滑筋，脳などに多く含まれ，それらの部位が損傷を受けると血中に逸脱する．

CKはすべて2量体で臓器特異性があり，筋型または骨格筋型（MM），脳型（BB），ハイブリッド型または心筋型（MB）の3種のアイソザイムで構成される．通常，血中では大半がCK-MMであり，CK-BBはほとんど認められず，CK-MBは心筋の障害以外はわずか（総活性の3％程度）に検出されるにすぎない．特にCK-MBは急性心筋梗塞の診断に有用性が認められている．

基準値と代表的な測定法および材料

項目	基準値	測定法	材料
CK	男性：59〜248 U/L 女性：41〜153 U/L	JSCC 標準化対応法	血清
CKアイソザイム	BB：2％以下 MB：6％以下	アガロースゲル電気泳動法	血清
CK-MB	5.0 ng/mL以下	CLIA	血清
	25 U/L以下	免疫阻害法	

検体の取扱い

CKは骨格筋の量を反映するため,活性値に性差が認められ,女性は男性よりも低値である.低K血症や低K状態をきたす薬物で,CKが上昇することがある.新生児は活性が高く,アイソザイムのMB,BBが高頻度で検出される.運動の影響は個人差があるため,持続性では著明に上昇する.

異常値の出るメカニズム

急性心筋梗塞では,発作後数時間で上昇し,1日でピークに達し,3～4日で急速に正常化する.
激しい運動,進行性筋ジストロフィー,甲状腺機能低下症,多発性筋炎・皮膚筋炎などの筋疾患で上昇する.

異常値を示す疾患と病態・関連検査

◆CK
[高値] 心筋梗塞(☞p.160)・心筋炎などの心疾患,進行性筋ジストロフィー・多発性筋炎・皮膚筋炎(☞p.243)などの筋疾患,甲状腺機能低下症(☞p.206)
[低値] 甲状腺機能亢進症

◆アイソザイム型別疾患
CK-BB上昇:重篤な急性脳損傷,全身麻酔後の悪性過熱症,中枢神経手術後,悪性腫瘍(前立腺・胃・腸など)
CK-MB上昇:心筋梗塞,心筋炎,開腹術後,筋ジストロフィー,多発性筋炎・皮膚筋炎,新生児
[関連検査] 心疾患関連:AST,ALT,LD(アイソザイム),CRPなど

γ-GTとは

γ-GT(γ-グルタミルトランスフェラーゼ)は,ペプチドのN末端のグルタミン酸を他のペプチドまたはアミノ酸に転移する酵素であり,グルタチオンなどの生成に関与している酵素である.グルタチオンは肝マイクロゾームにおける薬物代謝などに重要な役割をもつため,γ-GTは肝細胞に多量に含まれる.γ-GTは幅広い肝臓・胆道疾患でも高値をとるため,これらの疾患のスクリーニングに有用である.特にさまざまな種類の胆汁うっ滞性疾患の場合に上昇することがよく知られている.

基準値と代表的な測定法および材料

項目	基準値	測定法	材料
γ-GT	男性:13～64 U/L 女性: 9～32 U/L	IFCC標準化対応法	血清

検体の取扱い

γ-GTは，アルコール常習だけで上昇する．男性は女性より高めだが，男性生殖器由来のγ-GTが影響していると考えられる．

異常値の出るメカニズム

γ-GTは個体差の大きい酵素であり，基準値は年齢，性，飲酒歴などの因子により大きく変動するため，検査結果の解釈に際しては留意しなければならない．

高値を示す場合は，ほぼ肝臓・胆道疾患に限定されているが，他の酵素に比べアルコール性肝障害で著しい上昇を示すのが特徴で，本疾患の鑑別診断，経過観察，治癒の指標として有用性が高い．また，肝細胞がんや総胆管結石などによる胆汁うっ滞などの閉塞性疾患で高値となる．なかでも黄疸を伴う場合は，上昇が大きい．

γ-GTは，尿細管上皮細胞に分布が多いが，腎疾患での上昇はあまり認められない．

薬物では，抗てんかん薬（フェニトイン，フェノバルビタールなど）や向精神薬（ジアゼパム）などの投与で上昇が認められる場合もある．

異常値を示す疾患と病態・関連検査

高値 急性肝炎，慢性肝炎（☞p.174），肝硬変（☞p.178），肝がん（☞p.180），アルコール性肝障害，薬物性肝障害，胆道疾患（☞p.182），脂肪肝など

関連検査 肝臓・胆道疾患：AST，ALT，LD，ALP（アイソザイム），LAP，ChE，ヒアルロン酸，総胆汁酸など，肝がん関連マーカー検査など

LAPとは

アミノペプチダーゼは，ペプチドをアミノ末端から加水分解する酵素で，本来LAP（ロイシンアミノペプチダーゼ）はその中でもN末端にロイシンをもつペプチドを加水分解する酵素であるが，それほど高い基質特異性を有していない．したがって，1種類の基質を用いて酵素活性を測定しても，数種類のアミノペプチダーゼ活性の総和を得ることになる．臨床検査では，合成基質を用いた測定法が普及し，これが一般にLAPと呼ばれている．

基準値と代表的な測定法および材料

項目	基準値	測定法	材料
LAP	35～73 U/L	酵素法（L-ロイシル-p-ニトロアニリド基質法）	血清

異常値の出るメカニズム

現在，広く知られているLAPは，厳密には三つの酵素に分類され，臨床的評価も異なっている．急性膵炎などで上昇するのは可溶性LAP（c-LAP），胆道疾患，肝がん，胆管がん，膵がんなどで上昇するのは膜結合性LAP，妊娠で上昇するのはCAP（シスチンアミノペプチダーゼ）といわれている．

異常値を示す疾患と病態・関連検査

高値 肝炎（☞p.174），肝硬変（☞p.178），肝がん（☞p.180），閉塞性黄疸，急性膵炎（☞p.184），妊娠（後期），薬物性肝障害（特に薬物性肝炎）など

関連検査 肝臓・胆道疾患：AST，ALT，LD，ALP（アイソザイム），γ-GT，ChE，ヒアルロン酸，総胆汁酸など，肝がん関連マーカー検査など

ChEとは

ChE（コリンエステラーゼ）は，コリンエステルをコリンと有機酸に加水分解する酵素で，肝臓や血液中に存在する．ChEには，アセチルコリンの他に種々のコリンエステルおよび非コリンエステルをも加水分解する「偽性ChE」（pseudo-cholinesterase）と，神経・筋肉・赤血球に存在してアセチルコリンを特異的に加水分解する「真性ChE」（true-cholinesteraseまたはacetylcholinesterase）が存在する．

肝機能検査として用いられるのは前者（偽性ChE）で，肝臓で合成され血中に分泌されるため，ChEの活性の低下は肝実質細胞の機能障害を反映する．また肝臓での蛋白合成能を知る指標の一つであり，血清アルブミン値低下ともよく相関する．

肝疾患で低下することから，特に肝実質障害の程度を知る上で重要である．

先天性血清ChE活性低下症・欠損症では，ChE分解が遅く，筋弛緩薬として用いられているコリンエステル製剤や，局所麻酔の使用時には遷延性無呼吸をきたすため，この危険を予知するためにもChE測定は重要である．

基準値と代表的な測定法および材料

項目	基準値	測定法	材料
ChE	男性：240〜486 U/L 女性：201〜421 U/L	JSCC標準化対応法	血清

異常値の出るメカニズム

血清ChEの低下は，血清アルブミンの低下とほぼ並行し，肝実質の蛋白合成能をよく反映するため，肝実質機能を知る指標として重要視されている．

低蛋白の代償で，肝細胞の蛋白合成が増加するためネフローゼ症候群で上昇する．

異常値を示す疾患と病態・関連検査

高値 糖尿病（☞p.214），肥満，脂肪肝，ネフローゼ症候群（☞p.192），甲状腺機能亢進症（☞p.206）

低値 慢性肝炎，肝硬変，原発性肝細胞がん，劇症肝炎，悪性腫瘍，妊娠中毒症，栄養失調，有機リン系農薬中毒*

関連検査 肝臓・胆道疾患：AST，ALT，LD，ALP，γ-GTなど

> **NOTE** *肝臓の蛋白合成低下では、血清アルブミンや凝固因子ともに低下する．しかし、有機リン系農薬中毒などでは，ChEが特異的に阻害されるために血清アルブミン，凝固因子などは正常である．

以下の記述の正誤を答えよ．
1 肝硬変では，ASTとALTはともに上昇し，AST＞ALTとなる．
2 胆道系疾患では，ALPは低値を示す．
3 急性膵炎では，S型AMYが上昇する．
4 アルコール性肝障害では，γ-GTは低下する．
5 ChEは，慢性肝炎や肝硬変では高値，ネフローゼ症候群や脂肪肝では低値となる．

B-7　骨代謝マーカー

骨代謝マーカーとは

　骨代謝性疾患に対する有効な治療薬が使用されるようになったのに伴いその診断や治療判定の手段の一つとして骨代謝マーカー*1測定の検査が普及している．骨代謝マーカーの変化は，長期の骨量の変化を鋭敏に反映することから，骨代謝性疾患の薬物治療の効果判定やモニタリングが可能となった．骨代謝マーカーは，骨代謝回転の骨形成（骨が作られる）に関与する骨形成マーカーと骨吸収（骨が分解される）に関与する骨吸収マーカー，そして骨のマトリックス形成に関与する骨マトリックス（基質）関連マーカーの三つに分類することができる（図2B-16）．

> **NOTE** *1 **骨粗鬆症診療における骨代謝マーカーの適正使用ガイド**
> 日本骨粗鬆症学会骨代謝マーカー検討委員会では2001年より「骨粗鬆症診療における骨代謝マーカーの適正使用ガイドライン」（2018年版より適正使用ガイドに変更），2022年には「骨代謝マーカーハンドブック」が作成され，骨代謝マーカーが実臨床で幅広く使用されるようになった．

◆骨形成マーカー

　ALPでも骨に特異的な骨型アルカリホスファターゼ（BAP）は骨芽細胞に存在する酵素であるが，骨芽細胞の前駆細胞にも存在するため，骨基質合成だけではなく骨形成の能力を判定するのに役立つ．

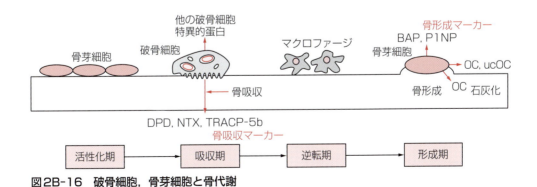

図2B-16　破骨細胞，骨芽細胞と骨代謝

その他に，オステオカルシン（OC）（骨芽細胞で合成される蛋白であり，骨基質を形成している骨芽細胞から分泌される）やI型コラーゲンの前駆物質であるI型プロコラーゲンのN末端フラグメントである P1NP*2（I型プロコラーゲン-N-プロペプチド）も血中に放出されるので骨形成マーカーとして役立つ．

> **NOTE** *2 I型コラーゲンの生成過程に由来する前駆I型プロコラーゲン分子のN末端側断片．P1NPは分子量3.5万の細長い形状をした3量体蛋白分子を示し，一般にインタクトP1NP（intact P1NP）と呼ばれている．一方，血中には3量体intact分子の他に単量体intact分子も存在する．この3量体と単量体のintact分子双方の検出をトータルP1NP（total P1NP）と呼んでおり，臨床では広くtotal P1NPが測定されている．

◆骨吸収マーカー

骨吸収マーカーは骨基質中のI型コラーゲン分子の代謝産物と，破骨細胞により合成される酵素の2種類がある．骨芽細胞で合成され骨基質に取り込まれたI型コラーゲンは3本のアミノ酸鎖が絡み合った構造をしている．アミノ酸鎖の両端のN末端，C末端の部分にデオキシピリジノリン（DPD）が存在し，架橋となってアミノ酸鎖を結びつけている．骨コラーゲンが分解して生じるペプチド結合架橋体（I型コラーゲン架橋 N-テロペプチド：NTX）なども骨吸収マーカーとして存在する（図2B-17）．

その他に，骨コラーゲンが分解して生じるC末端ペプチド結合架橋体であるI型コラーゲン架橋C-テロペプチド（CTX）や破骨細胞に由来するACPである酒石酸抵抗性酸性ホスファターゼ-5b（TRACP-5b：骨に対して特異的なアイソザイム）も骨吸収マーカーとして知られている．

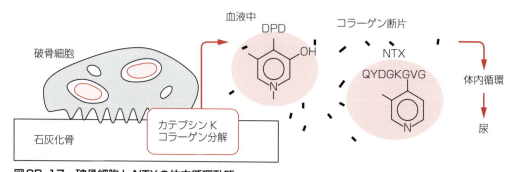

図2B-17　破骨細胞とNTXの体内循環動態

基準値と代表的な測定法および材料

分類	項目	基準値	測定法	材料
骨形成マーカー	BAP	2.9～14.5 μg/L	CLEIA	血清
	P1NP(total P1NP)	16.8～70.1 ng/L	ECLIA	血清
骨吸収マーカー	DPD	2.8～ 7.6 nmol/mmol・Cr	EIA	尿
	sNTX	7.5～16.5 nmolBCE/L	EIA	血清
	uNTX	9.3～54.3 nmolBCE/mmol・Cr	CLEIA	尿
	TRACP-5b	120 ～420 mU/dL	EIA	血清
骨マトリックス関連マーカー	ucOC	カットオフ値4.5 ng/mL	ECLIA	血清

BCE：bone collagen equivalent（骨コラーゲン相当量），s：血中，u：尿中
BAP，P1NP，DPD，sNTX，uNTXは閉経前女性，TRACP-5bは女性の若年者平均値（YAM）の値をそれぞれ記載した．

検体の取扱い

　DPDおよびNTXの骨代謝マーカーは日内変動をきたす．深夜から早朝高く，午後に低値のパターンを示す．尿は早朝第二尿を推奨，血清NTXはクレアチニン補正の必要はないが，日内変動の誤差を避けるため，午前中の採血を推奨，困難な場合は同じ時間帯の採血が望ましい．P1NPおよびDPD，NTXなどは腎機能の影響を受けるので注意が必要である．

異常値の出るメカニズム

　BAPおよびP1NPは，骨芽細胞に多量に存在するため，骨新生に伴い血中濃度が上昇する．DPDおよびNTXは骨コラーゲンが分解される時の物質，TRACP-5bは破骨細胞由来で，骨吸収により血中または尿中に排泄される．

異常値を示す疾患と病態・関連検査

　BAP，P1NPは骨形成が亢進，DPD，NTXおよびTRACP-5bなどは骨吸収が亢進した場合に上昇する．

[高値] 骨粗鬆症（☞p.222），がんの骨転移，原発性副甲状腺機能亢進症，CKD-MBD（慢性腎臓病に伴う骨ミネラル代謝異常），パジェット病，甲状腺機能亢進症（☞p.206），小児期の骨新生など．

[低値] 低値側の臨床的意義は少ない．

[関連検査] 甲状腺ホルモン，副甲状腺ホルモン，エストロゲン，ビタミンD

以下の記述の正誤を答えよ．
1 NTX，ucOCは骨形成マーカーである．
2 BAP，TRACP-5bは骨吸収マーカーである．

B-8 内分泌検査

a）副腎皮質刺激ホルモンと副腎皮質ホルモン

副腎皮質刺激ホルモンとは

副腎皮質刺激ホルモン（ACTH）は，脳下垂体前葉で合成，分泌されるアミノ酸39個からなるペプチドである．視床下部から分泌される副腎皮質刺激ホルモン放出ホルモン（CRH）に刺激により促進される．副腎皮質に作用し，糖質コルチコイド（コルチゾールなど），アンドロゲン（デヒドロエピアンドロステロンなど），鉱質コルチコイド（アルドステロンなど）などの副腎皮質ホルモンの分泌を促進する．コルチゾールとアルドステロンは活性の強さに差があるが，いずれも糖質コルチコイド活性および鉱質コルチコイド活性の両方をもつ．ACTHの分泌は，糖質コルチコイドの血中濃度上昇による負のフィードバックによって抑制される＊．視床下部，下垂体，副腎皮質系の異常部位と，その度合いを知るうえで重要であり，診断および病態の解明に不可欠である．

> **NOTE** ＊糖質コルチコイドの慢性的な過剰分泌による病態を総称してクッシング症候群という（☞p.209）．過剰分泌されたコルチゾールは，視床下部-脳下垂体に負のフィードバックによる抑止をかけるが，腺腫では自律的にACTHを分泌しているため抑制されない（CRHは抑制される）．

基準値と代表的な測定法および材料

項目	基準値	測定法	材料
副腎皮質刺激ホルモン	7.2～63.3 pg/mL	ECLIA	血漿

検体の取扱い

血中ACTH濃度には日内リズムがあり，覚醒時から午前中（午前4時～8時）に高く，夜間（午後6時～午前2時）に低くなり，午後は午前の約1/2量である．肉体的・精神的ストレスは視床下部からのCRH分泌を促進する．このとき，後葉ホルモンであるバソプレシン（ADH）も視床下部から合成・分泌され，CRHと協同的に働いて下垂体前葉からのACTH分泌を促進する．血中コルチゾール濃度による負の調節を受けるため，糖質コルチコイド剤などの投与＊について確認が必要である．

ACTHの半減期は約10分と短く室温で不安定である．EDTA・2Na加採血した検体を4℃で遠心分離し，得られた血漿は測定まで凍結保存する．採血は早朝空腹時に行い，被検者は30分以上安静にさせて行うことが必要である．

> **NOTE** ＊ACTHの血中濃度は種々の薬物で影響を受ける．ACTHは，糖質コルチコイドの投与で低値となり，α刺激薬（ノルアドレナリンの分泌抑制）やβ遮断薬の投与では逆に高値になる．

異常値の出るメカニズム

副腎から糖質コルチコイドが，ACTH依存的または非依存的に慢性的に過剰分泌されるとクッシング症候群を発症する（☞p.209）．このうち下垂体腺腫（ACTH産生腫瘍）によるもの（ACTHの自律的分泌）がクッシング病である．一方，ACTHが高値で，糖質コルチコイドが低値であれば負のフィードバックの解除によるアジソン病を疑う．40〜50歳代の女性に多い．レセルピン，クロルプロマジン，ソマトスタチン，バルプロ酸などの薬物は，ACTHの分泌を抑制する．

異常値を示す疾患と病態・関連検査

ACTH	コルチゾール	関連する疾患
高値	高値	クッシング病，異所性ACTH産生腫瘍，異所性CRH産生腫瘍，糖質コルチコイド不応症，神経性食思不振症
高値	低値	アジソン病，急性副腎不全，ネルソン症候群，ACTH不応症，先天性副腎皮質過形成［21-ヒドロキシラーゼ欠損症，11β-ヒドロキシラーゼ欠損症］
低値	高値	副腎性クッシング症候群（副腎腺腫，副腎がん，原発性副腎皮質結節過形成など）
低値	低値	視床下部性副腎皮質機能低下症［脳腫瘍，ヒスチオサイトーシスX］，下垂体性副腎皮質機能低下症［下垂体腫瘍，汎下垂体機能低下症，シーハン症候群，ACTH単独欠損症］

関連検査 （☞p.211）尿中17-ヒドロキシコルチコステロイド（17-OHCS），尿中17-ケトステロイド（17-KS），血中コルチゾール（以上，血中ホルモンおよび代謝関連検査），インスリン低血糖試験（インスリンの静注後血糖値を下げることで，下垂体を刺激してACTHを分泌させる），分泌刺激試験：メチラポン（メトロピン）試験，分泌抑制試験：デキサメタゾン抑制試験

コルチゾールとは（副腎皮質ホルモン）

コルチゾールは，ACTHの刺激によって副腎皮質の中央の皮質層である束状層から分泌される代表的な糖質コルチコイドである．コルチゾールは肝臓での糖新生を促進し，末梢組織でのグルコースの取込みを抑制するため，血糖値を上昇させる．その他，筋肉組織における蛋白分解の促進，脂肪組織での脂肪分解促進などの作用を有する．下垂体・副腎皮質機能の判定のために測定する．コルチゾールの慢性的な過剰分泌により満月様顔貌など特有の症状を呈する病態を総称してクッシング症候群という（☞p.209）．視床下部-下垂体-副腎系の機能評価，および病態の鑑別に有用である．

基準値と代表的な測定法および材料

項目	基準値	測定法	材料
コルチゾール	7.07〜19.6 μg/dL	CLIA, ECLIA	血清・血漿

検体の取扱い

血中コルチゾール濃度の測定は，下垂体-副腎皮質系の機能判定の重要な指標である．副腎皮

質の機能低下または亢進が，原発性か二次性かを判定するにはACTHの同時測定が必要である（同時測定の場合は血漿を用い，コルチゾール単独測定の場合は血清でよい．検体は測定まで凍結保存）．

血中コルチゾールの分泌には，ACTHに同調した日内リズム（夜間低値，早朝ピーク値）が認められるため，採血時間を一定にして評価することが大切である．一般的には早朝安静時の採血が推奨されている．しかし，これらのホルモンの日内リズムは，正確には時刻ではなく睡眠によって規定されているため，夜勤業務者のピーク値は異なることに注意する必要がある（夜のコルチゾール濃度が下がらなくなる）．

異常値の出るメカニズム

視床下部-下垂体-副腎との間にフィードバック関係があるため，異常の原因を知るにはACTH，コルチゾール両方の値が必要である（☞p.210，図3G-1）．血中コルチゾールが高値になる原因として，下垂体腺腫が原因のクッシング病，異所性ACTH産生腫瘍などで慢性的にACTHが産生され，持続的に副腎皮質が刺激されてコルチゾールが過剰産生される場合がある（ACTH依存性クッシング症候群）．一方，副腎腫瘍や副腎過形成では，視床下部（CRH）-下垂体（ACTH）とは無関係にコルチゾールの自律的過剰産生が起こって血中コルチゾールは高値を示す（ACTH非依存性クッシング症候群）．

血中コルチゾールが低値を示す慢性・原発性の副腎皮質機能低下症であるアジソン病では，コルチゾールの産生低下により，易疲労感，脱力感，低血糖などを起こす．鉱質コルチコイドの低下による低血圧，低Na・高K血症なども伴う．

異常値を示す疾患と病態・関連検査

高値・低値 ACTHの項の表参照

関連検査 尿中17-OHCS，尿中17-KS，尿中DHEA-S，尿中遊離コルチゾール，デキサメタゾン抑制試験，ACTH負荷試験（副腎皮質予備能の評価と副腎不全の診断），DOC*

> **NOTE** *DOC（デオキシコルチコステロン）：鉱質コルチコイドが関与する疾患においてレニン・アンギオテンシン・アルドステロン系の分泌異常病型の鑑別診断・副腎病態におけるデキサメタゾン抑制試験における病因診断で有用である．とくに高血圧症を呈する17α-ヒドロキシラーゼ欠損症では高値を示す（☞p.249）

デヒドロエピアンドロステロンサルフェートとは（副腎皮質ホルモン）

デヒドロエピアンドロステロン（DHEA）は，副腎皮質の最も深部の皮質層である網状層でACTH依存性に合成されるアンドロゲン（男性ホルモン）であり，デヒドロエピアンドロステロンサルフェート（DHEA-S）は，その硫酸抱合体である．DHEAのまま分泌される割合はきわめて少なく，99％以上がDHEA-Sの形で分泌される．これらは，末梢組織でアンドロゲン活性の強いテストステロンへ変換される（活性はテストステロンの約5％である）．血中DHEA-Sのほぼ100％が副腎由来であり，性腺からのDHEA-S分泌がほとんどないため，副腎皮質由来のアンドロゲンの分泌状態を知るための最良の指標となる．DHEAおよびDHEA-S濃度は，加齢に

伴って減少し，老化との関連で注目されている．副腎皮質・性腺機能の判定のために測定する．

基準値と代表的な測定法および材料

項目	年齢	基準値（男性）	基準値（女性）	測定法	材料
DHEA-S	20～29歳	159～538 μg/dL	92～399 μg/dL	CLEIA	血清
	30～39歳	125～475 μg/dL	58～327 μg/dL		
	40～49歳	123～422 μg/dL	41～218 μg/dL		
	50～59歳	76～386 μg/dL	30～201 μg/dL		

検体の取扱い

DHEAはACTH依存性の日内変動（早朝ピーク値，夜間は低値）を示すが，DHEA-Sは血中半減期が比較的長く著明な変動はない．検体は測定まで凍結保存する．

異常値の出るメカニズム

血中DHEA-Sは，DHEAとともに小児期はおおむね低値で推移し，思春期に至る頃から次第に増加する．20歳前後でピークに達した後は加齢とともに減少していく（上の表参照）．高値を示す疾患は，クッシング病，異所性ACTH産生腫瘍などで，ACTHが過剰に分泌されることによる．低値を示すのは，ACTH非依存性のクッシング症候群のうち，副腎結節性過形成によるものであり，副腎腫瘍では高値となるため鑑別に役立つ．

異常値を示す疾患と病態・関連検査

高値 クッシング病（☞p.210，図3G-1），異所性ACTH産生腫瘍，副腎皮質がん，21-ヒドロキシラーゼ欠損症，11β-ヒドロキシラーゼ欠損症，3β-ヒドロキシステロイドデヒドロゲナーゼ欠損症，多嚢胞性卵巣症候群，特発性多毛症，思春期早発症

低値 アジソン病，副腎性クッシング症候群，下垂体機能低下症，17α-ヒドロキシラーゼ欠損症，ターナー症候群，クラインフェルター症候群

関連検査 ACTH負荷試験[*1]，デキサメタゾン抑制試験[*2]

> NOTE
> [*1] 思春期に月経不順や多毛を示す女性の場合，30～50％の頻度で遅発性先天性副腎過形成であり，その診断にACTH負荷試験が有用である．
> [*2] 多毛症の原因が副腎か性腺かを鑑別するためにはデキサメタゾン抑制試験を実施する．副腎由来であれば，いずれの負荷試験に対してもDHEA-Sは高値を示す．

アルドステロンとは（副腎皮質ホルモン）

アルドステロンは，ACTH，アンギオテンシンⅡ，細胞外K濃度上昇（高K血症）による刺激によって副腎皮質の最も外面の皮質層である球状層から分泌される代表的な鉱質コルチコイドである．アルドステロンは，遠位尿細管と集合管に作用してNa^+の再吸収とそれに伴うK^+の排出を促進する（図2B-18）．Na^+の再吸収によって細胞外液の浸透圧が高まり，尿中の水が血管側に移動し体液量が増加する．レニン・アンギオテンシン・アルドステロン（RAA）系が活性化されると，さまざまな昇圧物質が分泌される．副腎皮質機能の判定および原発性アルドステロン症

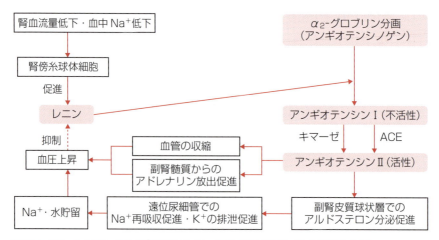

図2B-18　レニン・アンギオテンシン・アルドステロン系の代謝と作用

をはじめとした高血圧疾患，腎疾患，浮腫性疾患などの診断と鑑別に有用である．

基準値と代表的な測定法および材料

項目	基準値	測定法	材料
アルドステロン	60 pg/mL	CLEIA	血漿, 血清

検体の取扱い

血中アルドステロン濃度は，副腎皮質原疾患の他，レニン・アンギオテンシン（RA）系の異常によって二次的に変動する場合があるため，レニンの同時測定が望ましい．

異常値の出るメカニズム

アルドステロンの過剰分泌によりアルドステロン症が起こる．アルドステロン症は，原発性と続発性がある．原発性の原因としてはアルドステロン産生腺腫（約74％）と特発性アルドステロン症（約19％）がほとんどである．原発性（アルドステロン産生腺腫や副腎皮質球状層過形成による特発性アルドステロン症）は負のフィードバックにより低レニン性である．続発性（肝硬変，ネフローゼ症候群，レニン産生腫瘍などレニン活性増による）は，レニン活性が増大しているので高レニン性である．

アジソン病などの原発性副腎機能低下症では，副腎皮質からのコルチゾールやアルドステロンの分泌が低下する（負のフィードバックによりレニン活性高値）．続発性副腎機能低下症では，RAA系は障害されないため，アルドステロンの分泌は維持される．

異常値を示す疾患と病態・関連検査

レニン活性	アルドステロン濃度	関連する疾患
高値	高値	続発性アルドステロン症（腎血管性高血圧，レニン産生腫瘍，バーター症候群，ネフローゼ症候群，心不全，肝硬変）
高値	低値	アジソン病，原発性選択的低アルドステロン症，塩類喪失型21-ヒドロキシラーゼ欠損症
低値	高値	原発性アルドステロン症（アルドステロン産生腺腫，特発性アルドステロン症，糖質コルチコイド反応性アルドステロン症）
低値	低値	偽性アルドステロン症（リドル症候群，グリチルリチンの副作用），低レニン性選択的低アルドステロン症，クッシング症候群，11β-ヒドロキシラーゼ欠損症，17α-ヒドロキシラーゼ欠損症

[関連検査] 血漿レニン活性

血漿レニンとは

レニンは，アミノペプチダーゼの一種であり，循環血漿量の減少あるいは糸球体血圧の低下に反応して腎臓の傍糸球体細胞（JG cells）から分泌される．本プロテアーゼは，肝臓で産生され，血中へ放出されたアンギオテンシノゲン（レニン基質）に作用してアンギオテンシンⅠを遊離させる．アンギオテンシンⅠは，アンギオテンシン変換酵素（ACE）の作用によってアンギオテンシンⅡ*になる．アンギオテンシンⅡは，AT_1受容体を介して血管平滑筋の収縮および副腎皮質の球状層からのアルドステロン分泌を促進して血圧上昇をもたらす．このRAA系は，ADHとともに腎臓における電解質バランスの調節に重要な役割を演じており（図2B-18），レニンはRAA系の初発因子であることから，高血圧症の原疾患の究明にはレニン分泌動態の把握が大切である．

血漿レニン活性（PRA）とは，血漿をインキュベートし，酵素反応によって単位時間あたりに生成するアンギオテンシンⅠ量のことである．活性型レニン定量（ARC）の測定法も開発され，臨床応用されており，PRAとARCは正相関を示す．また，抗レニン抗体を用いたレニン自体の免疫学的定量（PRC）もある．高血圧症の診断，病態判別のために測定する．

> **NOTE** *アンギオテンシンⅠからⅡの生成には，ACE以外にも，キマーゼやカテプシンGが関与する．アンギオテンシンⅡの受容体には，AT_1受容体とAT_2受容体の2種類が存在する．いずれの受容体に対してもアンギオテンシンⅡが作用することによって，AT_1受容体は血圧上昇に，AT_2受容体は血圧下降に働く．AT_1受容体は血管収縮，アルドステロン分泌を介する血圧調節以外にも心筋・血管のリモデリングや心肥大をもたらす．AT_2受容体は血管拡張や細胞増殖抑制作用を介する血圧下降以外に，心筋・血管のリモデリングや心肥大を抑制する．

基準値と代表的な測定法および材料

項目	基準値	測定法	材料
レニン活性	0.2～2.3 ng/mL/時（臥位），0.2～4.1 ng/mL/時（立位）	EIA	血漿
レニン定量	2.5～21.4 pg/mL（臥位），3.6～63.7 pg/mL（立位）	CLEIA	血漿

検体の取扱い

血中レニンには,活性型と不活性型(前駆体プロレニン)が存在し,PRAとPRCの測定値は互いに相関する.レニン検査としてはいずれか一方を選択すればよい.原則として早朝安静時にEDTA・2Na加採血し,得られた血漿は測定まで凍結保存する.

異常値の出るメカニズム

レニン分泌異常が病態形成に直接関与し,臨床診断上も有用な所見となる疾患として腎血管性高血圧,レニン産生腫瘍などがある.妊娠時やクッシング症候群のように基質濃度が増加している場合,あるいは重症肝障害などで基質濃度が減少している場合には真の活性型レニン値を反映していない.また,経口避妊薬や利尿薬投与時は基質量の変化によってPRAは高値を示す.

異常値を示す疾患と病態・関連検査

高値・低値 アルドステロンの項の表を参照
関連検査 血中アルドステロン

b) 甲状腺刺激ホルモンと甲状腺ホルモン

甲状腺刺激ホルモンとは

甲状腺刺激ホルモン(TSH)は,分子量約28,000の糖蛋白で,脳下垂体前葉から分泌され,甲状腺濾胞上皮細胞のTSH受容体に結合する.TSH受容体は,細胞膜7回貫通型受容体で,Gs蛋白を介してアデニル酸シクラーゼが活性化され,増加したサイクリックAMP(cAMP)によって甲状腺のヨードの取込み,サイログロブリン(Tg)の合成と加水分解,甲状腺ホルモンの合成と分泌が促進される.TSHの分泌は,視床下部から分泌される甲状腺刺激ホルモン放出ホルモン(TRH)によって促進される.視床下部,下垂体からのTRHおよびTSH分泌は,血中の甲状腺ホルモン濃度によって負のフィードバック制御を受け,甲状腺ホルモンの血中濃度が一定になるように調節されている(図2B-19).下垂体機能の把握,甲状腺機能の把握のために測定する(☞p.206).

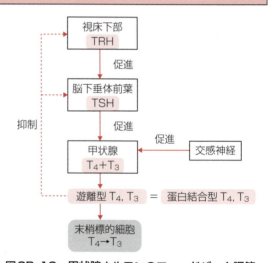

図2B-19 甲状腺ホルモンのフィードバック調節

基準値と代表的な測定法および材料

項目	基準値	測定法	材料
甲状腺刺激ホルモン	0.500〜5.00 μIU/mL	ECLIA	血清

検体の取扱い

TSHは，甲状腺ホルモン（FT_3，FT_4）より甲状腺の機能を敏感に反映する．採血して得られた血清は，所定量を分取して測定まで凍結保存する．

異常値の出るメカニズム

血中TSHが低値を示すのは，①未治療バセドウ病患者において負のフィードバックによる，②腫瘍などの視床下部の器質的な病変による（視床下部性甲状腺機能低下症），③下垂体への放射線照射やシーハン症候群などの下垂体の病変による（下垂体性甲状腺機能低下症），場合がある．高値を示すのは，①甲状腺自体の働きがわるく甲状腺ホルモンを作れない場合（原発性甲状腺機能低下症）や，②甲状腺機能亢進症の治療において，抗甲状腺薬が過剰投与になると血中TSHが上昇してくる．

新生児の場合，血中TSHレベルは出生直後から上昇を開始して1時間後まで急上昇し，その後はやや低下するが新生児期は著しい高値を示す．1歳以降は成人との差がなくなる．

抗甲状腺薬であるチアマゾール，プロピルチオウラシルやうつ治療薬である炭酸リチウムは，甲状腺ペルオキシダーゼ（TPO）活性を阻害することにより，また，大量の無機ヨードはヨウ化物イオンの取込み抑制により甲状腺ホルモンが低下するためTSHの分泌が増加する．

異常値を示す疾患と病態・関連検査

高値 原発性甲状腺機能低下症（橋本病，☞p.207），甲状腺摘除術後，TSH産生下垂体腺腫，甲状腺ホルモン不応症

低値 原発性甲状腺機能亢進症（バセドウ病，☞p.206），下垂体性甲状腺機能低下症，視床下部性甲状腺機能低下症

関連検査 血中T_3，T_4，FT_3，FT_4，甲状腺ヨード摂取率，基礎代謝率，血中コレステロール，血中ALP，血中CK．TRH負荷試験（TSH分泌刺激試験），T_3抑制試験（TSH分泌抑制試験），抗TSH受容体抗体（TRAb），甲状腺刺激型抗体（TSAb），甲状腺刺激阻害型抗体（TSBAb）

甲状腺ホルモンとは

甲状腺ホルモンには，サイロキシン（T_4）とトリヨードサイロニン（T_3）の2種類がある．甲状腺濾胞の壁である濾胞上皮細胞で甲状腺ホルモンのもとになる巨大な糖蛋白であるTgが合成される．Tgは濾胞の内腔にコロイドとして蓄積する．一方，食物などから体内に入った無機ヨードは濾胞上皮細胞に能動的に取込まれ，濾胞内腔に分泌される．濾胞内腔ではTPOの作用によって有機ヨードに変換され，Tgのチロシン残基に1個のヨードが結合してモノヨードチロシン（MIT）に，2個のヨードが結合してジヨードチロシン（DIT）になる．Tg上でMITとDITが縮

合すると T_3 が，DIT同士が縮合すると T_4 が合成される．この縮合反応も TPO の作用によるものであり，TSH によって促進される．T_3 と T_4 は Tg に結合した形で濾胞内腔に貯蔵される．濾胞上皮細胞に TSH が作用すると，Tg はコロイド小滴として濾胞上皮細胞内に再吸収され，リソゾームで加水分解されて，T_4 と T_3 と rT_3 が分泌される（T_4 が最も多く分泌される）．T_4 は T_3 の貯蔵型と考えられ，T_3 の生物活性の約10分の1であり，末梢組織の細胞内に取込まれた T_4 は脱ヨード酵素の作用を受けて T_3 に変換される．甲状腺で産生される FT_3 量は，全身に存在する T_3 量全体の約20％程度であり，大部分は末梢において T_4 から変換される．T_3 は<u>核内受容体</u>に結合してホルモン作用を発現する．甲状腺ホルモンの主な作用は，①基礎代謝の亢進による酸素消費量の増加，②糖，脂質，および蛋白代謝の亢進などである．

甲状腺ホルモンは，脂溶性ホルモンであり血清中の溶解度はきわめて低く，サイロキシン結合グロブリン（TBG）に約70％，アルブミンに15〜20％，トランスサイレチン（プレアルブミン）に10〜15％結合している蛋白結合型と，遊離型（FT_4，FT_3）が存在する．遊離型はごく微量であり（T_4 の0.03％，T_3 の0.3％），<u>遊離型のみが細胞内に移行して生物活性を発揮</u>する．

T_3，T_4 の総ホルモンは，甲状腺ホルモン結合蛋白の増減により，甲状腺機能に異常がなくても異常値を示すことから，TSH や FT_4，FT_3 などの体液レベルが，甲状腺機能診断に重要である．甲状腺疾患を疑った際のスクリーニング検査としては，TSH と FT_4 を用いるのが効率的である．最近は，FT_4 や FT_3 を直接測定できるようになったため T_4 や T_3 は使用されなくなりつつある．一方，TRAb，TSAb，TgAb，TPOAb などの自己抗体を産生する<u>自己免疫疾患</u>では，これらが甲状腺疾患の診断指標として重要視される．<u>甲状腺機能検査のために測定する</u>（☞p.206）．

基準値と代表的な測定法および材料

項目	基準値	測定法	材料
遊離サイロキシン（FT_4）	0.90〜1.70 ng/dL	ECLIA	血清
遊離トリヨードサイロニン（FT_3）	2.30〜4.30 pg/mL	ECLIA	血清

検体の取扱い

採血して得られた血清は，所定量を分取して測定まで冷蔵保存する．

異常値の出るメカニズム

FT_4 や FT_3 の高値は<u>バセドウ病</u>などの甲状腺機能亢進症で認められる．バセドウ病では，TRAb による持続的甲状腺刺激により FT_3/FT_4 値が高い．一方，無痛性甲状腺炎では炎症により，甲状腺濾胞細胞内に貯蔵されている甲状腺ホルモンが漏出し，バセドウ病と比較して FT_3/FT_4 値が低い．これは，甲状腺内に貯蔵された甲状腺ホルモンの比率を反映している．

FT_4 や FT_3 の低値は機能低下症でみられる．低下症が軽度の場合 FT_3 が基準値内にとどまることがあるため，TSH および FT_4 の測定値を含め総合的に判断する．

妊娠中は，一般に甲状腺機能が正常であっても TBG が増加し，T_3，T_4 も軽度増加して甲状腺機能亢進症と類似の所見になるが FT_4 および FT_3 は正常域にある．

出生直後，血中 FT_4 と FT_3 は低値であるが，その後急上昇して生後1〜2週間で著しい高値を

示す．その後次第に低下していくが，小児期を通して成人レベルより高い値が維持される．男女差はない．

異常値を示す疾患と病態・関連検査

[高値] バセドウ病（☞p.206），プランマー病などの甲状腺機能亢進症（☞p.206），無痛性甲状腺炎の急性期，亜急性甲状腺炎の急性期，TSH産生下垂体腫瘍，甲状腺ホルモン不応症

[低値] 橋本病（慢性甲状腺炎），バセドウ病・甲状腺がんに対する治療後（甲状腺亜全摘術後，放射性ヨード治療後，抗甲状腺薬の過剰投与），先天的甲状腺機能低下症（クレチン症），下垂体性（二次性）甲状腺機能低下症，視床下部性（三次性）甲状腺機能低下症（☞p.206）

[関連検査] 血中TSH，TRAb，TgAb（サイロイドテスト），TPOAb

c）副甲状腺ホルモンとカルシトニン

副甲状腺ホルモンとは

副甲状腺ホルモン（上皮小体ホルモン，パラトルモン：PTH）は，84個のアミノ酸から構成されるペプチドで，主に骨や腎臓に作用して，血中Ca濃度の恒常性の維持に関与する．血漿中のCa濃度が低下するとPTHの分泌が促され，①骨芽細胞膜上の受容体に結合して，骨芽細胞からreceptor activator of NF-κB（RANKL）が分泌され，RANKLが破骨細胞を活性化して骨吸収を促進*し，骨からCaを遊離させる．②腎臓の遠位尿細管に作用して，骨からCaとともに遊離したPの排泄を促進する．③腎臓でのCaの再吸収を促進する．④腎臓でのビタミンD_3（VD_3）の活性化を促して消化管からのCaの吸収を促進することにより，血中Ca濃度を上昇させる（表2B-5）．したがって，血中PTH値は，血中CaやP濃度に異常があり，副甲状腺疾患が疑われるときや，代謝性骨疾患，再発性尿路結石などの診断指標として有用である．

intact PTHは非分解系（全分子型）PTHを指し，蛋白分解酵素によりN末端，C末端，中間部の三つのフラグメントに分解される．しかし，その測定系に問題があるため，PTH1-84の測定によるwhole PTHの測定法が確立された．intact PTHとwhole PTHは，非分解型PTHと高い相関があるためPTH分泌状態が鋭敏に反映される．副甲状腺機能検査，Ca代謝状態把握のために測定する．

> **NOTE** *PTHは骨芽細胞と破骨細胞の数を増やし，骨吸収・骨形成ともに亢進させる．持続的な曝露は，骨吸収＞骨形成となり骨量は減少するが，間欠的なPTH製剤の投与では骨形成が促進される．内因性PTHの遺伝子組換えN末端フラグメントであるテリパラチドは，前駆細胞の骨芽細胞への分化を促進してアポトーシスを抑制することにより骨形成促進作用を有する．

表2B-5　CaおよびP代謝に対するホルモンとビタミンD₃の影響

	分泌	血中		骨	腎臓		小腸
		Ca濃度	P濃度	Ca, P放出	Ca再吸収	P再吸収	Ca吸収
カルシトニン	甲状腺濾胞細胞	↓	↓	↓	↓	↓	
PTH	副甲状腺	↑	↓	↑	↑	↓	↑（VD₃活性化の結果）
活性型VD₃	腎臓	↑	↑	↑	↑	↑	↑

基準値と代表的な測定法および材料

項目	基準値	測定法	材料
intact PTH	10 ～65 pg/mL	ECLIA	血清
whole PTH	8.3～38.7 pg/mL	CLEIA	血漿

検体の取扱い

intact PTHは不安定であるため，直ちに冷却下で血漿を分離するほうが不活性化を防ぐ．遠心分離後，速やかに凍結する．EDTAを用いた血漿での測定が可能である．

異常値の出るメカニズム

副甲状腺機能は，PTH，Ca，P，VD₃の相互関係で保たれている．外的要因に対して血清Ca濃度の恒常性を維持するため，PTH濃度はCa濃度を正常化する方向に働く．したがって，低Ca血症の場合にPTHは上昇し，高Ca血症の場合は低値になる．一方，PTHが高値を示す場合にCa濃度が高ければ，原発性副甲状腺機能亢進症が考えられるなど相対関係を十分配慮する．また，薬剤によってもPTH濃度は増減する．

悪性腫瘍に合併する高Ca血症の場合は，アミノ酸141個からなるPTH関連蛋白（PTHrP）を腫瘍が産生している場合がしばしば存在する．その場合にはPTHrPを測定するのがよい．

異常値を示す疾患と病態・関連検査

高値 原発性副甲状腺機能亢進症（腺腫，過形成など副甲状腺自体の異常），続発性副甲状腺機能亢進症（慢性腎不全等に伴う低Ca血症による二次性），骨粗鬆症（☞p.222）

低値 特発性副甲状腺機能低下症（副甲状腺自体の障害），続発性副甲状腺機能低下症（甲状腺摘出術後），悪性腫瘍による高Ca血症，ビタミンD中毒，甲状腺機能亢進症（☞p.206）

関連検査 カルシトニン，無機リン，Ca，1α,25-ジヒドロキシビタミンD（最も生物活性が強いビタミンD），骨型ALP（BAP：骨芽細胞の機能，骨形成状態の指標）

カルシトニンとは

カルシトニンは，32個のアミノ酸から構成されるペプチドホルモンで，甲状腺C細胞（傍濾胞細胞）から分泌される．Ca調節ホルモンとしてPTHに拮抗し，破骨細胞活性を抑制することにより骨吸収を抑制し，血中Ca濃度を下げる（表2B-5）．Ca代謝異常症では，PTHとともにカルシトニンによる原因検索が行われる．

C細胞由来の甲状腺髄様がん，C細胞過形成で高値を示し，また肺がんなどの悪性腫瘍でも高値となることから腫瘍マーカーとしても利用される．甲状腺髄様がんの診断，副甲状腺機能検査，Ca代謝状態把握のために測定する．

基準値と代表的な測定法および材料

項目	基準値	測定法	材料
カルシトニン	男性：9.52 pg/mL 以下 女性：6.40 pg/mL 以下	ECLIA	血清

検体の取扱い

採血して得られた血清は，所定量を分取して測定まで凍結保存する．食事により刺激を受けるため，早朝空腹時に採血するのが望ましい．

異常値の出るメカニズム

加齢により低下する傾向があり，骨塩量にも作用することから高齢者の骨粗鬆症における重要性が示唆されている．性差においては有意ではないが，男性のほうが高値を示す傾向がある．また，慢性腎不全では排泄不良などの原因で著しい高値を示すことが多い．

甲状腺髄様がんで多量に分泌され，肺小細胞がんやカルチノイド症候群などの異所性カルシトニン産生腫瘍でも腫瘍からの産生がみられる．また，甲状腺髄様がんが疑われる患者で予想外の低値であった場合は，カルシウム負荷試験やガストリン負荷試験を行う．甲状腺髄様がん患者では正常者に比べ反応が過大である．

異常値を示す疾患と病態・関連検査

[高値] 甲状腺髄様がん，慢性腎不全（☞p.188），悪性腫瘍，骨疾患，高Ca血症を伴う疾患
[低値] 低Ca血症
[関連検査] PTH，無機リン，Ca

d）成長ホルモン

成長ホルモンとは

成長ホルモン（GH）は，下垂体前葉から分泌されるアミノ酸191個からなる蛋白である．GHの分泌は，視床下部から分泌される成長ホルモン放出ホルモン（GHRH）および成長ホルモン分泌抑制因子（SRIF，別名：ソマトスタチン）によって調節されている．骨の伸長作用は，GHが肝臓，腎臓などに存在するGH受容体に作用して生成したインスリン様成長因子（IGF-1：別名ソマトメジンC）が骨端軟骨細胞の増殖を促進する間接的な作用によるものである．GHはこの蛋白同化作用の他にも，肝臓でのグリコーゲン分解促進作用や筋肉における脂肪分解促進作用により血中遊離脂肪酸値の上昇などIGF-1を介さない直接作用も示す．視床下部-下垂体機能評価

に有用である．

　IGF-1は，成長促進，細胞増殖，インスリン様作用など多様な働きをし，主に肝臓で産生される．ほぼ完全にGH依存性であり，GHの分泌状況により大きな影響を受け，GH分泌過剰症，分泌不全症においてほとんどパラレルに変動する．IGF-1は日内変動が少なくGHに比べ血中半減期が3～4時間長いため（GHは10分），<u>GH分泌の指標として有用である．</u>

基準値と代表的な測定法および材料

項目	基準値	測定法	材料
成長ホルモン	男性：2.47 ng/mL以下 女性：0.13～9.88 ng/mL	ECLIA	血清

検体の取扱い

　GHには日内変動があり，夜間の深睡眠時に分泌が亢進する．採血して得られた血清は，所定量を分取して測定まで凍結保存する．GH分泌は，運動，食事，睡眠などによる生理的変動や外傷，心理的ストレスにより影響を受け，血中濃度が大きく変動する．そのため，採血前夜は十分な睡眠をとらせ，早朝空腹時に30分以上安静を保たせて採血を行う．

異常値の出るメカニズム

　GHが高値となるのは，GH過剰分泌が管状骨の骨端線閉鎖以前に始まる下垂体性巨人症と骨端線閉鎖以降に始まり四肢，顔面などの末梢部分が肥大する<u>先端巨大症</u>がある．原因としては，下垂体腺腫がGHを過剰に産生・分泌する場合が大部分である．GH分泌亢進を疑う場合，IGF-1が高値であればグルコース負荷試験を行い，GHが抑制されなければGH分泌過剰症と診断する．

　GHが低値を示す下垂体性小人症では，下垂体前葉からのGH分泌不足により成長障害を起こし，低身長をきたす．視床下部下垂体近傍の腫瘍（頭蓋咽頭腫，胚芽腫，下垂体腺腫）や頭部外傷が原因であるもの（続発性）と原因の不明なもの（特発性）とに分類される．ラロン型小人症は，GHの分泌はむしろ増加しているが，IGF-1が産生されないため，下垂体性小人症と類似の病像を呈する．GH受容体遺伝子の変異（欠失）により起こる．

　新生児期，血中GHは高値で，3ヵ月以降は年齢とともに低下していく．思春期には再び増加し，以降年齢とともに徐々に低下していく．

異常値を示す疾患と病態・関連検査

高値 先端巨大症，神経性食思不振症，副腎褐色細胞腫，肝硬変（☞p.178），腎不全（☞p.188），異所性GH産生腫瘍，異所性GHRH産生腫瘍

低値 下垂体性小人症，汎下垂体機能低下症，甲状腺機能低下症（☞p.206），肥満症，クッシング症候群（☞p.209）

関連検査 IGF-1，分泌刺激試験（インスリン負荷試験，アルギニン負荷試験，プロプラノロール-グルカゴン負荷試験，グルコース負荷試験（2～5時間後），GHRH負荷試験）．分泌抑制試験：グルコース負荷試験（1～2時間後）

e) 抗利尿ホルモン

バソプレシンとは

抗利尿ホルモン(ADH)であるアルギニンバソプレシン(AVP)は，視床下部の室傍核や視索上核の大細胞ニューロンで生合成され，神経軸索内を通って下垂体後葉に蓄えられ，神経分泌される．ADHはアミノ酸9個からなる環状ペプチドであり，腎集合管のV_2受容体に作用してアクアポリン(AQP2)を発現させ，水分の再吸収を促進させる(尿量減少)．その結果，水分が体内に保持され血漿浸透圧は，一定の範囲(約280〜300 mOsm/kg)に維持される．生理的には，血漿浸透圧が上昇すると，視床下部に存在する浸透圧受容体が感知し，ADHの分泌が促進される．すなわち，脱水はADHの分泌を促進して水貯留を促し，逆に水過剰状態はADH分泌を抑制して水利尿を促す．他に，血管平滑筋のV_{1a}受容体に働き血管を収縮する作用，下垂体前葉細胞のV_{1b}細胞に結合してACTHの分泌を促す作用がある．水代謝およびNa代謝異常時に，AVPの分泌異常の関与を明らかにするために測定する．

基準値と代表的な測定法および材料

項目	基準値	測定法	材料
バソプレシン	水制限：4.0 pg/mL以下 自由飲水：2.8 pg/mL以下	RIA2抗体法	血漿

検体の取扱い

血中ADH濃度は，軽度ではあるが夜間に高く，昼間低い日内変動をする．加齢による上昇傾向も認められる．EDTA・2Na加採血後，速やかに低温で遠心分離して得られた血漿は，凍結保存して安定を図ることが大切である．

異常値の出るメカニズム

尿崩症*は，ADHの合成・分泌障害(中枢性尿崩症)や腎臓でのADH反応性不良に基づく(腎性尿崩症)疾患である(表2B-6, ☞p.212)．腫瘍，外傷などで視床下部・下垂体を傷害する原因があれば，ADH分泌が低下し続発性中枢性尿崩症が起こる(血中ADH低下)．ADH分泌正常で，集合管のADH反応性が低下・消失する場合は，腎性尿崩症である(血中ADH正常または上昇)．

表2B-6　尿崩症の原因と負荷試験

		原因	高食塩水負荷試験	水制限試験	バソプレシン負荷試験
中枢性 (半数は続発性)	特発性	病因特定不可	AVP増加反応が欠如する	尿量減少や尿浸透圧の増加を認めない	尿量減少，尿浸透圧>血漿浸透圧
	家族性	AVP遺伝子変異			
	続発性	脳腫瘍，手術など			
腎性 (半数は続発性)	遺伝性	V_2受容体遺伝子変異など	AVP増加反応は正常〜過剰である		尿量減少や尿浸透圧の上昇は認めない
	続発性	高Ca血症，低K血症，リチウム剤			

ADHは，抗利尿ホルモン不適合分泌症候群（SIADH）で高値を示す．SIADH は，ADHの不適切な持続的分泌により体内に水分が貯留し，血液が希釈されて低Na血症などを呈する．SIADHをきたす疾患は，肺や膵臓などに原発する未分化がんなどの異所性ADH産生腫瘍と，中枢神経疾患による下垂体後葉由来のADH分泌に分類される．SIADHは，血清Na濃度が低値であるにもかかわらず，ADHが分泌され希釈尿の生成が困難になり低Na血症が続く状態である．

> **NOTE** *尿崩症
> 多尿，口渇，多飲を主症状とする．血中ADHが低値を示す中枢性尿崩症のうち，約40％はADH分泌細胞が減少し，ADH分泌が低下する特発性尿崩症に分類されるが，原因は不明である．腎性尿崩症は，ADH高値を示す．腎性遺伝性尿崩症ではV_2受容体の変異により，セカンドメッセンジャーであるcAMPが生成されないことによるもの（Ⅰ型）と，V_2受容体はADHに反応し，cAMPは増加するが，AQP2蛋白の変異のため，集合管の水透過性亢進が起きないもの（Ⅱ型）とがある．

異常値を示す疾患と病態・関連検査

高値 異所性ADH産生腫瘍を含むSIADH，腎性尿崩症（☞p.212），肝硬変（☞p.178），ネフローゼ症候群（☞p.192），アジソン病，慢性腎不全（☞p.188），うっ血性心不全（☞p.156），脱水，ストレス

低値 中枢性尿崩症，心因性多飲症

関連検査 水制限試験（中枢性尿崩症と心因性多飲症の鑑別），高張食塩水負荷試験，バソプレシン負荷試験，Na，血漿浸透圧，レニン，アルドステロン

f）ゴナドトロピン放出ホルモンとゴナドトロピン

性腺の機能は，視床下部-下垂体-性腺系によって調節されている．視床下部からはアミノ酸10個からなるゴナドトロピン放出ホルモン（GnRH，黄体形成ホルモン放出ホルモン：LHRH）*が分泌され，下垂体に作用し，性腺刺激ホルモン（ゴナドトロピン）である卵胞刺激ホルモン（FSH）と黄体形成ホルモン（LH）の分泌を増加させる．ゴナドトロピンは，性腺（卵巣・精巣）に作用して，女性では卵胞の発育，排卵，黄体形成，女性ホルモン（エストロゲン，プロゲステロン）の産生を刺激する．男性では，精巣の発育，精子形成，男性ホルモン（テストステロン）の産生を促進する．生殖腺から分泌されるホルモンは，視床下部のGnRHおよび下垂体のFSHならびにLHの分泌をフィードバック機構により調節している（図2B-20）．

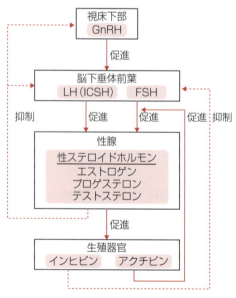

図2B-20 視床下部-脳下垂体-性腺系のフィードバック調節

> NOTE: *リュープロレリン酢酸塩やゴセレリン酢酸塩は，GnRHアゴニストのデポ剤（4週間）で，閉経前乳がんや前立腺がんホルモン療法の標準薬である．GnRHアゴニストは一過性にゴナドトロピンを増加させるが，継続して使用すると下垂体GnRH受容体のダウンレギュレートを介してゴナドトロピンの分泌を抑制する．一方，合成GnRHであるゴナドレリン酢酸塩は下垂体からのLHとFSHの分泌促進により下垂体LH分泌機能検査に用いる．

卵胞刺激ホルモンとは

卵胞刺激ホルモン（FSH）は，下垂体前葉から分泌される分子量約33,000の糖蛋白であり，LHとともにゴナドトロピンの一つである．女性では卵巣に作用し，卵胞の成熟を促すとともに卵胞ホルモン（エストロゲン）の分泌を促進する．男性では，精細管の成熟を促すとともに，セルトリ細胞を刺激して精子形成を促進する．これらの作用はLHとの相補的な作用による．FSH分泌は，視床下部のGnRHと性腺からの性ステロイドホルモン（エストロゲン）によるフィードバック機構によって調節されている（図2B-20）．その他にも，FSHの分泌は，卵胞から分泌されるインヒビン（FSHの分泌を抑制する）とアクチビン（FSHの分泌を促進する）によっても制御されている．下垂体機能の把握のために測定する．LHおよびFSHの測定により性腺機能の低下が下垂体性（続発性）か原発性かの鑑別ができる．

基準値と代表的な測定法および材料

項目	性別		基準値		材料
			CLIA	ECLIA	
卵胞刺激ホルモン	女性（非妊婦）	卵胞期	3.01～14.72 mIU/mL	3 ～ 10 mIU/mL	血清
		排卵期	3.21～16.60 mIU/mL	5 ～ 24 mIU/mL	
		黄体期	1.47～ 8.49 mIU/mL	1.3～ 6.2 mIU/mL	
		閉経後	157.79 mIU/mL 以下	26 ～120 mIU/mL	
	男性		2.00～ 8.30 mIU/mL	1.8～ 12 mIU/mL	

検体の取扱い

採血して得られた血清は，所定量を分取して測定まで凍結保存する．LHと同様にFSH分泌は，月経周期，妊娠，閉経や加齢，性別，ホルモン剤投与でその血中濃度は大きく変動する．したがって，検査する時期の考慮が必要である．

異常値の出るメカニズム

性染色体異常症のターナー症候群やクラインフェルター症候群で血中LHが高値を示すのは，これらの疾患では生殖器の発育がわるく性ホルモンの産生が減少するため，フィードバック調節により下垂体からのゴナドトロピン分泌が増加することによる．低値を示す汎下垂体機能低下症やシーハン症候群では，下垂体腺腫や下垂体壊死によって内分泌機能が失われることによる．

FSHとLHは，下垂体性性腺刺激ホルモンとして性腺に対して，共同および互助作用があるため，一方のみの動態では論じられない．また，男性では精巣の間質細胞を刺激して男性ホルモンの分泌促進，女性では排卵およびその後の黄体形成を促進する．このため排卵期，黄体期，卵

胞期のいずれの時期に測定するかによって値に変動がある．LHおよびFSHの測定により性腺機能の低下が下垂体性（続発性）か原発性かの鑑別ができる．

異常値を示す疾患と病態・関連検査

高値 ターナー症候群，クラインフェルター症候群，精巣性女性化症候群，早発閉経，更年期・閉経後

低値 汎下垂体機能低下症，シーハン症候群，神経性食思不振症，下垂体ゴナドトロピン単独欠損症，副腎性器症候群，シモンズ症候群

関連検査 血中LH，GnRH（ゴナドレリン）負荷試験，クロミフェン（抗エストロゲン薬：GnRH分泌促進）負荷試験（以上，分泌刺激試験），性ステロイド負荷試験（分泌抑制試験）

黄体形成ホルモンとは

黄体形成ホルモン（LH）は，下垂体前葉から分泌される分子量約29,000の糖蛋白であり，FSHとともにゴナドトロピンの一つである．LHは，FSHと協力し，女性では成熟した卵胞に作用し，エストロゲンの分泌と排卵を促す．その後，黄体の形成と黄体ホルモン（プロゲステロン）の分泌を促進する．男性では，間質細胞刺激ホルモン（ICSH）の別名で呼ばれ，精巣の間質細胞（ライディッヒ細胞）に作用してテストステロンを分泌させる．LH分泌は，GnRHと性腺からの性ステロイドホルモン（プロゲステロン，テストステロン）によるフィードバック機構によって調節されている（図2B-20）．

性腺機能の異常は，内分泌異常に起因する確率が高く，視床下部-下垂体-卵巣（精巣）の状態把握が必要であるため，LHの測定は重要である．下垂体・性腺機能の把握のために測定する．

基準値と代表的な測定法および材料

項目	性別		基準値		材料
			CLIA	ECLIA	
黄体形成ホルモン	女性（非妊婦）	卵胞期	1.76～10.24 mIU/mL	1.4～ 8.4 mIU/mL	血清
		排卵期	2.19～88.33 mIU/mL	8 ～100 mIU/mL	
		黄体期	1.13～14.22 mIU/mL	0.5～ 15 mIU/mL	
		閉経後	5.72～64.31 mIU/mL	11 ～ 50 mIU/mL	
	男性		0.79～ 5.72 mIU/mL	2.2～ 8.4 mIU/mL	

検体の取扱い

採血して得られた血清は，所定量を分取して測定まで凍結保存する．FSHと同様にLH分泌は，月経周期，妊娠，閉経や加齢，性別でその血中濃度は大きく変動する．したがって，検査する時期の考慮が必要である．

異常値の出るメカニズム

LH基礎分泌量は思春期前では低値であり，思春期後は徐々に増加し20歳代前半でピークを

迎える．女性では性周期により値が大きく変化する他，閉経後は卵巣などの標的臓器の機能低下に伴い，40歳半ばより急速に上昇する．

LH濃度だけでは確定診断はできない．FSH濃度，合成GnRH負荷試験でのLHの変動と生理的要因を併せて考慮する．基準値の1/2以下の低値，または，基準値の2〜3倍の高値を異常値と判定することが通例になっている．

異常値を示す疾患と病態・関連検査

[高値] ターナー症候群，クラインフェルター症候群，精巣性女性化症候群，卵巣性無月経
[低値] 汎下垂体機能低下症，シーハン症候群，下垂体腫瘍
[関連検査] 血中FSH．GnRH負荷試験，クロミフェン負荷試験（以上，分泌刺激試験），性ステロイド負荷試験（分泌抑制試験）

g）ヒト絨毛性ゴナドトロピン

ヒト絨毛性ゴナドトロピンとは

ヒト絨毛性ゴナドトロピン（HCG）は，胎盤絨毛上皮細胞から分泌され，妊娠の診断や絨毛性疾患の管理などに用いられる．胎盤由来のHCGは脳下垂体由来のLHやFSHとともにゴナドトロピンに含まれる．これらはいずれもペプチドホルモンで，αとβの二つのサブユニットからなる．αサブユニットは他の下垂体前葉ホルモンのものと共通であり，βサブユニットが各ホルモンで異なっている．

妊婦の胎盤，血液，尿に多量に含まれ，特に，妊娠2〜3ヵ月の妊婦尿中に最も多く検出される．HCGは，LH様作用が主で，卵胞成熟作用はなく黄体形成作用を示す．妊娠の早期確認，流産，子宮外妊娠および絨毛性疾患の診断，治療効果および寛解の判定などの指標および，異所性HCG産生腫瘍のマーカーなどに有用である．尿中HCGの測定は，妊娠反応として臨床上広く利用されている．尿中のHCGをイムノクロマト法で検出する妊娠検査薬が市販されている．妊娠関連検査，悪性腫瘍診断補助のために測定する．

基準値と代表的な測定法および材料

項目	基準値	測定法	材料
ヒト絨毛性ゴナドトロピン	2.7 mIU/mL以下	CLEIA	血清

検体の取扱い

採血して得られた血清は，所定量を分取して測定まで凍結保存する．

異常値の出るメカニズム

HCGの測定は，妊娠早期診断，異常妊娠の把握のために行われる．HCGは，妊娠時の胎盤機能を反映するため，同時期の正常妊娠での値に比べて低値である場合には流産・早産，胎児死

亡，子宮外妊娠などの危険がある．胞状奇胎，絨毛がんで高値になるのは異所性HCG産生腫瘍による自律性のHCG産生が増加するためであり，HCGは卵巣がん，胃がん，肺がんなどの腫瘍マーカーとしても利用される．

■ 異常値を示す疾患と病態・関連検査

[高値] 多胎妊娠，絨毛がん，胞状奇胎，異所性HCG産生腫瘍
[低値] 流産・早産，胎児死亡，健康男性や健康非妊娠女性では検出されない．
[関連検査] HCGβサブユニット（HCG特異性が示される），ヒト胎盤性ラクトゲン

h）女性ホルモン

卵巣機能には，卵胞の成熟と発育，排卵，黄体形成と退縮，ならびに女性ホルモンであるエストロゲン（卵胞ホルモン）とプロゲステロン（黄体ホルモン）*の分泌がある．卵巣ホルモンであるエストロゲンとプロゲステロンの合成・分泌は，視床下部（GnRH）-下垂体（FSHおよびLH）-卵巣系で調節されている．また，妊娠成立初期からHCGが分泌され，黄体を刺激してプロゲステロンを分泌する．

> NOTE *主要な黄体ホルモン（ゲスタゲン）は，プロゲステロンとプレグナンジオールである．プロゲステロンは肝臓で速やかに酸化され，プレグナンジオールとなり，グルクロン酸抱合を受けて尿中に排泄される．

エストロゲンとは

エストロゲンは，エストロン（E_1），エストラジオール（E_2），およびエストリオール（E_3）を主とする卵胞ホルモン作用をもったステロイドホルモンの総称である．卵胞期にFSH刺激によるアロマターゼ活性化により合成され，FSHやLHの作用により成熟卵胞から分泌される．また，黄体や少量であるが副腎皮質・精巣などからも産生される．思春期以降に分泌が増加し，更年期以降は減少する．排卵直前に分泌ピークを示し，視床下部-下垂体に対する正のフィードバックによって下垂体からLHを急激に放出（LHサージ）させて排卵を引き起こす（図2B-21）．排卵後の黄体期に，卵胞は，主としてLHの作用により黄体が形成され，エストロゲンと主要な黄体ホルモンであるプロゲステロン（P）が分泌されて黄体形成中期に二つのホルモンの分泌が高まり，黄体の退縮に伴って低下し月経となる．E_2の活性が最も強く，子宮内膜の増殖，乳

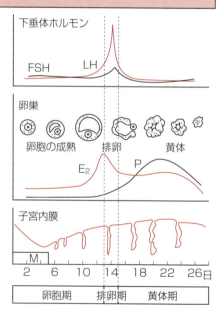

図2B-21　正常な月経周期におけるホルモン周期

腺の発達，オキシトシンの子宮筋に対する感受性の増大，FSHの分泌抑制，骨吸収抑制作用を有する．細胞質受容体に結合後，2量体を形成し核内に移行し作用を示す．エストロゲンの長期大量投与は一般に視床下部-下垂体系を抑制し，FSHおよびLHの分泌を抑制する．逆に短期であると，特にLHの分泌は一過性に高まる．すなわち，エストロゲンはLH分泌の引き金になると考えられる．性腺機能や妊娠関連検査のために測定する．

基準値と代表的な測定法および材料

項目	性別		基準値	測定法	材料
エストラジオール(E_2)	女性（非妊婦）	卵胞期	28.8～196.8 pg/mL	ECLIA	血清
		排卵期	36.4～525.9 pg/mL		
		黄体期	44.1～491.9 pg/mL		
		閉経後	47.0 pg/mL 以下		
	男性		14.6～48.8 pg/mL		

検体の取扱い

24時間蓄尿後得られた尿は，所定量を分取して測定まで凍結保存する．採血して得られた血清も同様に凍結保存する．血中測定値は採血時点での濃度を表すのに対して，尿中測定値は蓄尿を通常の検体とするため，1日の総分泌量を反映する．

異常値の出るメカニズム

エストロゲンの分泌は，視床下部-下垂体系によるフィードバック機構を介して調節され，女性では性周期と妊娠に伴って著明な変動を示す．女性の血中濃度は，$E_2>E_1>E_3$ の順で高い．男性では E_1 が最も高い．E_3 は妊娠に伴って高値になり，特に尿中での変動が著しい．

エストロゲン高値を示すエストロゲン産生腫瘍では，腫瘍によって自律的にホルモン産生が増加する．副腎皮質過形成では，アルドステロンやコルチゾールの産生低下よってACTHの過剰分泌が起こり，性ステロイドホルモンの産生が高まる結果エストロゲンも増加する．エストロゲン代謝は肝臓で行われるため，肝疾患はエストロゲン高値の原因になる．

エストロゲン低値を示す卵巣機能低下症では，精神的ストレスなどが原因で下垂体からのゴナドトロピン分泌が不足しエストロゲン産生が低下する場合や卵巣自体の機能障害によるエストロゲン産生低下がみられる．

異常値を示す疾患と病態・関連検査

総エストロゲン

[高値] エストロゲン産生腫瘍，副腎皮質過形成，肝疾患
[低値] 卵巣機能低下症（無月経），切迫流産，胎児発育不良，子宮内胎児死亡，胞状奇胎
[関連検査] GnRH負荷試験，プロゲステロン負荷試験，HCG負荷試験，血中LH，FSH，PRL

プロゲステロンとは

プロゲステロンは，卵巣の<u>黄体</u>や胎盤，副腎皮質から分泌されるステロイドホルモンである．卵胞期には低値であるが，排卵直前にみられる上昇がLHサージや排卵に重要である．黄体期には，黄体機能の最盛期に分泌されるプロゲステロンがLH分泌を抑制し間接的に黄体の退縮を準備することになる（☞図2B-22）．プロゲステロンは，視床下部にある体温調節中枢を刺激して基礎体温を上昇させる（排卵後）．また，エストロゲンによる子宮内膜の増殖肥厚を停止させ分泌期に移行させ，受精卵の着床を容易にし，妊娠の準備，維持に寄与する．プロゲステロンは，子宮筋のオキシトシンに対する感受性を低下させ，子宮筋の安定化により胎児の流産を防ぎ，エストロゲンとの共同作用により乳腺の発育を促進する．<u>性腺機能や卵巣機能検査のために測定する</u>．

基準値と代表的な測定法および材料

項目	性別		基準値	測定法	材料
プロゲステロン	男性		0.22 ng/mL 以下	ECLIA	血清
	非妊婦	卵胞期	0.28 ng/mL 以下		
		排卵期	5.69 ng/mL 以下		
		黄体期	2.05〜24.2 ng/mL		
		閉経後	0.33 ng/mL 以下		
	妊婦	妊娠初期	13.0〜51.8 ng/mL		
		妊娠中期	24.3〜82.0 ng/mL		
		妊娠後期	63.5〜174 ng/mL		

検体の取扱い

採血して得られた血清は，所定量を分取して測定まで凍結保存する．

異常値の出るメカニズム

プロゲステロンは，女性では性周期と関連して卵胞期に低値となり，黄体期には高値となる変動を示し，妊娠の経過（胎盤の発育）とともに著増する．男性での産生は，主として副腎皮質に由来する．女性では黄体機能を知るための検査として有用であるが，小児，男性，閉経後の女性でもプロゲステロンは副腎皮質ホルモンの前駆体であるので副腎機能も反映する．

高値を示す先天性副腎過形成では，21-ヒドロキシラーゼや11β-ヒドロキシラーゼの欠損により17α-ヒドロキシプロゲステロンが血中に増加する．クッシング症候群では，ACTHの過剰分泌や副腎皮質がんが原因で，副腎皮質ホルモン合成の亢進に伴いプロゲステロンも高値を示す．

アジソン病では副腎皮質の機能自体が低下しており，汎下垂体機能低下症ではACTHの分泌不足で副腎皮質でのプロゲステロン産生が減少し血中プロゲステロンは低値を示す．更年期や閉経後は分泌が低下していく．

異常値を示す疾患と病態・関連検査

高値 多胎妊娠，胞状奇胎，先天性副腎過形成，副腎男性化腫瘍，クッシング症候群（☞p.209）
低値 汎下垂体機能低下症，アジソン病，無月経，黄体機能不全
関連検査 GnRH負荷試験，HCG負荷試験，血中LH，FSH，PRL

i）乳腺刺激ホルモン（プロラクチン）

プロラクチンとは

プロラクチン（PRL）は199個のアミノ酸からなる分子量22,700の単純蛋白であり，下垂体前葉から分泌される．黄体刺激ホルモン，乳腺刺激ホルモン，催乳ホルモンともいわれる．PRLは，黄体に作用して黄体ホルモンの分泌を維持し，LHやFSHと協力して乳腺に働き，妊娠中は乳腺の発達に関与するとともに，産褥期には乳汁の産生・分泌を促進する．PRLの分泌は，視床下部で産生されるPRL放出ホルモン（PRH）およびPRL放出抑制ホルモン（PRIH）によって調節される．PRIHの本体はドパミンである．ドパミンは，漏斗-下垂体系のD_2受容体を刺激してPRL分泌を抑制する．一方，PRHの一つであるTRH投与によりPRLが増加する．下垂体機能の把握のために測定する．

基準値と代表的な測定法および材料

項目	性別		基準値		材料
			CLEIA	ECLIA	
プロラクチン	女性	卵胞期	4.6～31.1 ng/mL	4.91～29.32 ng/mL	血清
		黄体期	2.9～34.4 ng/mL	4.91～29.32 ng/mL	
		閉経期	3.0～40.8 ng/mL	3.12～15.39 ng/mL	
	男性		2.6～23.3 ng/mL	4.29～13.69 ng/mL	

検体の取扱い

採血して得られた血清は，所定量を分取して測定まで凍結保存する．血中PRLの生理的変動として，夜間睡眠時に高い日内変動を示す．PRL分泌は新生児期に高く，その後低下し，思春期から再び上昇する．成人ではやや女性が高いが，小児期では明らかな男女差はない．妊娠，産褥期などの他，授乳，運動，性交，ストレスなどで変動する．個人差も大きく，基準値のみによる診断が難しいことから各種負荷試験が応用される．

異常値の出るメカニズム

臨床的にPRL値が問題となるのは，高PRL血症で，男女比1：8と女性に多い．原因としてはPRL産生腫瘍であるプロラクチノーマが最も多い．
女性では乳汁漏出をきたし，通常，無月経を招来する（乳汁漏出・無月経症候群）．男性では，乳汁漏出，性欲低下，インポテンツなどをきたす場合がある．高PRL血症には分娩後にみられるもの，抗ドパミン薬の服用を原因とするものもある．低値を示す汎下垂体機能低下症やシーハ

ン症候群では，下垂体腺腫や下垂体壊死によって内分泌機能が失われることによる．

異常値を示す疾患と病態・関連検査

[高値] 下垂体腫瘍（下垂体腺腫の約30％はPRL産生腫瘍），月経異常，不妊，性機能低下（男性），原発性甲状腺機能低下症（☞p.206），先端巨大症，薬物性高PRL血症

[低値] 汎下垂体機能低下症，シーハン症候群

[関連検査] TRH負荷試験，スルピライド（抗ドパミン薬）負荷試験（以上，分泌刺激試験）．L-ドーパ負荷試験，ブロモクリプチン負荷試験（以上，分泌抑制試験）で高PRL血症の原因が視床下部か，PRL産生下垂体腺腫か判別する．

j）インスリン・C-ペプチド

インスリン・C-ペプチドとは

C-ペプチド（インスリン作用なし）は，インスリンの前駆体であるプロインスリンからインスリンとともに産生される物質である（図2B-22）．両者とも同時に等モル血中へ放出されるため，血中C-ペプチド濃度はインスリン合成量を反映する指標である．内因性インスリンの測定が，インスリン注射（外因性）や抗インスリン抗体（自己免疫疾患時）の存在などのために，困難な場合には効力を発揮する．また，インスリンよりも尿中排泄量が多いため，尿中排泄量から膵ランゲルハンス島β（B）細胞の機能を推定できる．糖尿病検査のために測定する．

基準値と代表的な測定法および材料

項目	基準値	測定法	材料
C-ペプチド	0.8〜 2.5 ng/mL	ECLIA	血清
	22.8〜155.2 μg/日	ECLIA	尿

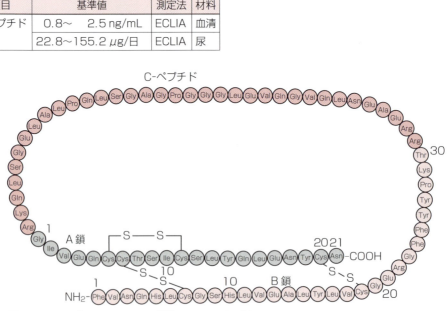

図2B-22 プロインスリンの構造とC-ペプチド

検体の取扱い

採血して得られた血清は，所定量を分取して測定まで凍結保存する．24時間蓄尿後得られた尿は，所定量を分取して測定まで凍結保存する．

異常値の出るメカニズム

インスリノーマで高値になるのは，膵島腫瘍が過剰産生するインスリンによる．インスリン自己免疫症候群では，低血糖症をきたす抗インスリン抗体が大量に存在し，大量の自己インスリンが結合しているため，血中高値を示す．腎不全時には，血中C-ペプチドが上昇し，尿中C-ペプチドは低下する．空腹時血中C-ペプチド0.5 ng/mL以下または24時間尿中C-ペプチド排出量20 μg/日以下はインスリン分泌能の著明な低下を示し，インスリン依存性があるということが考えられる．

異常値を示す疾患と病態・関連検査

高値 インスリノーマ，インスリン自己免疫症候群，肥満，先端巨大症，クッシング症候群（☞p.209）および副腎皮質ステロイド使用者，腎不全（☞p.188）

低値 1型糖尿病（☞p.214），下垂体機能低下症，飢餓，膵疾患（☞p.184，186）

関連検査 インスリン，抗インスリン抗体，プロインスリン，グルコース負荷試験，グルカゴン負荷試験

k）ナトリウム利尿ペプチド

心房性ナトリウム利尿ペプチド，脳性ナトリウム利尿ペプチドとは

ナトリウム利尿ペプチドは，異なる遺伝子に由来するファミリーからなり，心房性ナトリウム利尿ペプチド（ANP），脳性ナトリウム利尿ペプチド（BNP），およびC型ナトリウム利尿ペプチド（CNP）に分類される．これらのホルモン受容体はグアニル酸シクラーゼを効果器とし，生じたサイクリックGMP（cGMP）をセカンドメッセンジャーとする．腎臓に働き腎糸球体濾過率を上昇させ，尿細管でのNa再吸収を抑制することで利尿作用を有し，末梢血管を拡張させることにより降圧作用を有する．また，RAA系抑制，交感神経系抑制作用により体液量，血圧の調節に重要な役割を果たす．

ANPは心房から分泌され，心機能，腎機能障害の診断および重症度の判定，血液透析における体液量の管理に重要である．BNPはブタ脳由来のナトリウム利尿因子として単離されたが，心室から分泌される．前駆体BNP（proBNP）から蛋白分解酵素の作用により，BNPと生理活性をもたないNT-proBNPが産生される．BNPは，心不全の重症度，心機能分類，左室拡張末期圧などの血行動態諸指標と良好な相関を示す心機能や循環血漿量の指標のために測定する．NT-proBNPの血中濃度はBNP同様に心不全の病態を反映し，BNPに比べ採血後も安定な物質であるため，自施設でBNPを測定できない施設では心不全マーカーとして有用である．

基準値と代表的な測定法および材料

項目	基準値	測定法	材料
ANP	43.0 pg/mL 以下	CLEIA	血漿
BNP	18.4 pg/mL 以下	CLEIA	血漿
NT-proBNP*	55 pg/mL 以下	ECLIA	血清

> **NOTE** *NT-proBNP（ヒト脳性ナトリウム利尿ペプチド前駆体N端フラグメント）は，臨床的にはBNPとほぼ同義とされるが，不活型で腎臓代謝のため腎機能の影響を受ける可能性がある．

検体の取扱い

アプロチニン（トリプシン阻害剤）およびEDTA加採血して得られた血漿は，所定量を分取して測定まで凍結保存する．

異常値の出るメカニズム

ANPおよびBNPは，心疾患の重症度すなわち組織の崩壊度に基づき血中濃度に反映する．しかし，その変化はBNPのほうが著明であり，ANP以上に鋭敏な心機能マーカーといえる．BNPとNT-ProBNPの測定は心機能評価の血液学的検査として重要であり，BNPとNT-proBNPの上昇が認められれば心不全が強く疑われる（☞p.156）．腎不全においてもBNP（NT-proBNP）は高値を示す．透析（除水）前後の変化がわずかである点でANPとは異なる．

異常値を示す疾患と病態・関連検査

高値 心不全（☞p.156），急性心筋梗塞（☞p.160），慢性腎不全（☞p.188），本態性高血圧（☞p.158），原発性アルドステロン症

関連検査 Na，K，血漿レニン，血中アルドステロン

以下の記述の正誤を答えよ．
1. クッシング症候群は副腎皮質刺激ホルモン（ACTH）の過剰分泌を呈する病態の総称である．
2. クッシング症候群では血清Na濃度が高値を示す．
3. 甲状腺刺激型抗体（TSAb）は，橋本病において認められる．
4. 腎性尿崩症ではバソプレシン負荷試験により尿量の減少が起こる．
5. 原発性アルドステロン症の臨床所見として，低K血症がみられる．
6. プロラクチンの分泌はドパミンにより増加する．

C-1 免疫血清検査

CRPとは

CRP（C反応性蛋白）は，肺炎球菌のC多糖体と沈降反応を起こすことにより発見された血清蛋白で，急性相反応物質と呼ばれる炎症性疾患で上昇する一群の蛋白の一種である．分子量は約105 kDaでIgMのように5つのサブユニットが環状に結合した構造をとる．血液その他の体液中に広く分布し，血流を通じて炎症の場に達し，壊死に陥った細胞膜のリン脂質と結合して，補体の活性化，リンパ球機能の活性化，貪食細胞機能促進など生物学的変化を起こし，これらを通じて炎症により生じた体内の病的産物を除去する作用をもつ．

CRPは，急性炎症あるいは組織崩壊性病変で増加する代表的な炎症マーカーであり，炎症性病巣の存在や病変の程度を鋭敏に反映する．このため感染症，膠原病など炎症性疾患の活動性や重症度，経過観察および予後判定の指標として用いられる．

基準値と代表的な測定法および材料

項目	基準値	測定法	材料
CRP	0.00～0.14 mg/dL	LA	血清
CRP定量	0.3 mg/dL以下	LA	血清
高感度CRP	0.2 mg/dL以下	LA	血清

検体の取扱い

性，年齢，食事，運動，採血時間などによる影響はほとんどみられない．新生児では，きわめて低い値（数μg/dL程度）で存在している．新生児感染症では早期より上昇を示し，臍帯血中から高感度CRP測定にて検出可能である．

異常値の出るメカニズム

急性炎症性刺激が起こると急激に上昇，2～3日で最高値になり比較的速やかに減少する．慢性の病変では持続して上昇する．

一般にCRPと赤沈とは共通の病態で変動を示すが，感染症の指標としてはCRPのほうが増減が早く鋭敏である．一方，貧血，ネフローゼ症候群，ウイルス性感染症，良性腫瘍では赤沈のみ陽性となる場合がある．なお膠原病の経過観察において，CRPが陽性化してくれば赤沈が正常であっても再発，再燃の可能性があり，また赤沈が亢進していてもCRPが陰性化すれば活動性が鎮静化に向かっていると推定される．

異常値を示す疾患と病態・関連検査

[高値] 細菌・ウイルス感染症，リウマチ熱，関節リウマチ（☞p.238），膠原病（☞p.242），悪性腫瘍，悪性リンパ腫，心筋梗塞（☞p.160，特に高感度CRPは動脈硬化および冠動脈疾患の危険因子の評価：発症予知として有用），肺梗塞，消化器疾患，大きな外傷，熱傷など

関連検査　炎症関連検査，感染症検査

梅毒血清反応とは

梅毒血清反応とは，**梅毒トレポネーマ**（トレポネーマ・パリダム，*Treponema pallidum*：TP）による**感染を抗体の有無によって診断する検査**である．脂質（カルジオリピン）抗原を用いる脂質抗原検査（STS*）と梅毒病原体（TP）抗原を用いる2種類の検査法がある．

NOTE *迅速血漿レアギン試験（RPR）や梅毒凝集検査などを総称してSTSと呼ぶことが多い．

基準値と代表的な測定法および材料

項目	基準値	測定法	材料
STS定性	陰性	ガラス板法	血清
	陰性	RPR	
TP抗体定性	陰性	TPHA	
	陰性	イムノクロマト法	
STS半定量・定量	1倍未満（希釈倍率）	ガラス板法	
	1倍未満（希釈倍率）	RPR	
	0.9 RU以下	RPR（LA）	
TP抗体半定量・定量	80倍未満	TPHA	
	9.9 TU以下	TPLA	
	1倍未満（希釈倍率）	イムノクロマト法	
	1.0未満（index値）	EIA	
	1.00未満（S/CO値）	CLIA	
FTA-ABS	陰性	FA（蛍光抗体）	

TPHA：トレポネーマ・パリダム抗原を結合した赤血球凝集試験，TPLA：*Treponema pallidum* latex agglutination，FTA-ABS：梅毒トレポネーマ蛍光抗体吸収試験

検体の取扱い

強い乳びや溶血は検査に不適当である．

異常値の出るメカニズム

感染してから平均3～4週間でSTS，TP抗体の順で陽性となる．カルジオリピンは梅毒病原体ではないために，感染していなくとも陽性が認められる場合がある．数種類の検査を行ったのち，総合的な評価を行う．他の性感染症（B型肝炎・ヘルペスウイルス感染症）の合併にも注意する．

異常値を示す疾患と病態・関連検査

梅毒血清反応検査の結果の解釈

STS	TPHAまたはFTA-ABS	結果の解釈
(−)	(−)	非梅毒または抗体陽転前の治療後，梅毒感染初期
(+)	(−)	梅毒感染初期，生物学的偽陽性の疑い
(+)	(+)	梅毒罹患，TPHAの偽陽性（FTA-ABSで要確認）
(−)	(+)	梅毒治癒後の抗体保有者，梅毒の長期罹患

関連検査 性感染症（B型肝炎・ヘルペスウイルス感染症など）

クラミジア・トラコマチス抗原，クラミジア・トラコマチス抗体とは

クラミジアは細胞内に寄生するため，培養での検出は困難である．血中や皮膚表面に現れることが少ないため，酵素免疫測定法（EIA）で血中の抗体価を測定するか，感染部位の粘膜から菌体抗原あるいは遺伝子をPCRや液性ハイブリダイゼーション法で直接検出する（☞p.131）．

基準値と代表的な測定法および材料

項目	基準値	測定法	材料
クラミジア・トラコマチス抗原	陰性	イムノクロマト法	初尿または感染局所拭い液
クラミジア・トラコマチス抗体	陰性（0.90未満） 判定保留（0.90〜1.09） 陽性（1.10以上）	EIA	血清
クラミジア・トラコマチス核酸同定	陰性	PCR	子宮頸管・尿道拭い液，尿，咽頭拭い液またはうがい液

肝炎ウイルスマーカーとは

肝炎ウイルスのマーカーには多くのものがあり，それぞれ特有の意義をもっている．それらのマーカーを目的に応じて検査することにより感染症の既住，感染症の有無，病態解析が可能である．

基準値と代表的な測定法および材料

肝炎ウイルスに関係するマーカー（抗原・抗体）の検査には，粒子凝集反応（PA），免疫放射定量測定法（IRMA），化学発光免疫測定法（CLIA），化学発光酵素免疫測定法（CLEIA），PCR（RT-PCR）法などさまざまな種類の検査が行われている．診断基準としてはカットオフ値を設定し，カットオフ値以上を示す検査体を陽性と判断することが多い．

> **NOTE** B型肝炎ウイルスの一般的な測定法としては，凝集反応に基づくPA法と，より検出感度に優れたCLIA法とがある．通常はPA法でもHBs抗原を十分検出可能であるが，肝硬変・肝細胞がんのような肝疾患進展例ではHBs抗原量が比較的少ない場合があり，高感度法の選択も考慮しなければならない．また，抗原陰性化の確認を目的とする際は，CLEIA法のような高感度測定系を利用することが望ましい．

項目	基準値	測定法	材料	検査の目的
A型肝炎				
HA-IgG抗体	1.00未満(cut off index)	CLIA	血清	過去のHAV感染
HA-IgM抗体	0.80未満(cut off index)	CLIA	血清	急性A型肝炎時
B型肝炎				
HBs抗原定性・半定量	陰性	イムノクロマト法など	血清	HBVの感染状態
	8倍未満	RPHA		
HBs抗体定性・半定量	陰性	イムノクロマト法など	血清	過去のHBV感染
	4倍未満	PA		
HBs抗原	0.005 IU/mL未満	CLEIA	血清	HBVの感染状態
HBs抗体	10.0 mIU/mL未満	CLIA	血清	過去のHBV感染
HBe抗原	1.00未満(cut off index)	CLIA	血清	肝炎の持続性, HBV増殖マーカー
HBe抗体	50%未満(inhibition%)	CLIA	血清	血中のHBVが少ない場合
HBc抗体半定量・定量	64倍未満	PHA	血清	過去のHBV感染有無
	1.00未満(cut off index)	CLIA		
HBc-IgM抗体	1.00未満(cut off index)	CLIA	血清	急性B型肝炎時とその数ヵ月後
HBVコア関連抗原(HBcrAg)	3.0 log U/mL	CLEIA	血清	血中HBV量, 抗ウイルス療法の効果
HBVジェノタイプ判定	A〜D型	EIA	血清	HBVにおけるインターフェロン(IF)療法の効果予測
HBV核酸定量(HBV-DNA)	20 IU/mL未満(2.1 logコピー/mL未満)	リアルタイムPCR	血清	HBV感染者の病態把握, 治療後の効果判定
HBV核酸プレコア変異およびコアプロモーター変異検出	野生型(変異を認めない)	PCR/ミニシークエンス法・特異的プローブ法	血清	遺伝子変異の確認
C型肝炎				
HCV抗体定性・定量	陰性	イムノクロマト法など	血清	HCV感染を疑う場合(HCVの増殖と相関)
	1.00未満(cut off index)	CLEIA		
HCV構造蛋白および非構造蛋白抗体定性	陰性	PA	血清	HCV感染を疑う場合(HCVの増殖と相関)
HCV血清群別判定	グループ1またはグループ2	CLEIA	血清	インターフェロン感受性判定
HCVコア蛋白	3.0 fmol/mL未満	CLIA	血清	HCVの存在, 抗ウイルス療法の効果
HCV核酸定量(HCV-RNA)	1.2 log IU/mL未満	リアルタイムRT-PCR	血清	HCV感染の既往かキャリアか鑑別
E型肝炎				
HEV抗体	陰性	EIA	血清	HEVによる急性肝炎の診断

検体の取扱い

採血する場合には, 針刺し事故には十分注意する.

異常値の出るメカニズム

▶A型：A型肝炎ウイルス（HAV）の感染は急性および一過性である．感染経路は，主として経口感染である．日本国内で発症はまれであるが，東南アジアなど，海外の流行地で感染する可能性がある．A型肝炎の診断は，主に血中の特異抗体検出をもって行われる．

> **NOTE** HAV特異抗体の検査としては，HA-IgM抗体，HA-IgG抗体があるが，臨床的に最も重要なのはHA-IgM抗体である．A型肝炎患者血中には，その発症の初期からHA-IgM抗体が出現し，約3～6ヵ月後に消失する．一方，IgG型抗体はIgM型抗体にやや遅れて1～4週後に陽性化するが，その後も長期間陽性を持続する．消化管では分泌型HA-IgA抗体の産生が知られ，糞便中に検出される（図2C-1）．

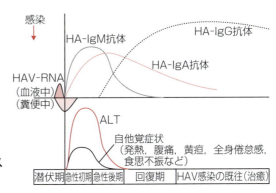

図2C-1　急性A型肝炎におけるウイルスマーカーの経時的変化

▶B型：B型肝炎ウイルス（HBV）は外被（surface：s）と芯（core：c）からなっている．また，HBV増殖時に，ウイルスコア粒子の構成成分の一つである可溶性蛋白（HBe）が肝細胞外に分泌される．それぞれの抗原，抗体，その他の種々のマーカーが存在している．主な感染経路は，血液感染と性感染である．母親がHBe抗原陽性の場合は垂直感染の危険性が高い．

> **NOTE** HBs抗原：HBV外被の表面抗原であり，核酸を含むHBV粒子に加えて，（核酸を含まない）小型球形粒子および管状粒子としても存在する．いずれにしても血中HBs抗原が陽性であることは，現在HBVに感染していることを意味する．
>
> 　HBe抗原：HBVが複製される際に合成される産物である．HBV粒子が壊れて遊離するのではなく，HBV粒子の形成過程において過剰に産生された部分が放出されたものとされていることから，その存在はHBVの活発な増殖を反映すると考えられる．一般にHBe抗原陽性の血液は，感染性が高い．
>
> 　HBe抗体：HBe抗原の消失に伴って，あるいはやや遅れて血中に出現する抗体．HBe抗体陽性の場合，血中ウイルス量は少なく，感染性も低い．
>
> 　HBe抗原・抗体の測定は血中のウイルス量や増殖状況を把握する上で有用である．また慢性肝炎においては疾患の活動性ともよく相関することが知られている．
>
> 　HBc抗体：HBVのコア蛋白に対する抗体．感染の比較的早期から血中に出現し，年余にわたり血中で検出される．急性HBV感染では比較的早期，すなわちHBs抗原が陰性化し，HBs抗体が出現する以前よりHBc抗体は検出される．もし，より早期の診断に照準を合わせるならばHBc-IgM抗体が適している．HBc-IgM抗体はHBV感染の初期に一過性に出現する抗体で，急性期のB型肝炎では一般に高抗体価を示す（図2C-2）．
>
> 　上記を整理しまとめると検査の種類と結果から，B型肝炎ウイルスの感染状況ならびに，感染性の強弱を知ることが可能となる．
>
> 　HBs抗原（+）：現在，B型肝炎ウイルスに感染していることを示す

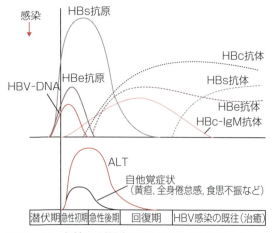

図2C-2 急性B型肝炎におけるウイルスマーカーの経時的変化

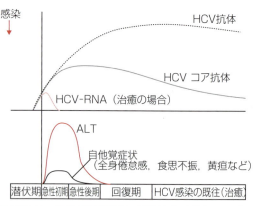

図2C-3 急性C型肝炎におけるウイルスマーカーの経時的変化

HBs抗体（＋）：過去，B型肝炎ウイルスに感染していたことを示す
HBe抗原（＋）：B型肝炎ウイルスに感染しており，感染性が強いことを示す
HBe抗体（＋）：B型肝炎ウイルスに感染しているが，感染性が弱いことを示す
HBV-DNA：急性期の診断やウイルス量を把握するために有用（☞p.129）．

▶C型：C型肝炎ウイルス（HCV）はフラビウイルスに類似したRNAウイルスである．主に血液を介して感染する．わが国ではHCV感染者の約70％がジェノタイプ1bである．感染初期では抗体が陽性化していない場合があるが，HCV-RNAは感染初期から血中に存在するため，このRNAを検出すれば早期の診断が可能である．HCV感染後，約70％はキャリア化し慢性肝炎へ移行する（図2C-3）．

異常値を示す疾患と病態・関連検査

関連検査　AST，ALTなど肝機能検査項目など

HIV検査とは

ヒト免疫不全ウイルス（HIV）の感染をみる検査である．HIVは，HIV-1とHIV-2の2種類が知られており，わが国ではほとんどがHIV-1である．

HIV-1はHIV-1感染者との性的接触，HIV-1に感染した血液，HIV-1感染の母親から新生児への垂直感染などを介して伝播するRNAウイルスである．

AIDS（後天性免疫不全症候群，☞p.244）は，HIVの感染により起こる感染症である．

HIV感染後，抗体が陽性となるまで通常4〜8週を要し，この期間はウィンドウ期と呼ばれる．従来の抗体系検査では，この時期においてはHIVに感染していても陽性反応を認めることができなかった．しかしHIV抗原・抗体検査を行うことによりこのウィンドウ期の一部を含めた時期においてのスクリーニング検査が可能になった．HIV-1 RNA定量検査（アンプリコア HIV-

1モニター)はこの時期よりさらに先立って検出が可能なため，感染の可能性があるのにHIV抗原・抗体検査が陰性の場合にはHIV-1 RNA(核酸)定量検査を行うのがよい．また，HIV抗原・抗体検査で陽性が認められたときにも抗体確認試験であるウエスタンブロット法に加えHIV-1 RNA定量検査を行うことが推奨される．

基準値と代表的な測定法および材料

項目	基準値	測定法	材料
HIV抗原・抗体	陰性	CLEIA	血清
HIV-1抗体	陰性	ウエスタンブロット	血清
HIV-2抗体	陰性	ウエスタンブロット	血清
HIV-1核酸定量	20コピー/mL未満	リアルタイムRT-PCR	血漿
HIV-1/2特異抗体	陰性	イムノクロマト法	血清

> **NOTE** 検査は，まず酵素結合免疫吸着測定法(ELISA)などによりスクリーニングを行い，偽陽性(自己免疫疾患患者，妊産婦などで偽陽性の可能性がある)や陽性の場合に数週後にウエスタンブロット，リアルタイムRT-PCRで確認試験を実施する．

検体の取扱い

長期保存の場合は−20℃以下で保存する．PCRなどの遺伝子検査のための検体は−80℃で保存する．

異常値の出るメカニズム

感染経路は性行為感染，母子感染などが知られており，一度感染すると終生キャリアになると考えられている．

異常値を示す疾患と病態・関連検査

他にみておくべき検査

抗体陽性は持続感染状態であるが，無症候性キャリアか後天性免疫不全症候群(AIDS, ☞p.244)かは区別できない．抗体価と病態も関係性がない．

抗体陽性の場合は，リンパ球サブセット*(CD4/CD8比)の減少を確認する．

ウイルス量はキャリアからAIDSへの病態に応じて増加する傾向があるので十分注意を払う必要がある．

> **NOTE** *リンパ球サブセットとは，リンパ球に含まれている性質や機能にはさまざまな種類があるため，さらにサブセットという分類を行い，検査・診断に利用することをいう．リンパ球サブセットは，存在する細胞によって特異性をもっている．ある細胞中のリンパ球サブセットを調べると，疾患の進行状態や炎症の有無などを特定することができる．

HTLV検査とは

ヒトT細胞白血病I型ウイルス（HTLV-1）は，成人T細胞白血病（ATL）*の原因ウイルスである．ヒトリンパ球DNA中にプロウイルスDNAとして組込まれ，持続感染し，そのごく一部の患者が白血病を発症する．その感染経路には，輸血などによる血液の注入，母子感染（主に母乳），性行為による感染などがあり，感染リンパ球が移行することにより感染が成立する．HTLV検査とは，このHTLV-1に対する抗体を調べる検査である．

> NOTE *この白血病は化学療法に反応せず，患者の多くは1年以内に死亡する．皮膚病変や肺・消化管病変・免疫不全状態などの症状がみられるが，急性リンパ性白血病や慢性リンパ性白血病とは病変が異なる．

基準値と代表的な測定法および材料

項目	基準値	測定法	材料
HTLV-1抗体	1.0未満（cut off index）	CLEIA	血清
	16倍未満	PA	血清
	陰性	ウエスタンブロット	血清
	5倍未満	FA	血清

> NOTE 検査は，まずCLEIA，PAなどによりスクリーニングを行い，偽陽性や陽性の場合に数週後にウエスタンブロット，FAで確認試験を実施する．

検体の取扱い

血清では凍結保存が可能．化学療法などにより細胞数が減少している場合は，遺伝子検査では，必要量のDNAの抽出ができない場合がある．またコンタミネーションの影響が大きいので検体採取については注意を要する．

異常値の出るメカニズム

HTLV-1に感染すると，このウイルスに対する抗体が出現しキャリアとなる．ごく一部のキャリアは加齢とともに成人T細胞白血病へと進行する*．キャリアの頻度は地域差があり，九州，四国，沖縄などわが国の西南部に多くみられる．

> NOTE *HTLV-1感染者は，日本全国で120万人で，キャリアの約2,000人に1人の割合でATLを発症するといわれている．

異常値を示す疾患と病態・関連検査

陽性 抗体陽性を示す疾患・病態として成人T細胞白血病，T細胞型悪性腫瘍などがある．また，他に関連疾患として，慢性肺疾患，肺日和見感染症，がんの合併症，慢性腎不全（☞p.188），M蛋白血症の合併症などがある．

ASO検査,ASK検査とは

ASO(抗ストレプトリジンO抗体)とは,溶血性連鎖球菌(溶連菌)の産生するストレプトリジンOに対する抗体である.ストレプトリジンOとは咽頭などに存在するグラム陽性球菌の産生する溶血素である.

ASK(抗ストレプキナーゼ抗体)とは,溶連菌A群,C群が主に産生するストレプトキナーゼに対する抗体である.

基準値と代表的な測定法および材料

項目	基準値	測定法	材料
ASO	成人:160 U/mL 以下 小児:250 U/mL 以下	LA	血清
ASK	成人:2,560 倍未満 小児:5,120 倍未満	PA	血清

検体の取扱い

血清では凍結保存が可能.

異常値の出るメカニズム

溶連菌感染後約1週間より抗体が上昇し,3〜5週でピークに達して3ヵ月後にはもとの値にもどる.抗生物質や副腎皮質ステロイドを用いると抗体の上昇は低下する.また,小児は溶連菌感染症に何回も罹患する.学童期は乳児や成人に比べて1〜2倍高値を示すことが多い.

ASKは血栓症の治療にストレプトキナーゼ製剤を使用した際は高値を示す.

異常値を示す疾患と病態・関連検査

1) ASO
[高値] 溶血性連鎖球菌感染(しょう紅熱,急性糸球体腎炎,リウマチ熱,扁桃炎,血管性紫斑病)
[低値] 大量の抗生物質投与,無γ-グロブリン血症

2) ASK
[高値] 溶血性連鎖球菌感染(しょう紅熱,急性糸球体腎炎,リウマチ熱,扁桃炎,血管性紫斑病)
[関連検査] CRP,白血球数などの炎症関連検査

シアル化糖鎖抗原(KL-6)とは

KL-6は,同名のモノクローナル抗体により認識されるシアル酸をもつ高分子糖蛋白である.このシアル化糖蛋白は呼吸器系の上皮細胞,とりわけⅡ型肺胞上皮細胞に多量に発現し,肺のクラスター分類においてクラスター9(ムチンのMUC1)に分類される抗原の一種であることが明らかになっている.

肺胞上皮が侵される間質性肺炎では,KL-6が健常者や他の呼吸器系疾患よりも著明に高値を

示す.このため従来特異的な血清マーカーに乏しかった間質性肺炎や肺線維症に高い診断的有用性が認められている.さらに,活動性の間質性肺炎症例で,非活動性症例に比較して有意に高値を示し,治療開始後も病勢を反映して変動する.

基準値と代表的な測定法および材料

項目	基準値	測定法	材料
KL-6	500 U/mL 未満	CLEIA	血清

異常値の出るメカニズム

KL-6は,肺の線維化を特徴とする病変の鑑別や,間質性肺炎の病勢把握を目的に測定される.肺損傷は肺胞上皮細胞(Ⅰ型とⅡ型)を中心とした広範囲な傷害を受ける.KL-6はこれらの細胞に強く発現しているため,細胞傷害時に血中に増加する.

KL-6は,①間質性肺炎と他疾患との鑑別,②間質性肺炎の病勢把握(活動性と非活動性の鑑別),③間質性肺炎の治療経過観察に有用な指標と考えられている.

異常値を示す疾患と病態・関連検査

高値 間質性肺炎,肺線維症,過敏性肺炎
関連検査 肺サーファクタント蛋白-A(SP-A),肺サーファクタント蛋白-D(SP-D)

肺サーファクタント蛋白-A(SP-A)とは

肺サーファクタントとは,肺胞Ⅱ型上皮細胞から産生・分泌されるリンパ脂質と,SP-A,SP-B,SP-C,SP-Dの4種類の特異蛋白を主成分とする界面活性物質である.特に,特発性間質性肺炎は予後不良例が多いため,厚生労働省の特定疾患に指定されており,SP-AおよびSP-Dはその診断指標にも用いられている.

SP-Aは,肺のⅡ型肺胞上皮細胞より産生・分泌される肺特異的な蛋白の一種である.肺胞Ⅱ型上皮細胞で産生される肺サーファクタントの構成成分の一種で,リン脂質とアポ蛋白で構成されている.KL-6は肺胞上皮以外の細胞でも認められるが,SP-AやSP-DはⅡ型肺胞上皮細胞に特異的と考えられている.SP-Aは間質性肺炎の診断マーカー,活動性の指標として使用されており,KL-6やSP-Dと比較して,より早期に上昇することが知られている.

基準値と代表的な測定法および材料

項目	基準値	測定法	材料
SP-A	43.8 ng/mL 未満	CLEIA	血清

異常値の出るメカニズム

SP-Aは,特発性間質性肺炎とその他の疾患との鑑別補助診断および特発性間質性肺炎の急性憎悪などで増加する.また,新生児においては気道吸引液の測定により肺の成熟度がわかる.

異常値を示す疾患と病態・関連検査

高値 特発性間質性肺炎，特発性肺線維症，肺胞蛋白症，膠原病に関連した間質性肺炎，びまん性汎細気管支炎

関連検査 KL-6，SP-D

肺サーファクタント蛋白-D（SP-D）とは

SP-Dは現在のところヒトにおいて肺以外の臓器，細胞での発現は報告されておらず，きわめて肺に特異的な物質であるといわれている．

近年このSP-Dが血液中にも存在していることが判明し，肺以外では産生・分泌されないことから血清中SP-D量がある種の肺疾患の存在を反映する可能性があり，肺特異的血清マーカーとして注目されている．

特発性間質性肺炎，膠原病性間質性肺炎で陽性率が高く，これら肺疾患の補助的診断に有用と考えられる．

基準値と代表的な測定法および材料

項目	基準値	測定法	材料
SP-D	110 ng/mL 未満	CLEIA	血清

異常値の出るメカニズム

肺胞上皮以外の細胞でもKL-6の発現が認められるが，SP-AやSP-Dはより肺胞Ⅱ型上皮細胞に特異的と考えられる．肺損傷は肺胞上皮細胞（Ⅰ型とⅡ型）を中心とした広範囲な傷害を受ける．SP-Dはこれらの細胞に強く発現しているため，細胞傷害時に血中に増加する．

SP-Dは各種びまん性肺疾患にて増加する．SP-D 110 ng/mLをカットオフ値としたとき間質性肺炎の疾患群によりSP-Dの陽性率に差が認められる．特発性間質性肺炎，膠原病に関連した間質性肺炎，過敏性肺臓炎ではSP-Dの陽性率が高く，放射線肺臓炎ではSP-Dの陽性率が低い傾向がある．SP-Dは特発性間質性肺炎の病勢を反映し，特発性間質性肺炎のステロイド有効例では低下，急性増悪例では上昇する．

異常値を示す疾患と病態・関連検査

高値 特発性間質性肺炎，肺胞蛋白症，膠原病に関連した間質性肺炎，進行性全身性硬化症患者での間質性肺炎合併例　など

関連検査 KL-6，SP-A

以下の記述の正誤を答えよ．
1 関節リウマチでは，CRP低値，赤沈（赤血球沈降速度）遅延を示す．
2 B型肝炎ウイルス検査でHBe抗原は，HBVの増殖と感染の強さを示す．
3 ASO，ASKは，A群β溶血性連鎖球菌感染症（急性糸球体腎炎など）で高値を示す．

C-2 自己免疫疾患検査

抗核抗体とは

抗核抗体(ANA)とは真核細胞の核内に含まれる抗原性物質に対する抗体の総称である．現在20種類以上の抗体が同定されているが，いくつかは自己免疫性疾患の病態判定などに意義が認められている．

基準値と代表的な測定法および材料

▶ **基準値**：間接蛍光抗体(IFA)法で40倍または80倍未満．

抗核抗体(ANA)の成人健常者における出現率は，下記の通りである．

抗体価	40倍未満	40倍	80倍	160倍	320倍
出現率(%)	67〜75	16〜22	7〜13	1〜4	1

ELISAでは，cut off indexで20.0未満．FEIA(蛍光・酵素免疫測定法)では，ratioで1.00以下．

▶ **抗核抗体の染色型と特異抗体および疾患**

染色型	染色型と対応する抗核抗体	関連する疾患
homogeneous(均質型) または diffuse(びまん性型)	抗ヒストン抗体(LE因子) 抗DNA抗体	薬剤誘発性ループス SLE(全身性エリテマトーデス)
nucleolar (核小体型)	抗U3-RNP抗体 抗RNA-ポリメラーゼ抗体	SLE SSc(全身性強皮症)
peripheral(辺縁型) または shaggy(シャギー型)	抗DNA抗体 (抗dsDNA抗体/抗ssDNA抗体)	SLE
speckled (斑紋型)	抗Sm抗体 抗SS-A抗体，抗体SS-B抗体 抗U1-RNP抗体 抗Scl-70抗体	SLE シェーグレン症候群 MCTD(混合性結合組織病) SSc
discrete speckled (散在斑紋型)	抗セントロメア抗体	CREST症候群(比較的良性のSSc) PBC(原発性胆汁性肝硬変)

検体の取扱い

血清は凍結で長期保存が可能．

異常値の出るメカニズム

免疫機構になんらかの異常をきたし，自己体細胞核に抗体を産生する．抗核抗体が陽性の場合，染色型である程度疾患特異性抗体の存在を疑う．

異常値を示す疾患と病態・関連検査

強陽性(640倍以上) SLE，SSc，MCTD，シェーグレン症候群(☞p.243)

陽性(160〜640倍) 上記に加えて，自己免疫性肝炎(☞p.174)，薬剤誘発性ループス，多発

性筋炎・皮膚筋炎（☞p.243）
弱陽性（40〜160倍） 上記に加えて，RA（☞p.238），PBC（☞p.178）
関連検査 炎症関連検査など

> **NOTE** 間接蛍光抗体法による ANA 検査は，抗 DNA 抗体が陽性となることが多い．1本鎖 DNA に対する抗体をクラス別に測定する検査で抗 ssDNA 抗体（IgG），2本鎖 DNA に対する抗体をクラス別に測定する検査で抗 dsDNA 抗体（IgG，IgM）の各検査がある．抗 ssDNA 抗体は SLE，SSc，MCTD，シェーグレン症候群など（☞p.243）で高値を示し，抗 dsDNA 抗体は SLE や特に活動性ループス腎炎で高値を示す．

抗ミトコンドリア抗体とは

抗ミトコンドリア抗体（AMA）は，ミトコンドリア内膜蛋白を抗原とする自己抗体である．

基準値と代表的な測定法および材料

項目	基準値	測定法	材料
AMA	20倍未満	IFA	血清

検体の取扱い

凍結・融解を繰り返さない．長期保存する場合は，凍結保存する．

異常値の出るメカニズム

原発性胆汁性肝硬変（PBC，☞p.178）患者において高頻度で陽性を示す．

異常値を示す疾患と病態・関連検査

PBC 以外に高力価の抗体が検出される場合は，PBC の病態が発症した自己免疫性肝炎の場合がある．
関連検査 抗ミトコンドリア M2 抗体（PBC に特異的な抗体）検査，ALP，γ-GT などの肝臓・胆道系酵素

リウマトイド因子に関する検査とは

リウマトイド因子（RF）は，自己または他種の変性 IgG の Fc 部分に対する自己抗体で，関節リウマチ（RA）*の診断のスクリーニング試験として頻用されている．RF は自己抗体のなかで，膠原病では最も高頻度に検出されることから，免疫異常のスクリーニング試験としても利用される．

> **NOTE** *RAに特異的な抗体として，抗ケラチン抗体や，抗核周囲抗体が発見された．これら自己抗体の対応抗原は，上皮組織のケラチン結合蛋白「フィラグリン」に存在している．フィラグリンはペプチジル・アルギニン・デアミナーゼによって，アミノ酸のアルギニンが一部シトルリンに置換されているが，このシトルリン化部位を抗原とした抗体を検出するのが抗環状シトルリン化ペプチド抗体(抗CCP抗体)である．シトルリン化部位を含むペプチドを，環状構造にすることで，検出感度が非常に向上しRFより感度・特異度に優れている．RAには生物製剤などの強力な新薬が登場して，<u>早期治療が寛解率向上と骨破壊抑制に有用</u>と認識されている．<u>抗CCP抗体は，RAの診療に活用が最も期待される</u>マーカーである．
>
> MMP-3(マトリックスメタロプロテアーゼ-3)は生体内の細胞外マトリックス(細胞をとりまく基質)であるプロテオグリカン，フィブロネクチン，コラーゲンなどを分解する酵素である．RA患者の関節液や血清中には高濃度のMMP-3が認められ，MMP-3がRAの発症に大きな関連があると考えられている．そのメカニズムは，滑膜表層細胞や線維芽細胞から分泌された不活性型のproMMPsが，膜型MMPなどの作用により活性化され，関節軟骨破壊に関与するため血中濃度が上昇すると考えられている．特にMMP-3は，この軟骨破壊に大きな役割を果たしている．MMP-3は早期からの滑膜増殖を反映するため，発症1年以内の早期RAでも高値を示す．また，MMP-3は，RFなどの自己免疫検査や，CRPなどの炎症マーカーと比べ実際の関節破壊の程度を反映するため，病勢の把握や治療効果の判定に有用である．MMP-3は，変形性関節症(OA)や外傷性関節炎(TA)，痛風などでは一般に高値を示さないとされるため，これらの鑑別診断にも有用である．

基準値と代表的な測定法および材料

項目	基準値	測定法	材料
RF定量	15 U/mL 以下	TIA，LA	血清
抗CCP抗体	5 U/mL 以下	ELISA	血清
抗ガラクトース欠損IgG抗体	6.0 AU/mL 未満	ECLIA	血清
MMP-3	男性：36.9〜121.0 ng/mL 女性：17.3〜 59.7 ng/mL	LA	血清

検体の取扱い

血清で凍結保存が可能である．

異常値の出るメカニズム

生体がなんらかの免疫機構に異常をきたした場合に，IgGが変性を起こしRF産生がみられるとされている．

異常値を示す疾患と病態・関連検査

強陽性 RA(☞p.238)，悪性RA

陽性

RF定量：RA(☞p.238)，悪性RA，シェーグレン症候群(☞p.243)，SLE，SSc(☞p.243)，MCTD(☞p.243)，慢性肝炎(☞p.174)，肝硬変(☞p.178)など

抗ガラクトース欠損IgG抗体：RA，RAを除く自己免疫疾患全般，肝疾患

抗CCP抗体：RA

MMP-3：RA，悪性RA，SLE，シェーグレン症候群，MCTD，SSc，変形性関節症，肝疾患

関連検査 CRP，抗核抗体，免疫グロブリン，他の自己抗体検査など

以下の記述の正誤を答えよ．
1 抗核抗体（ANA）は，SLEで陽性となる．
2 原因を特定できない特発性間質性肺炎では，SP-A，SP-Dなどの肺サーファクタントは低下する．

C-3　感染症POCT

感染症POCTとは

　一般内科や小児科などの診療所などで急速に普及しているのが，インフルエンザウイルスやアデノウイルス，溶連菌などの感染症診断のためのPOCT（ポイント・オブ・ケア・テスティング，臨床現場即時検査）＊キットである．特にインフルエンザの診断については，感染初期に著しい効果を発揮する治療薬が発売されたことから迅速診断の必要性が高まり，現在では，ほとんどの病院や診療所で利用されている．現行製品ではA型・B型インフルエンザを一度に検査できるワンデバイス型が主流となり，診断精度の向上とともに，簡便性という面でも大きな進歩を遂げている．また，全世界中で蔓延している新型コロナウイルス感染症（COVID-19）においては，ドラッグストアなどにおいて新型コロナウイルス（SARS-CoV-2）の抗原検査キットが多数発売されており，患者自身が抗原検査を行い陽性となった場合においても新型コロナウイルス感染症陽性と認められるようになった（図2C-4）．さらに，新型コロナウイルス抗原およびインフルエンザウイルス抗原の同時測定用のPOCTも使用されるようになった．

図2C-4　新型コロナウイルスの抗原検査キット
上：新型コロナウイルス陽性，下：新型コロナウイルス陰性．

> **NOTE** *1980年代後半に登場したPOCTは,患者に近い場所で,迅速かつ簡便に行われる臨床検査の総称であり,病院の検査室や外注検査センター以外の場所で実施されるすべての臨床検査を含んでいる.POCT実施の対象となる医療の場面は,外来での診療中に直ちに結果を得るための簡易・迅速検査や,入院患者のベッドサイドでリアルタイムに測定結果をモニターする検査を中心に,救命救急センターやICU・CCU,手術室などにおける患者モニターから,薬毒物の検出,糖尿病患者自身が血糖値を測定する簡易血糖測定法(グルコースモニター)まで,広範にわたる.
> 　現在では,専用の検査キットや小型検査機器が充実し,検査が簡単で,しかもその結果が短時間でわかるPOCTのメリットが広く認識されてきており,さまざまな分野でPOCTの利用が急速に進んでいる.特に臨床の現場では,迅速な診断に基づく適切な治療が可能になり,診療効率の向上,患者の通院負担の軽減などの効果が認められるようになっている.2014年には,薬局などでも血糖,HbA1cや中性脂肪などの生化学検査が行える,「検体測定室」に関するガイドラインが策定され,法改正がなされた.この法改正により薬局などでも届出により健康チェックとして血液を用いた検体測定がPOCT検査機器を用いて行えるようになった.

基準値と代表的な測定法および材料

項目	代表的なPOCTキットの測定原理と特徴	材料	基準値
インフルエンザウイルス抗原検出キット	・検体中ウイルス抗原,酵素標識抗体および発色基質との免疫クロマトグラフィー ・A型およびB型の一斉分析が可能	鼻腔拭い液 咽頭拭い液 鼻腔吸引液	陰性
アデノウイルス抗原検出キット	アデノウイルスのヘキソン蛋白中,特異的蛋白に対するモノクローナル抗体を利用した免疫クロマトグラフィー	咽頭拭い液 角結膜拭い液	陰性
A群β溶血性連鎖球菌抗原検出キット	金コロイド標識抗体を用いた免疫クロマトグラフィー	咽頭拭い液	陰性
新型コロナウイルス抗原(SARS-CoV-2抗原)検出キット(定性および定量)	・金コロイド標識抗体を用いた免疫クロマトグラフィー ・CLEIA ・サンドイッチ免疫測定法(TRFIA法)　など	鼻咽頭拭い液 鼻腔拭い液	陰性
新型コロナウイルス抗原・インフルエンザウイルス抗原定性同時検査キット	SARS-CoV-2抗原,A型およびB型インフルエンザウイルス抗原の3種類を一斉検出	鼻腔拭い液	陰性

検体の取扱い

1~30℃保存でも安定.

用途と目的

- **インフルエンザウイルス抗原**:鼻腔拭い液,咽頭拭い液,または鼻腔吸引液中のA型インフルエンザウイルス抗原およびB型インフルエンザウイルス抗原を約15分程度で検出できる.
- **アデノウイルス抗原**:咽頭粘膜上皮細胞または角膜上皮細胞中のアデノウイルス抗原を検出する.
- **A群β溶血性連鎖球菌抗原**:咽頭からの検体中のA群β溶血性連鎖球菌(A群β溶連菌)抗原を検出する.

- ▶**新型コロナウイルス抗原**：鼻咽頭拭い液あるいは鼻腔拭い液から SARS-CoV-2 抗原を検出する．
- ▶**新型コロナウイルス抗原・インフルエンザウイルス抗原**：インフルエンザの流行時期と重なることもあることから，新型コロナウイルスおよびインフルエンザウイルス（A型およびB型）の同時検出キットが発売された．

以下の記述の正誤を答えよ．
1 インフルエンザウイルス抗原を測定するためのイムノクロマトグラフィーについて，判定は目視で行うことができるため，特別な装置を必要としない．
2 インフルエンザウイルス抗原の検査において，A型およびB型の両方を測定することができる検査キットがある．
3 新型コロナウイルスの抗原検査キットにおいて，陰性の場合はキットにはバンドはまったく現れない．

C-4　腫瘍マーカー

腫瘍マーカーとは

　血液や尿を検体とし，「わずか1滴でがんを診断！」という夢をめざし開発されてきたのが腫瘍マーカーである．悪性腫瘍には，活発な増殖力，他臓器に転移する能力など，独特の生物学的ふるまいがみられる．これを利用し，腫瘍が特異的に，あるいは大量に産生する物質や，腫瘍に反応して生体が産生する物質を腫瘍マーカーと呼ぶ．

腫瘍マーカーを測定するメリット

　内視鏡やCTなど，悪性腫瘍には画像診断も有用だが，内視鏡には挿入の苦しみが，CTには被曝のリスクがある．一方，血液など体液を用いれば，わずかな侵襲で，一度に多数の検体を調べることができる．費用はCTや内視鏡の数分の1以下ですみ，検体を搬送すれば遠隔地からでも評価が可能である．このように費用と手軽さが最大のメリットであるが，画像診断のような腫瘍の局在部位の特定はできず，感度と特異度（☞p.3）の問題には留意せねばならない．

腫瘍マーカーの用途

- ▶**悪性腫瘍の存在診断**：がんが存在するか否かを推定するものだが，残念ながら現時点で実用性がみとめられるのはPSAなどごく一部のマーカーに限られる．
- ▶**悪性腫瘍の治療効果の指標**：外科的切除が完璧に成功すれば，高かった腫瘍マーカーの値は正常化する．化学療法や放射線療法で腫瘍に縮小効果が現れれば，腫瘍マーカーの値も低下する．逆に上昇すれば，腫瘍の再発や増大が示唆される．
- ▶**腫瘍の生物学的性質の推定**：悪性腫瘍の発見が遅れた症例では，全身に腫瘍が広がり由来臓器もわからず治療に難渋する例がある．各臓器に相当するマーカーの値から，由来臓器を推定したり，有効性の高そうな治療法を選択するのに用いられることがある．

腫瘍マーカーの種類

　CEA, AFPなど歴史的に古い腫瘍マーカーは，主に胎児の体を構成する成分から発見された．胎児の体細胞には目覚ましい増殖力があるが，ヒトは生まれた後でも，組織ががん化すると，かつてもっていた増殖力が先祖返りのように現れ，胎児時代の物質を作り始める．

　悪性腫瘍が転移するには，がん細胞が血流などに乗り体の中の離れた臓器にたどり着き，脈管から滑り出てその組織に生着しなければならない．この過程で，細胞組織への接着に関与するのが「糖鎖」と呼ばれる細胞表面構造物である．ちょうど崖登りのクライマーが手足をかける突出物に相当すると思えばよい．CA125など頭にCA（carbohydrate antigen）がつく腫瘍マーカーは，多くが糖鎖構造物である．その後ろにつく数字は，糖鎖構造物に対するモノクローナル抗体を作製した際の番号である．

　以下，腫瘍の発生する臓器別に，代表的なマーカーを解説する．

◆CEA

CEAとは	がん胎児性抗原の略称．結腸がんと胎児の結腸粘膜組織に共通して存在する抗原として発見された．今日最もよく用いられる腫瘍マーカーの一つである．
基準値と代表的な測定法および材料	5.0 ng/mL以下（CLIA） 測定法：CLIA，CLEIA，ECLIA　材料：血清・その他の体液
検体の取扱い	血清分離し冷蔵保存．採血時に唾液の混入で偽高値を示すことがある．
異常値の出るメカニズム	CEAは細胞間接着分子として，がん細胞同士の接着に関与するが，がんの進展で血中に漏出するものと推定される．
異常値を示す疾患と病態・関連検査	大腸がん，胃がんなどの消化管腫瘍（☞p.170），膵がん（☞p.186），肺がん（☞p.204）などで上昇する．腹水など病的な体液貯留時に，悪性疾患によるものかを推定する目的で測定されることがある．

◆AFP

AFPとは	α-フェトプロテイン（アルファ胎児性蛋白）の略称．胎児期にあって，成人におけるアルブミンの役割を果たすキャリア蛋白（物質の運搬を担う蛋白）とされる．
基準値と代表的な測定法および材料	10.0 ng/mL以下（CLIA） 測定法：CLIA，CLEIA，ECLIA　材料：血清
検体の取扱い	血清分離し冷蔵または凍結保存．
異常値の出るメカニズム	肝細胞ががん化とともに増殖能を獲得し，AFPを産生する．
異常値を示す疾患と病態・関連検査	肝細胞がんで非常に高値となる他，胚細胞がん，奇形腫，転移性肝がん，胆嚢がん，膵がん（☞p.186），胃がん（☞p.170）などで上昇する．肝硬変や肝炎（☞p.174，とりわけ肝細胞再生時）で中等度上昇を示す．また妊婦，乳児では軽度高値を示す． 同様な肝細胞がんの腫瘍マーカーとしてPIVKA-Ⅱが知られている．AFPより感度に劣るが，特異性は優れるとされる．

◆PIVKA-Ⅱ

PIVKA-Ⅱとは	PIVKA-Ⅱは，protein induced by vitamin K absence Ⅱの略称である．すなわち血液凝固第Ⅱ因子（☞p.20，図2A-4）であるプロトロンビンの肝臓における生合成不全に由来する「でき損ない蛋白」である．本来は凝固系の異常を調べるマーカーであったが，肝細胞がんの患者血中で上昇が知られるようになり，肝細胞がんのマーカーとなった．同じ肝細胞がんのマーカーであるAFPとは相関が低く，感度よりも特異度の点で優れるという．
基準値と代表的な測定法および材料	40 mAU/mL 未満（CLEIA） 測定法：ECLIA，CLEIA，CLIA　材料：血清
検体の取扱い	血清分離し凍結保存．
異常値の出るメカニズム	プロトロンビンの合成は，前駆体N末端近傍グルタミン酸残基のビタミンK依存的なカルボキシル化反応で完結する．この過程の失調または欠落により異常プロトロンビンが凝固活性を欠いたまま血中に放出される．肝細胞がんでも同様の代謝異常が推定されている．
異常値を示す疾患と病態・関連検査	原発性肝がん，肝細胞がん．ビタミンK欠乏症，セフェム系抗菌薬など抗ビタミンK剤投与で増加することがある． 関連検査：AFP

◆CA19-9

CA19-9とは	血液型の一種であるルイス式抗原のシアリルLe^aに相当し，膵がんの代表的なマーカーとされる．注意すべきは日本人の約10％はこの元となる抗原をもたないため，進行がんでも上昇がみられないことである．
基準値と代表的な測定法および材料	37 U/mL 以下（CLEIA） 測定法：CLIA，CLEIA，ECLIA　材料：血清
検体の取扱い	血清分離し冷蔵保存．唾液の混入で偽高値をとる場合がある．
異常値の出るメカニズム	腫瘍組織から血中への漏出による．
異常値を示す疾患と病態・関連検査	原発性膵がん（☞p.186），胆囊がん，胆管がん．慢性肝炎（☞p.174）や慢性膵炎（☞p.184），肝硬変でも軽度上昇をみることがある．同様な膵がん，胆道系腫瘍のマーカーにDUPAN-2，Span-1，NCC-ST-439，エラスターゼ1などがある．CA19-9が上昇しない患者には有用であるため，同時に測定されることも多い．

◆CA125

CA125とは	胎児のミュラー管由来臓器や，成人の卵巣，子宮内膜，腹膜および胸膜に正常でも存在する糖鎖抗原である．主に卵巣がんのマーカーに用いられる．
基準値と代表的な測定法および材料	35 U/mL 以下（CLEIA） 測定法：CLIA，CLEIA，ECLIA　材料：血清
検体の取扱い	血清分離し冷蔵保存．
異常値の出るメカニズム	腫瘍組織から血中への漏出による．
異常値を示す疾患と病態・関連検査	卵巣がん，子宮体がんで高値を示し，子宮内膜症でも上昇する．健常な女性でも月経中には上昇するので，採血の日取りに留意せねばならない．

◆SCC抗原

SCC抗原とは	SCC抗原（扁平上皮がん関連抗原）は，子宮頸部扁平上皮がんの肝転移巣から抽出された分子量約45,000の蛋白である．主に扁平上皮系の悪性腫瘍で血中濃度上昇が認められる．
基準値と代表的な測定法および材料	1.5 ng/mL以下 測定法：CLIA，FEIA，ECLIA　材料：血清
検体の取扱い	血清分離し凍結保存．
異常値の出るメカニズム	血清SCC抗原は主として扁平上皮で発現が認められるが，健常皮膚組織，フケ，唾液，汗などにも含まれるため，検体への混入による偽高値に注意する必要がある．
異常値を示す疾患と病態・関連検査	上部消化管悪性腫瘍（食道がん，胃がん，☞p.170），頭頸部がん，肺扁平上皮がん，子宮頸がん，尿路系悪性腫瘍．乾癬，天疱瘡などの皮膚疾患でも上昇することがある． 関連検査：CEA

◆SLX

SLXとは	シアリルLe^X-i抗原の略．糖鎖性腫瘍マーカーで，CA19-9が構造からI型糖鎖に分類されるのに対して，SLXはII型糖鎖に属する．
基準値と代表的な測定法および材料	38 U/mL以下 測定法：IRMA　材料：血清
検体の取扱い	血清分離し凍結保存．
異常値の出るメカニズム	腫瘍組織から血中への漏出による．
異常値を示す疾患と病態・関連検査	肺がん（☞p.204），卵巣がん，子宮がん，膵がん（☞p.186），肝細胞がん，胆道系腫瘍，大腸がん（☞p.170）など．CA19-9のような血液型による影響は受けない．他にもI型，II型に属さない糖鎖性腫瘍マーカーとして，ムチン性糖鎖を抗原とするCA72-4，STNが知られ，卵巣がんや消化管の悪性腫瘍で上昇する．

◆シフラ

シフラ（CYFRA）とは	サイトケラチン19フラグメントの略称．細胞内に存在する骨格蛋白であるサイトケラチンは，細胞種によって特異性が存在する．このうち肺の非小細胞がん，とりわけ扁平上皮がんや腺がんで多量に産生される物質がシフラである．
基準値と代表的な測定法および材料	3.5 ng/mL以下（CLEIA） 測定法：CLEIA，ECLIA，CLIA　材料：血清
検体の取扱い	血清分離し冷蔵保存．
異常値の出るメカニズム	腫瘍組織から血中への漏出による．
異常値を示す疾患と病態・関連検査	肺扁平上皮がん，肺腺がん，卵巣がん，子宮頸部扁平上皮がんなどで上昇する．類縁の扁平上皮がんマーカーとしてSCC抗原が知られ，子宮頸がん，肺がん（☞p.204），食道がん，頭頸部腫瘍などで上昇が知られている．

◆ProGRP

ProGRPとは	脳や腸管で作られる「ガストリン放出ペプチド」の前駆体(pro-gastrin releasing peptide)の略称．GRPは神経内分泌細胞や肺の小細胞がんで産生されるが，不安定な物質ゆえ，産生過程で前駆体ペプチドの切断により血中に放出されるC-末端側断片が測定されるようになった．これがProGRPである．
基準値と代表的な測定法および材料	81.0 pg/mL未満（CLEIA） 測定法：CLEIA，CLIA，ECLIA　材料：血漿
検体の取扱い	凍結保存．
異常値の出るメカニズム	腫瘍組織から血中への漏出による．
異常値を示す疾患と病態・関連検査	肺小細胞がん（☞p.204）において特異性が高い．類似のマーカーとしてNSE（神経特異性エノラーゼ）が知られるが，肺小細胞がんの他，神経芽細胞腫でも上昇する．

◆PSA

PSAとは	前立腺特異抗原の略称．男性の前立腺上皮から特異的に分泌される蛋白融解酵素である．前立腺がん患者において，早期から上昇するためスクリーニングに用いられる．しかし良性疾患である前立腺肥大症でも軽度～中等度上昇するため，最終的な鑑別には前立腺生検が必要となる．
基準値と代表的な測定法および材料	4.0 ng/mL以下（CLEIA）．10.0 ng/mL以上になった場合は前立腺がんを強く疑う． ＊加齢に伴い前立腺肥大とともに上昇するため，年齢階層別に基準値を設ける場合もある． 測定法：CLIA，CLEIA，ECLIA　材料：血清
検体の取扱い	血清分離し凍結保存．
異常値の出るメカニズム	腫瘍組織から血中への漏出による．
異常値を示す疾患と病態・関連検査	前立腺がん，前立腺肥大症，前立腺炎（☞p.194）．前立腺がんの治療効果判定や再発のスクリーニングにおいても，非常に有用なマーカーである．

NOTE　現在臨床で主に使用されている腫瘍マーカー

表2C-1　腫瘍の種類とマーカーの有効性

項目＼部位	肺 肺がん	消化器系 食道がん	胃がん	膵がん	大腸がん	肝・胆系 肝がん	胆嚢・胆道がん	性腺・泌尿器系 乳がん	卵巣がん	子宮がん	前立腺がん	血液系 悪性リンパ腫	慢性骨髄性白血病	急性骨髄性白血病
CEA (☞p.114)	◎	○	○	○	◎	○	○	○	○	○	○			
BFP	○			○	○	○	○		○	○	○			
AFP (☞p.114)			○	○		◎	○							
AFP-L3 (☞p.181)						◎								
PIVKA-II (☞p.115)						◎								
CA19-9 (☞p.115)			○	◎	○	○	◎		○					
DUPAN-2				◎		○	◎							
SPan-1				○		○	○							
NCC-ST-439	◎	○	○	◎	○	○	◎	◎		○				
エラスターゼ1				◎										
SLX (☞p.116)	◎			○	○	○	◎		◎	○				
CA125 (☞p.115)	○							○	◎	○				
STN			○	○	○		○		◎	○				
CA72-4	○		◎	○	○		○		◎					
SCC抗原 (☞p.116)	◎	○								◎				
NSE	◎	○												
シフラ (☞p.116)	◎													
ProGRP (☞p.117)	◎													
CA15-3								◎						
BCA225								◎						
PSA (☞p.117)											◎			
sIL-2R												◎		
Major BCR-ABL													◎	
WT1 mRNA定量														◎

◎：特に有用性が高いもの，○：有用性が認められるもの

復習問題　原発性肺がんが疑われる症例に用いられる腫瘍マーカーを2つ選べ．
a. CEA　　b. CA19-9　　c. CA125　　d. Pro GRP　　e. PSA

D-1　遺伝子検査の分類

　一般的な呼び方として用いられている遺伝子検査は，その検査対象や目的によって，病原体遺伝子検査，ヒト体細胞遺伝子検査，ヒト遺伝学的検査に分類することができ，これらを総称して遺伝子関連検査と呼ぶようになっている（表2D-1）．

病原体遺伝子検査

　外来から体内に侵入したウイルスや細菌など，外来性の病原体由来の核酸を各種の臨床検体から検出する検査である．例えば，結核菌由来の核酸を検出し，結核感染の診断に利用されている（☞本章 E-4項）．微量な病原体を感染初期から高感度に検出でき，従来の培養による同定法より迅速に感染の有無を判定できることが利点である．PCRを代表とするさまざまな核酸増幅法がこの検査に用いられている．

ヒト体細胞遺伝子検査

　悪性腫瘍などによる組織に限局してみられる遺伝子変異，遺伝子発現異常や染色体異常を検出することで，その診断，治療薬の選択，治療効果判定ならびに予後の判定に用いられる．従来は病変組織の病理切片を検体としたFISH法，その組織から抽出した核酸を検体として，さまざまな遺伝子増幅法によって解析されているが，血漿から抽出した核酸を用いても解析可能になっている．血液中に存在する，わずかに腫瘍組織の細胞から漏れ出たDNA，すなわち血中循環腫瘍DNA（ctDNA：circulating tumor DNAまたはcfDNA：cell free DNA）を解析することができ，リキッドバイオプシー検査と呼ばれている．解析技術の進歩に伴い，より侵襲性の低いがん診断法として利用されている．

表2D-1　遺伝子関連検査の分類

分類	遺伝子の由来	検出対象	主な検査目的	結果
病原体遺伝子検査	外来性	患者検体に含まれる病原体由来の核酸	・感染症の診断，治療効果判定（☞本章 E-5項，p.128）	変化する
ヒト体細胞遺伝子検査	ヒト細胞（病変部に限局）	がん細胞の後天的な遺伝子変異，発現異常および染色体異常に伴う融合遺伝子など	・がんの診断 ・治療薬の選別，効果判定	変化する
ヒト遺伝学的検査	ヒト細胞（部位は限局しない）	正常細胞の先天的な遺伝子変異，遺伝子多型および染色体異常など	・単一遺伝子疾患の確定，発症前および出生前診断 ・薬物応答性の判定（PGx*） ・体質診断（アルコールなど） ・多因子疾患の易罹患性予測 ・個体鑑別	生涯不変

*PGx：pharmacogenomics

ヒト遺伝学的検査

生殖細胞系列遺伝子検査とも呼ばれ，生まれつきの生涯不変な遺伝子変異や多型を解析する．

単一遺伝子疾患に対して行われる遺伝学的検査は，発症した患者に対して実施する確定診断，その疾患の家族歴をもつ健常者を対象に実施する発症前診断，胎児の罹患可能性を調べる出生前診断に区別される．

一方，単一遺伝子病に比べて，浸透率がそれほど高くない多因子疾患（心臓病，糖尿病など）について，その罹りやすさを予測する遺伝学的検査を，易罹患性検査という．この検査は確率的なもので，結果が陽性でも発症するとは限らず，陰性でも発症しないと限らない．また，薬物代謝酵素遺伝子の多型や，アルコール代謝に関わる酵素の遺伝子多型などは，薬物応答性や飲酒といった体質としての個人差を決定する要因となる．実際，薬物代謝酵素遺伝子の多型についての情報は，使用上の注意として，多くの薬剤の添付文書中に記載されている．

いずれにしても，ヒト遺伝学的検査で得られた情報は，一般的な臨床検査やヒト体細胞遺伝子検査で得る情報と比較すると，不変性（生涯変わることがない），予見性（将来の発病が予測でき得る），共有性（家族も同じ情報をもつ）といった特徴をもつことから，その情報の取扱いには特別な配慮が必要である．情報の提供については，患者やその家族に対する支援の一つである，臨床遺伝専門医や認定遺伝カウンセラーによる遺伝カウンセリングが重要である．

D-2　コンパニオン診断

コンパニオン診断とは

特定の医薬品の使用に際し，病変組織または細胞の蛋白発現・遺伝子変異・遺伝子多型・染色体異常などを検査することによって，その効果がより期待される患者を特定する，または，副作用が発現するおそれが高い患者を特定することを，コンパニオン診断という．この診断のために実施する検査は，個別化医療を実現するために必要なもので，特にがん領域でその実用化が進んでいる．がん細胞でみられる蛋白発現変化や遺伝子異常をターゲットにした分子標的薬の開発が進み，この効果予測にはコンパニオン診断が不可欠とされている．

コンパニオン診断に用いる遺伝子検査

腫瘍組織でのHER2，CCR4，PD-L1の発現を免疫組織染色によって検出することは，それぞれ，抗HER2，抗CCR4，抗PD-1抗体薬のコンパニオン診断に用いられている．このように，コンパニオン診断に用いる検査は，蛋白レベルでの発現を免疫組織染色で病理診断する方法，in situハイブリダイゼーション法などによって染色体や遺伝子レベルで病理診断する方法，組織や細胞さらに血漿から抽出した核酸を遺伝子レベルで解析する方法に分かれる．そのうち，遺伝子を対象にした主なものを表2D-2にまとめた．表中のセツキシマブ，パニツムマブに対するRAS遺伝子の変異を除くすべての検出対象となる遺伝子で，増幅，変異または融合遺伝子を検出することが，それぞれの分子標的薬の有効性の条件となる．その検査方法は，従来の各遺伝子を対象とした検査方法に加え，次世代シークエンサー（NGS）を用いて，同時に複数の遺伝子を

表2D-2　コンパニオン診断に用いる遺伝子検査

分子標的薬	対象腫瘍	検出対象	効果予測
セツキシマブ，パニツムマブ	大腸がん	*RAS*（*KRAS/NRAS*）遺伝子変異	無効
トラスツズマブ	乳がん，大腸がん，唾液腺がん	*HER2*遺伝子増幅	有効
ペルツズマブ	乳がん，大腸がん		
アファチニブ，エルロチニブ，オシメルチニブ，ゲフィチニブ，ダコミチニブ	非小細胞肺がん	*EGFR*遺伝子変異	有効
クリゾチニブ，ブリグチニブ，ロルラチニブ	非小細胞肺がん	*ALK*融合遺伝子	有効
エヌトレクチニブ，クリゾチニブ	非小細胞肺がん	*ROS1*融合遺伝子	有効
カプマチニブ，テポチニブ	非小細胞肺がん	*MET*遺伝子変異	有効
ソトラシブ	非小細胞肺がん	*KRAS G12C*遺伝子変異	有効
セルペルカチニブ	非小細胞肺がん，甲状腺がん	*RET*融合遺伝子	有効
ダブラフェニブ，トラメチニブ，ベムラフェニブ	悪性黒色腫	*BRAF*遺伝子変異	有効
エンコラフェニブ，ビニチニブ	悪性黒色腫，大腸がん		
オラパリブ	乳がん，卵巣がん，前立腺がん，膵がん	*BRCA1*または*BRCA2*遺伝子変異	有効
オラパリブ，ニラパリブ	卵巣がん	相同組換え修復欠損	有効
ニボルマブ	大腸がん	マイクロサテライト不安定性	有効
ペムブロリズマブ	固形がん	マイクロサテライト不安定性	有効
エヌトレクチニブ，ラロトレクチニブ	固形がん	*NTRK1/2/3*融合遺伝子	有効
ペミガチニブ	胆道がん	*FGFR2*融合遺伝子	有効
ギザルチニブ，ギルテリチニブ	急性骨髄性白血病	*FLT3*遺伝子変異	有効
タゼメトスタット	濾胞性リンパ腫	*EZH2*遺伝子変異	有効

解析することも可能になっている．

以下の記述の正誤を答えよ．
1　臨床検査で行う遺伝子検査は，いずれもヒト遺伝子の変化を解析する．
2　コンパニオン診断に用いられる検査は，遺伝子を対象にしたものに限られている．
3　オラパリブのコンパニオン診断に*BRCA1*または*BRCA2*の遺伝学的検査が実施される．

E-1 ヘリコバクター・ピロリ（ピロリ菌）

ヘリコバクター・ピロリとは

ヘリコバクター・ピロリ（*Helicobacter pylori*：*H. pylori*）は，胃などに生息する微好気性のグラム陰性桿菌である．らせん状の菌で，活発な運動性を示し，強力なウレアーゼ活性をもつ．このウレアーゼで胃酸を中和し胃粘膜内に生息する．

基準値と代表的な測定法および材料

項目	基準値	測定法	材料
^{13}C-尿素呼気試験（^{13}C-UBT）	ユービット服用後20分値：2.5‰未満（GC/MS, IR） ピロニック服用後10分値：3.0‰未満（GC/MS）	GC/MS, IR	呼気
便中ヘリコバクター・ピロリ抗原	陰性	EIA	糞便
ヘリコバクター・ピロリ抗体	10 U/mL 未満	EIA	血清

> **NOTE** 胃粘膜を内視鏡検査時に採取し，微好気性条件下にて培養を行う方法，組織検鏡法，迅速ウレアーゼ試験（生検材料）などが侵襲的な検査法として知られている．
>
> 非侵襲的な検査法としては，尿素呼気試験がある．尿素呼気試験では，はじめに被検者は尿素の安定同位体である^{13}C標識尿素を服用し，10〜20分間安静にする．もし胃内にヘリコバクター・ピロリが生息していると，ヘリコバクター・ピロリがもつウレアーゼにより，この^{13}C標識尿素が分解され，^{13}Cで標識されたCO_2となって血流に乗り肺に運ばれ呼気中に放出される．^{13}C標識尿素服用前および服用後10〜20分時の呼気を専用パックあるいはバイアル瓶に採集し，^{13}C標識尿素の投与前・投与後の$^{13}CO_2$含量変化を測定する．^{13}Cの検出には質量分析計（GC/MS）や赤外吸収スペクトロメトリー（IR）が用いられ，一定量以上の増加があればヘリコバクター・ピロリ陽性と判断される．

検体の取扱い

プロトンポンプ阻害薬で偽陰性になる可能性があるので注意が必要．

異常値の出るメカニズム

尿素呼気試験は，感度，特異性において，抗体価測定より優れ，簡便で非侵襲的な検査であるが，治療効果の判定は除菌後1ヵ月以上経てから行う．

胃がんリスク層別化検査（ABC分類）は，「ピロリ菌感染の有無を調べる検査」と「胃粘膜の萎縮度を調べる検査」を組み合わせて胃がんになるリスクを分類する検査である．

胃がんリスク層別化検査（ABC分類）は，以下の場合には正しい結果が得られない可能性がある．明らかな上部消化器症状（食道・胃・十二指腸疾患），上部消化器疾患治療中，プロトンポンプ阻害薬服用中（1ヵ月以内に服用），胃切除，腎不全（目安として，クレアチニン3 mg/dL以上），ピロリ菌の除菌治療の場合など．

異常値を示す疾患と病態・関連検査

上部消化器症状（食道・胃・十二指腸疾患）（☞p.168）などがある場合に陽性となる．

復習問題 以下の記述の正誤を答えよ．
1 ヘリコバクター・ピロリ検査で迅速ウレアーゼ試験は，感度・特異性がともに高く，迅速・簡便な検査法である．

E-2 耐性菌

<u>薬剤耐性菌</u>の出現は，使用できる治療薬を制限し，特に免疫機能の低下した患者において治療が難航するため問題となる．抗菌薬が感染症の治療に大きく貢献していることは間違いないが，一方で抗菌薬が不要なケースでの処方など，<u>抗菌薬の不適切な使用が耐性菌出現の原因となっている</u>．薬剤耐性が世界的な社会問題となった現在，医療現場において，耐性菌の検出状況や薬剤感受性などの情報を把握し，抗菌薬を適正に使用することは，新規耐性菌出現の抑制のために必須である．<u>メチシリン耐性黄色ブドウ球菌（MRSA）</u>をはじめ，<u>バンコマイシン耐性腸球菌（VRE）</u>，<u>基質拡張型β-ラクタマーゼ（ESBL）産生菌</u>，<u>多剤耐性緑膿菌（MDRP）</u>など数多くの耐性菌が確認されており，抗菌薬の適正使用が求められている．

薬剤感受性試験とは

薬剤感受性試験は，感染症の治療の際にその菌に感受性のある抗菌薬を適切に選択するために重要である．菌種を同定する試験ではないが，薬剤耐性菌の増加を抑え，今後も治療に有効な治療薬を維持するために実施する必要がある．感受性の判定は，国際的に広く用いられているCLSI（臨床・検査標準協会）の基準が主に用いられ，薬剤・菌種別に定められたブレイクポイントをもとに，感性（S），中間（I），耐性（R）のカテゴリーで判定する．

▶ディスク拡散法：菌液を接種した培地に抗菌薬含有ディスク（薬剤をしみこませた濾紙）を置くと，ディスクを中心に抗菌薬の濃度勾配が形成され，菌の発育阻止円が観察される．阻止円の直径と最小発育阻止濃度（MIC）は相関しており，MICが小さいほど阻止円の直径は大きくなる（図2E-1）．

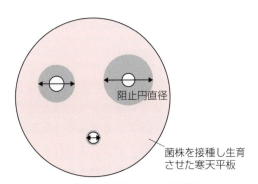

図2E-1 ディスク拡散法による判定
白丸は薬剤を染み込ませたディスクを表し，その周りの円が発育を阻止した阻止円を表す．阻止円の直径を計測し，判定基準に従って分類する．

▶ 希釈法：抗菌薬の2倍希釈系列を培地で作成し，これに被検菌を接種する．培養後，菌の増殖の有無を判定し，増殖が阻止される最小濃度であるMICを測定する．

メチシリン耐性黄色ブドウ球菌（MRSA）とは

メチシリン耐性黄色ブドウ球菌（MRSA）は，β-ラクタム系抗菌薬との親和性が低下したペニシリン結合蛋白（PBP）-2′ をコードする *mecA遺伝子* をもつ黄色ブドウ球菌である．メチシリン耐性とあるが，メチシリンだけでなくβ-ラクタム系抗菌薬をはじめとする多くの抗菌薬に耐性を示す．入院患者に発症する院内感染の起炎菌として代表的な耐性菌であるが，従来から知られている院内感染型に加え，特徴の異なる市中感染型が出現してきている．

基準値と代表的な測定法および材料

項目	基準値	測定法	材料
黄色ブドウ球菌ペニシリン結合蛋白2′（PBP-2′）	陰性	LA	分離菌株
黄色ブドウ球菌メチシリン耐性遺伝子同定	陰性	PCR	血液培養陽性培養液または菌株

異常値の出るメカニズム

MRSAの薬剤耐性は，菌の産生するPBP-2′に起因すると考えられている．すなわち，PBP-2′の陽性により，MRSAの判定を行うことができる．また，黄色ブドウ球菌の遺伝子に *mecA遺伝子* が組み込まれることでPBP-2′が産生されることから，メチシリン耐性遺伝子同定は，MRSAの検出に用いられる．ただし，*mecA遺伝子* は黄色ブドウ球菌に固有の遺伝子ではないため，菌種の同定を行ったうえで診断の補助として行うことが望ましい．

異常値を示す疾患と病態・関連検査

MRSA感染症．

以下の記述の正誤を答えよ．
1 メチシリン耐性黄色ブドウ球菌の産生するPBP-2′は，β-ラクタム系抗菌薬と強く結合することで耐性を示す．

E-3　結核菌

結核の診断において，結核菌の存在を証明することは基本となる．結核菌の証明は，喀痰などの病変組織を用い，塗抹検査や培養検査，遺伝子検査により行う．発病を確認するためには，これらの検査と画像検査などの所見を総合的に見極め判断する必要がある．有効な薬物治療のためには，薬剤感受性試験も重要である．また，感染を調べるための検査には，インターフェロンγ遊離試験，ツベルクリン反応があり，感染の有無を知ることができる．

結核菌の検出とは

1) 塗抹検査
　迅速に抗酸菌を検出するための検査である．喀痰などの検体を染色し，顕微鏡で観察する．染色方法には，チール・ネールゼン法，蛍光法が用いられ，蛍光法は簡便で見落としも少ないことから推奨されている．検鏡による検出菌数の記載には，ガフキー号数が使用されてきたが，現在はより簡便な記載方法が一般的となっている．

2) 培養検査
　小川培地などで，検体を培養し抗酸菌を検出する．塗抹検査に比べ，検出感度に優れた方法である．しかし，結核菌は発育が遅いため，固形培地で3週間〜2ヵ月，液体培地で1〜4週間の期間を要し，迅速性に欠ける．

3) 遺伝子検査
　結核菌の核酸を増幅し，検体中に結核菌の遺伝子があるかを検査する．PCR法やLAMP法などが利用されている．感度や迅速性において優れているが，死菌と生菌の鑑別が困難なこと，偽陰性の可能性，定量的な測定法ではないこと，薬剤感受性の判定ができないことを理解したうえで，塗抹・培養検査と並行して実施することが望ましい．

4) 抗酸菌同定検査
- ▶**核酸増幅法**：PCR法を用いて結核菌の核酸を増幅し結核菌の存在を確認する方法．検体から核酸の検出まで数時間で行うことができる．
- ▶**イムノクロマト法（キャピリア®TB法）**：結核菌群に特異的な分泌蛋白であるMPB64を標的とする方法．特別な装置を必要とせず，きわめて簡単かつ迅速に結果が得られる．
- ▶**ナイアシン試験**：すべての抗酸菌はナイアシン（ニコチン酸）を産生するが，結核菌を含むいくつかの抗酸菌はナイアシンを代謝できないため，ナイアシンが培地中に蓄積される．このことを利用し，抗酸菌と非定型抗酸菌とを鑑別することができる．

5) 薬剤感受性検査
　結核菌検査により結核菌が検出された場合には，薬剤感受性検査を行う．現在わが国では，世界基準に準じた方法である比率法が標準とされている．

結核菌の感染を調べる検査とは

1) インターフェロンγ遊離試験（IGRA）
　結核の感染の有無を調べる方法として，従来行われてきたツベルクリン反応は，BCG接種の影響を受けるため未感染であっても陽性となる問題点があった．インターフェロンγ遊離試験（IGRA）は，BCGの影響を受けずに結核感染を検査できる方法として開発された．現在，QFT法であるクォンティフェロン®TBゴールドプラス（QFT®-Plus），およびT-スポット®.TB（T-spot）が利用可能である．

- ▶**クォンティフェロン（QFT）検査**：採血した血液中のリンパ球を結核菌に特異的な抗原ペプチド（ESAT-6, CFP-10）で刺激したときに，リンパ球から産生するインターフェロンγ（IFN-γ）をELISAにより測定する．
- ▶**T-スポット.TB**：T-spot法（Tスポット®.TB）はELISPOT法を結核診断に応用した検査法

である．QFTが被検者の全血を用いるのに対して，被検者の血液中リンパ球を分離し，その数を調整して抗IFN-γ抗体を固相したマイクロウェル内でESAT-6, CFP-10で刺激し，IFN-γ産生細胞の数を計測するものである．特異抗原刺激に反応したリンパ球に対応するスポットの数と抗原刺激を行わない陰性コントロールのスポット数の差を判定値とする．

2）ツベルクリン反応

<u>ツベルクリン反応</u>は，結核の感染の有無を調べる方法として，ツベルクリンを皮内注射し，48時間後の皮膚の反応をみる検査である．近年は，IGRAの普及により，結核診断や潜在性結核感染者の診断目的で用いられることは少なくなった．

以下の記述の正誤を答えよ．
1　結核菌の迅速な検出方法として，グラム染色が一般的である．

E-4　敗血症

敗血症は，「感染症によって重篤な臓器障害が引き起こされる状態」と定義される．生命を脅かす臓器障害を引き起こすため，敗血症を疑ったら，すぐに血液培養を2セット採取し，その他必要な検体を採取したうえで原因菌の特定や薬剤感受性検査を行う必要がある．本項では，経験的抗菌薬治療の判断において補助的に利用される<u>プロカルシトニン</u>（PCT）と，真菌を原因とする感染症で確認される<u>β-D-グルカン</u>について記載する．

プロカルシトニン（PCT）とは

PCTは，甲状腺のC細胞で生成するカルシトニンの前駆物質で，116個のアミノ酸からなる13 kDaの蛋白である．通常，ほとんどがカルシトニンとして分泌されるため，血中で検出されることはないが，細菌感染症では，甲状腺以外の全身の多くの組織で産生されPCTの形で検出される．そのため，細菌性の敗血症のマーカーとして注目されている．PCT値を指標として抗菌薬の中止を行うことについては敗血症診療ガイドライン2020において「敗血症において，プロカルシトニンを利用した抗菌薬の中止を行うことを弱く推奨する」とされている．

基準値と代表的な測定法および材料

項目	基準値	測定法	材料
PCT	0.05 ng/mL 未満 敗血症（細菌性）鑑別診断　カットオフ値：0.50 ng/mL 未満 敗血症（細菌性）重症度判定　カットオフ値：2.00 ng/mL 以上	ECLIA CLEIA	血清

異常値の出るメカニズム

細菌による感染症の際に血中のPCTの上昇がみられる．これは，細菌感染によって上昇した炎症性サイトカイン（IL-6やTNF-αなど）の刺激によるものと考えられている．ウイルスや真菌，抗酸菌では上昇しにくいため，非細菌性の敗血症と細菌性の敗血症の鑑別診断に利用される．

異常値を示す疾患と病態・関連検査

[高値] 細菌感染による敗血症

β-D-グルカンとは

$(1\rightarrow 3)$ β-D-グルカン（以下，β-D-グルカン）は，真菌の細胞壁の構成成分である（ムコールを除く）．他の病原微生物には存在せず，真菌全般について検出可能なことから，真菌感染症のスクリーニング法として利用されている．

基準値と代表的な測定法および材料

項目	基準値	測定法	材料
β-D-グルカン	20.0 pg/mL以下	発色合成基質法	血液
	11.0 pg/mL以下	比濁時間分析法	

検体の取扱い

環境中に存在する多糖類であるため，採血の際汚染に十分注意する．セルロース透析膜を用いた血液透析後の患者や，血液製剤の使用，ガーゼの使用などで偽陽性を示すことがある．

異常値の出るメカニズム

カブトガニの血球抽出成分がエンドトキシンに反応し凝固するリムルス反応を応用している．カブトガニ血球抽出物中に含まれるG因子が，β-D-グルカンと特異的に反応し凝固カスケードを活性化する現象を利用し，発色合成基質法や比濁時間分析法を用い測定する．

異常値を示す疾患と病態・関連検査

真菌感染症．

以下の記述の正誤を答えよ．
1 β-D-グルカンは，真菌の細胞壁の構成成分であり，真菌感染症のスクリーニングに用いられる．

E-5　病原体遺伝子検査

　生命の根源であるRNA，DNAには，生物種によって特異的な塩基配列が存在する．これを利用して病因や病態の検索を行うのが遺伝子検査である．現在，日常臨床では，感染症の病原体同定や定量，抗がん薬に対する感受性など悪性腫瘍の生物学的性質の診断，さらに遺伝病の素因や薬物代謝能力などを調べる体質遺伝子検査が実用化されている．ここでは最も頻繁に用いられる感染症の病原体検査を解説する．2019年末から世界中に広がった新型コロナウイルス感染症ではリアルタイムPCR法をはじめ多くの遺伝子検査キットが開発された．これらは感染や治療のみならずウイルス株の分類同定にも活用されている．

結核菌DNAとは

　結核（☞p.202）の診断には，まず喀痰の抗酸菌染色が行われる．菌を直接顕微鏡で観察し，染色開始から1時間以内に結果が得られる．しかし，すぐに菌体がみつかるのは排菌量が多い重症事例に限られる．喀痰中に排菌があっても数が少ない場合は，スライドグラスをくまなく探しても菌は1個も見当たらない．そこで菌の培養となるのだが，結核菌の増殖速度はきわめて遅い．固形培地（小川培地など）で4～8週間，液状培地（MGIT法）でも最大2週間を要する．これに対し病原体遺伝子検査は，結核菌DNAを人工的に増幅して検出するため数時間で結果が得られ，感度や特異度もきわめて高い．結核の感染力は高いため，臨床では大変重宝されている．

基準値と代表的な測定法および材料

　基本となる技術は，核酸塩基の相補性を応用した遺伝子の検出と増幅であり，それぞれ特徴あるプローブや酵素，検出系をもっている．

項目	基準値	測定法	材料
結核菌DNA	陰性	リアルタイムPCR	喀痰，胸水，胃液などの臨床材料，分離菌株，陽性となった液状培地
	陰性	DNAプローブ・テスト（TMA-HPA）	喀痰などの臨床材料，分離菌株
	陰性	マイクロプレート・ハイブリダイゼーション法（DDH）	分離菌株，陽性となった液状培地（臨床材料からの直接分析はできない）
	陰性	LCR，LAMP	喀痰など
非結核性抗酸菌DNA	陰性	MAC-PCR	喀痰，胸水，胃液などの臨床材料，分離菌株，陽性の液体培地（結核との迅速な鑑別を目的とする）

TMA-HPA：transcription mediated amplification-hybridization protection assay
DDH：DNA-DNA-ハイブリダイゼーション，LCR：リガーゼ連鎖反応
MAC：マイコバクテリウム・アビウム・コンプレックス（*Mycobacterium avium* complex：*M. avium*と*M. intracellulare*．非結核性抗酸菌症のおよそ7～8割を占める分離菌）

> **NOTE** 結核の遺伝子検査で注意すべき点
>
> 高感度と迅速性がセールスポイントの遺伝子検査であるが，忘れてはいけない欠点がある．死菌の検出である．遺跡の発掘でみつかった遺体から，遺伝子検査ができるように，死んだ結核菌でも遺伝子は検出される．陽性だからといって，生きた結核菌がいるとは限らないのである．したがって，抗結核療法中の患者においては，遺伝子検査は治癒判定の指標となりにくい．つねに培養検査の結果を参照しながら，遺伝子検査の結果を解釈せねばならない．死菌は培養しても増殖しないからである．

異常値の出るメカニズム

結核の伝播様式は空気感染である．菌体が空中を漂い，ヒトに吸引されることで感染が成立する．換気の悪い部屋，特に教室，カラオケバーなど閉鎖的な空間で排菌者と長時間同席すると感染リスクは高い．インフルエンザのような，感染から発症までの期間が短いウイルス感染と異なり，結核は潜伏期がきわめて長い．発症リスクが最も高いのは感染後2年以内であるが，発症せずに菌が体内に留まり，数十年後に発症する場合もある．このため，本人が気づかない間に緩徐に発症し，咳を介して感染が拡大する事例が後を絶たない．

> **NOTE** なぜ「結核菌」でなく「結核菌群」と称されるのか？
>
> 結核の遺伝子検査は，ヒト型結核菌である *M.tuberculosis*（マイコバクテリウム・ツベルクローシス）の他，臨床的には軽症のため結核と扱われない *M. bovis*（ウシ型結核菌．BCGの注射に使われる菌），*M. africanum*, *M. microti* などにも反応してしまう．これらを総じて結核菌群という．よって「結核菌群」＝「ヒト型結核菌」ではない．しかし，患者が感染しているのがヒト型結核菌であった場合の影響を考慮し，結核菌群が検出された段階で，患者の了解を得て陰圧の効いた個室に収容，医療スタッフにN95という高性能マスクを着用させる予防措置をとる．

HBV-DNAとは

DNA型ウイルスであるB型肝炎ウイルス（HBV）の遺伝子検査は，ウイルス粒子の有無だけでなく，その数と推移を見守る重要な指標となる．現在，B型肝炎ウイルスの定量には，PCR，TMAなどの方法が用いられる．

なお，B型肝炎ウイルスには，遺伝子複製時に働く酵素，ポリメラーゼを定量する検査もあり，診断・加療の指標に用いられてきた．しかし最近は，感度や測定範囲に優れたウイルスDNAの定量がもっぱら使用されている．

基準値と代表的な測定法および材料

項目	基準値	測定法	材料
HBV-DNA定量	検出せず（1.0 Log コピー/mL 未満）	リアルタイム PCR	血清

異常値の出るメカニズム

B型肝炎ウイルスは，主として血液を介して感染する（☞p.174）．また出生時にウイルスをもつ母親から新生児が感染を受けると，児はキャリア（保菌者）となってウイルスを保持し続ける．キャリアは血液など体液が感染力をもつとともに，年月を経ると肝臓に異常をきたし，肝硬変か

ら肝がんへと進行する．成人での主な感染ルートは，針刺し事故などの血液曝露，性行為，血液製剤の輸注である．

異常値を示す疾患と病態・関連検査

関連検査 肝炎ウイルスマーカー（☞p.99）

HCV-RNAとは

C型肝炎ウイルス（HCV）は，RNAウイルスに属する病原体である．HCV-RNA検査は，ウイルスRNAのコピー数（平たくいえば血液1 mL中にウイルスが何個存在するか）まで計測できるため，感染の有無だけでなく，病勢や治療効果の指標にも用いられる．HCV-RNA検査は，C型肝炎ウイルス抗原（HCVコア蛋白）やHCV抗体よりも感染後早期に血中で上昇するため，臨床現場で重用されている．唯一の欠点は割高なコストであるため，スクリーニング目的では遺伝子検査でなく，第二世代以降のHCV抗体が用いられることが多い．

基準値と代表的な測定法および材料

項目	基準値	測定法	材料
HCV-RNA定量	1.2 logIU/mL 未満または検出せず	リアルタイム RT-PCR	血清

異常値の出るメカニズム

C型肝炎ウイルスは，輸血や針刺し事故など，主に血液の接触で感染する病原体である．感染力はB型肝炎ウイルスの10分の1以下とされるが，いったん感染が成立すると，未治療の場合は急性C型肝炎の70%が慢性肝炎となり，数十年のうちに肝硬変を経て肝細胞がんに至り，致死的経過をもたらす（☞p.174）．

> **NOTE ウイルス遺伝子型の判別と治療**
>
> C型肝炎ウイルスは変異をきたしやすいことで知られる．シモンズらは6種類の遺伝子型（ジェノタイプ）に大別したが，日本人では1bの頻度が7割を占め，2aが2割，2bがおよそ1割とされる．検査法には，RT-PCRでウイルス遺伝子の特定部分を増幅した後，じかに塩基配列を決定する直接シークエンス法や，特定の制限酵素で切断し生じた断片の相同性から異同を判定するRFLP法が用いられる．インターフェロン（IFN）の有効率は，一般にジェノタイプ1以外（non-1 type）のほうが良好とされる．近年，インターフェロンに加えリバビリンや直接型抗ウイルス薬（DAA）などが登場し，C型肝炎の治療法は劇的に改善されつつある．遺伝子型と治療薬などの詳細は日本肝臓学会のガイドラインを参照されたい．

異常値を示す疾患と病態・関連検査

関連検査 肝炎ウイルスマーカー

クラミジア・トラコマチス DNA とは

　クラミジアは，ウイルスより大きく細菌より小さい微生物である．宿主の細胞内に「封入体」と呼ばれる特殊構造物を作って寄生し，その中で増殖する．ヒトに疾病をもたらすクラミジアには，「オウム病」と呼ばれ鳥類を介して感染し，高熱や筋肉痛をきたすクラミジア・シッタシ，呼吸器疾患を引き起こすクラミジア・ニューモニエと，性行為感染症や結膜炎を起こすクラミジア・トラコマチス（*Chlamydia trachomatis*）が知られている．ここでは性器クラミジアとして患者増加が危惧されているクラミジア・トラコマチスについて述べる．

　クラミジアは細胞内に寄生するため，培地を用いる通常の培養による検出は困難である．血中や皮膚表面に菌が現れることが少ないため，酵素免疫測定法（EIA）で血中の抗体価を測定するか，感染部位の粘膜から菌体抗原，あるいは菌の DNA を PCR や液性ハイブリダイゼーション法で直接検出する．

基準値と代表的な測定法および材料

項目	基準値	測定法	材料
クラミジア・トラコマチス DNA	陰性	リアルタイム PCR，TMA-HPA	子宮頸管・尿道拭い液（スワブ），うがい液，尿

異常値を示す疾患と病態・関連検査

関連検査　クラミジア・トラコマチス抗原，血中抗クラミジア IgG・IgA 抗体

> **NOTE　性器クラミジア感染症の治療**
> ・非妊婦ではマクロライド系，テトラサイクリン系，ニューキノロン系抗菌薬いずれかの<u>7日間内服</u>が標準的である．マクロライド系薬のアジスロマイシンでは，1日1回内服で治癒が期待できるが，<u>パートナーも一緒に治療しなければ再発する</u>．
> ・感染した母体からの出生児には，眼球への産道感染に対して抗菌薬の点眼が予防的に行われる．
> ・感染の波及で卵管癒着となった妊婦には，腹腔鏡によって癒着剥離術が行われる．癒着が激しい場合は，体外受精でなければ児を得ることができない場合もある．

以下の記述の正誤を答えよ．
1　死菌の場合は DNA 定量検査で陽性にならない．
2　定量検査で「検出せず」なら感染は否定できる．
3　HCV の核酸検査ではウイルスの RNA を検出している．

F-1　心機能検査

心機能の検査では，バイタルサインの評価に加えて，心電図検査，心臓超音波検査，胸部X線検査，RIを用いた心筋シンチグラフィー，冠動脈造影検査，スワンガンツカテーテル検査，血液中の心機能パラメーター検査などがある．ここでは，低侵襲検査のうち特に重要な心電図検査，心血管超音波検査，胸部X線検査，血液中の心機能パラメーター検査について述べる．

心電図検査とは

心電図は心臓の電気的活動を体表面の電極により検出し，経時的に図式化したものである．正常心電図はPQRST（＋U）波で構成される（図2F-1）．

心電図の検査法

誘導とは検査時に装着する電極の位置であり，観測点に相当する．12誘導心電図は四肢の電極で観測した6種類の標準肢誘導と，心臓に近い電極で観測した6種類の胸部誘導で構成されており，心臓の電気活動を立体的に捕捉することができる（図2F-2）．

標準肢誘導は手足に装着した電極（右足はアース）から得られる波形で，第Ⅰ（左手→右手）・第Ⅱ（左足→右手）・第Ⅲ（左足→左手）誘導がある．また，仮想の電気的中心（不関電極）と四肢電極との電位差を記録したものがaVR（右手）・aVL（左手）・aVF（左足）誘導である．胸部誘導は不関電極と左室を取り囲む形で胸部に装着した体表面電極との電位差を記録したもので，6種類の波形（V_1・V_2・V_3・V_4・V_5・V_6）が得られる．12誘導心電図のうち，第Ⅱ誘導はすべての波が明瞭で観察しやすい（図2F-3）．

電気軸は心臓を前面からみた心室全体の興奮ベクトルに相当し，心肥大や刺激伝導系の異常により右回りまたは左回りの方向に偏位する．

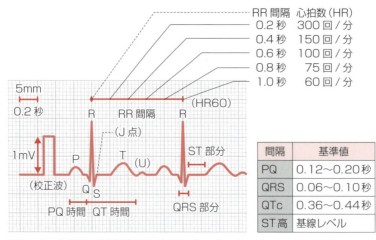

図2F-1　心電図の基本波形と重要なパラメーター

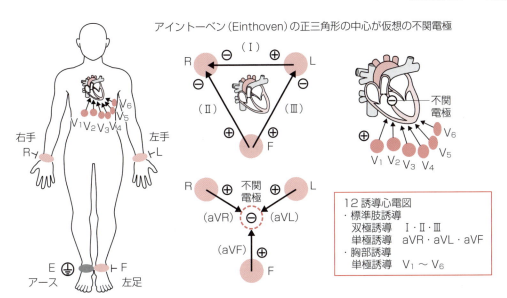

図2F-2　12誘導心電図における電極の位置と誘導の種類

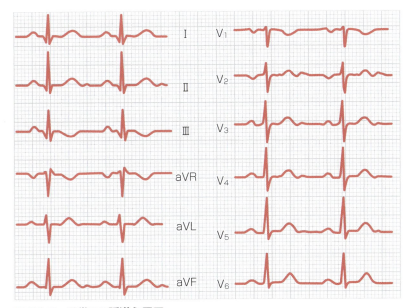

図2F-3　正常12誘導心電図

基準値と異常値の出るメカニズム

心電図は，各成分の波形，横軸および縦軸の変化を評価する（表2F-1）．

通常，心電図のRR間隔は心拍数（レート：rate）と一致する．調律（リズム）はRR間隔がほぼ一定であれば整（レギュラーリズム）といい，P波→QRS→T波が規則正しく出現する状態を洞調律という．RR間隔が不均一な状態を不整（イレギュラーリズム）という．

波形の異常では心室性期外収縮（PVC）が特徴的である．PVCは心室筋内で興奮が発生し，遅

表2F-1　心電図検査で得られるパラメータ

	意　義	正常値	異常をきたす病態
P波	心房興奮(収縮)活動の総和	0.06＜P≦0.10秒 高さ＜0.25 mV	心房停止(消失)，心房細動(f波の出現) 心房負荷(増高)
Q波* R波* S波*	QRS部分：心室興奮(収縮)活動の総和	0.06≦QRS＜0.10秒 異常Q波：深さRの1/4以上 移行帯：V2～V4	心室性期外収縮 心室頻拍，心室細動 脚ブロック
T波	心室の再分極	0.10＜T≦0.25秒	虚血性心疾患，冠性T波 低K血症(減高) 高K血症(増高)
RR間隔	60÷RR(秒)＝心拍数	RR間隔はおおむね一定	洞性頻脈，洞性徐脈
PQ時間	房室間の伝導時間(P波～Q波のはじめ)	0.12＜PQ≦0.20秒	延長：房室ブロック 短縮：WPW症候群
QT時間 (QTc)	心室の脱分極から再分極までの時間(純粋な再分極時間はJT時間)	0.36≦QTc＜0.44秒	QT延長症候群 薬剤性QT延長
ST部分	心筋虚血部位での静止電位上昇	基線と同じ高さ	虚血性心疾患

*R波は基線より上向きの波でR波の前にある下向きの波がQ波，R波の後にある下向きの波はS波と定義される．

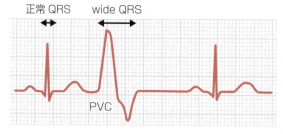

Lownの重症度分類

Grade	所　見
0	期外収縮なし
1	散発性(30/時間未満)
2	多発性(30/時間以上)
3	多形性
4a	2連発
4b	3連発以上
5	R on T

図2F-4　心室性期外収縮(PVC)の波形とLownの重症度

い筋肉内伝導によって興奮が伝わるため，幅の広いQRS(wide QRS)となる(図2F-4)．PVCは健常人にも認められ，重症不整脈に移行するリスク(Lownの重症度分類)が低ければ治療の対象としない．

横軸の変化では，心室筋の脱分極から再分極過程までを反映するQT間隔(QT時間)が重要であり，QTを心拍数で補正(corrected)したものをQTcと表記する．概観法として，T波がRR間隔の2分の1を超えていればQT延長の可能性が高いと考えてよい(図2F-5)．QT延長は，重篤な心室性不整脈であるトルサード・デ・ポワンツTorsades de Pointes(TdP)型心室頻拍の原因となる(図2F-6)．薬剤性QT延長は先天性のQT延長症候群とならびTdPの原因として重要であり，ハイリスク薬剤の投与中はQT時間を定期的にチェックする必要がある(表2F-2)．

縦軸では虚血性心疾患の指標として特にST変化が重要である．内膜下虚血ではST低下(基線の上昇)が観測され，外膜側までの貫壁型虚血では病変部付近の誘導でST上昇(基線の低下)

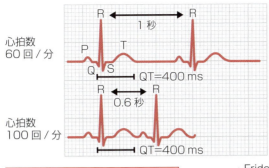

図2F-5　QT時間の心拍数によるQTcへの影響

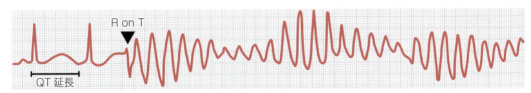

図2F-6　Torsades de Pointes（TdP）

表2F-2　薬剤性QT延長の原因薬

薬効分類	医薬品名
抗不整脈薬	アミオダロン，ソタロール，ニフェカラント（Ⅲ群薬） キニジン，プロカインアミド，ジソピラミド，シベンゾリン（Ia群薬） ベプリジル
抗生物質・抗菌薬	エリスロマイシン，クラリスロマイシン，モキシフロキサシン
抗真菌薬	イトラコナゾール
抗精神病薬	ハロペリドール，クロルプロマジン，リスペリドン，オランザピン
抗うつ薬	イミプラミン，アミトリプチリン，トラゾドン
抗悪性腫瘍薬	ドキソルビシンなどアントラサイクリン系抗がん薬 三酸化ヒ素，チロシンキナーゼ阻害薬の一部
PDE-V阻害薬	シルデナフィル，バルデナフィル
その他	ソリフェナシンコハク酸塩，プロピベリン，ドネペジルなど

が観測される．また，急性心筋梗塞では病変部のST上昇と同時に他の誘導にST低下を認める場合が多く，対側変化と呼ばれる（図2F-7）．

電気軸は通常，右肩から左腹部の方向が正常である（基準値：0°～+90°）．簡易的には肢誘導のQRSの向きで判断し，正常であれば，第Ⅰと第Ⅱ（またはaVL）誘導のQRSはともに上向きの陽性波を示すが，第Ⅱ（またはaVL）誘導のQRSが下向きの場合は左軸偏位，第Ⅰ誘導のQRS

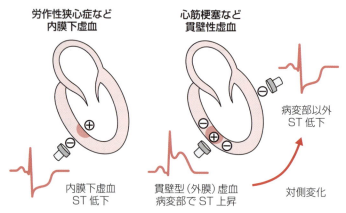

図2F-7　心筋虚血とST変化の関係

が下向きの場合は右軸偏位であることが多い．

> **NOTE　その他の心電図検査**
>
> **モニター心電図**は入院患者や術中など，患者の経時的な観察に適しており，第II誘導やV₅誘導類似の波形など，患者の病態に応じて誘導を選択する．
> **ホルター心電図**は，レコーダーと電極を患者に装着し，受診時の検査だけでは発見できない不整脈や虚血変化を捕捉する目的で用いられる．日常生活下で24時間の心電図を記録し，行動記録と照合することで心電図異常が発生した状況や症状との関係を把握できる．
> **運動負荷心電図**は，労作性狭心症の診断に有用であり，安静時の心電図に異常がない場合でも，踏み台昇降などの運動負荷によりST変化が認められれば陽性と判定する．

異常値を示す疾患と病態・関連検査

異常値　心不全（☞p.156），心筋症，虚血性心疾患（☞p.160），不整脈（☞p.154），脚ブロック，電解質異常など

関連検査　心臓超音波検査，胸部X線検査，心臓カテーテル検査，BNP，クレアチニンキナーゼ，心筋トロポニンなど

心血管超音波検査法（心臓および血管超音波検査）とは

体表面より超音波をあて，心内腔の大きさや血管径などの解剖学的な構造，弁などの開閉状態や逆流の有無を動的に観察でき，血流速度や心内圧を評価することができる．

基準値と異常値の出るメカニズム

心筋収縮能の指標としては**左室駆出率（LVEF）**が重要で，正常なLVEFは55〜80%である．LVEFの低下を認める心不全は収縮不全型心不全（HFrEF）に分類される（表2F-3）．

腹部超音波検査では，**下大静脈（IVC）**の観察により，**中心静脈圧（右房圧）**を推定することができる．循環血液量の増加や右心不全に伴い中心静脈圧が上昇すると，IVC径が増大して呼吸性変動*は消失し，重症例では21 mm以上となる．一方で中心静脈圧は脱水症や出血に伴う循

表2F-3 LVEFと心不全の分類

定義	LVEF	説明
LVEFが低下した心不全（HFrEF）	LVEF＜40％	・収縮不全 ・標準的心不全治療
LVEFが保たれた心不全（HFpEF）	LVEF≧50％	・拡張不全 ・治療法が未確立
LVEFが軽度低下した心不全（HFmrEF）	40％＜LVEF＜50％	・境界型心不全

環虚脱では低下し，IVCの最大径が10 mm以下となる．

> **NOTE** *呼吸性変動：呼吸とともに右房に還流する血液量が増減するため，IVCは呼気で膨大し，吸気でしぼむ（通常は50％以上変動する）．

異常値を示す疾患と病態・関連検査

異常値 心不全（HFrEF，HFpEF），左心不全，右心不全（☞p.156），心臓弁膜症など
関連検査 BNP，胸部X線検査，心臓カテーテル検査など

胸部X線検査とは

異常値の出るメカニズム

心肥大や心不全では心陰影が拡大し，肺野に占める心陰影の比率（心胸郭比：CTR）が50％以上となる．また，左心不全では，肺循環うっ血に伴い肺の内側（肺胞および間質）へ液体が貯留して肺水腫を認め，肺門部の蝶形陰影（butterfly shadow），すりガラス様陰影や肺小葉間浮腫の増強（Kerley's Bラインなど）として抽出される．右心不全では，胸腔内に貯留した液体が胸水として観察される．立位で撮像した場合，胸水貯留がなければ下葉端の肋骨横隔膜角（CPA）が鋭角になるが，胸水が貯留しているとCPAは鈍角（dull）になる．

異常値を示す疾患と病態・関連検査

異常値 心不全（☞p.156），肺炎（☞p.200），がん性胸水，胸膜炎，低アルブミン血症など
関連検査 BNP，心臓超音波検査，動脈血ガス分析など

ナトリウム利尿ペプチドとは

脳性/心室性のB型ナトリウム利尿ペプチド（BNP）は心不全症状の重症度と相関が強く，心不全マーカーとして重要である．一方で重度の腎機能低下でもBNP値が上昇するため注意が必要である．また，心不全治療薬のアンギオテンシン受容体ネプリライシン阻害薬（ARNI）は，ナトリウム利尿ペプチドの不活性化酵素であるネプリライシンを阻害するため，BNPが本来の

数値よりも高値となる．したがって，ARNI投与中の心不全マーカーとしては，BNP前駆体から生じる副生成物のNT-proBNPがモニタリングに適している．

以下の記述の正誤を答えよ．
1 正常な心電図であっても，誘導の種類（電極の位置）により波形は変化する．
2 虚血性心疾患の検査では，QT時間（QTc）の変化が最も重要である．
3 心不全患者では，左室駆出率（LVEF）の低下が必ず認められる．
4 胸水貯留は，立位撮像の胸部X線写真で肋骨横隔膜角（CPA）の鈍角化（dull）として観察される．

F-2 肺機能検査

肺機能の検査では，呼吸に伴って肺を出入りする空気の量や速度を測定する換気機能検査と血液中のガスを分析することで肺胞でのガス交換機能を評価する呼吸機能検査がある．主な対象疾患として気管支喘息および慢性閉塞性肺疾患（COPD）があり，ここでは，換気機能の検査として重要なスパイロメーターを用いたスパイログラムおよび肺拡散能力について述べる．

スパイログラムとは

呼吸に伴う気量変化をスパイロメーターにより測定した時間-気量曲線のことで，さまざまな呼吸機能パラメーターが得られる（図2F-8）．

安静時呼吸での吸気量と呼気量の合計を1回換気量，胸いっぱいに最大の吸気を行った後，ゆっくり吐き出した呼気量は肺活量（VC）と定義される．最大吸気のあとで一気に吐き出したとき

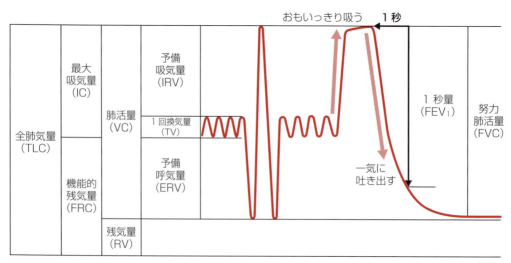

図2F-8 スパイログラムと各種パラメーター

の強制呼気量を努力性肺活量(FVC)といい、通常はVC＞FVCである。肺活量の実測値と年齢・性別と身長から期待される基準値(予測肺活量)との比を百分率で示したものが％肺活量(％VC・％FVC)である。

基準値と代表的な測定法および材料

気道狭窄の評価項目として、FVC測定時に最初の1秒間で吐き出された呼気量が1秒量(FEV_1)、1秒間にFVCの何％を呼出したかを示したものが1秒率($FEV_{1.0\%}$)である。実測1秒量と年齢と身長から計算される基準値(予測1秒量)との比を百分率で示したものが％1秒量(％FEV_1)となる。また、気流速度(流量)を縦軸、気量を横軸に表したものはフローボリューム曲線と呼ばれ、得られる最大呼気流速(PEFR)のことをピークフローという場合がある。

> **NOTE** 特に喘息患者においては、病状のセルフモニタリングにピークフローが有用である。ピークフローメーターで測定したピークフロー値や発作軽減薬(リリーバー)の使用歴を喘息日記に記録することで、喘息の適切なコントロールやリリーバーの適正使用が図られる。

異常値の出るメカニズム

肺線維症、間質性肺疾患などの拘束換気障害では％肺活量の低下(％VC＜80％)が認められ、COPD、気管支喘息などの閉塞性換気障害では気道狭窄を示唆する1秒率低下($FEV_{1.0\%}$＜70％)を認める(図2F-9)。

慢性気管炎による狭窄と弾性線維の破壊が進行したCOPD患者では呼気で容易に気管支が潰れるため、重症例のフローボリューム曲線では、ピークフロー値の低下とともに努力呼気の後半に流速の急激な減少が認められる。

異常値を示す疾患と病態・関連検査

異常値 気管支喘息(☞p.196)、慢性閉塞性肺疾患など(☞p.198)
関連検査 スパイログラム、動脈血ガス分析、胸部X線検査など

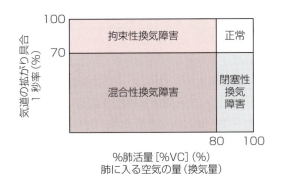

図2F-9 換気障害の分類

肺拡散能力（DLCO，DLCO/VA）とは

肺胞から血液へのガス移行性（肺拡散能力）は，**一酸化炭素肺拡散能（DLCO）**で評価する．

検査方法は微量の一酸化炭素（CO，0.3％）を含有した混合ガスを吸気させた後，呼気中のCOを測定する．呼気中のCO減少分は肺胞から血液へ移行した量に相当し，DLCOを反映する．DLCOは肺の大きさにも依存するため，DLCOを肺容積に相当する肺胞換気量（VA）で割ったDLCO/VAを算出する．評価は正常予測値に対する実測値の百分率（％DLCOおよび％DLCO/VA）を指標とし，基準値はいずれも80％以上である．

COPDでは，肺胞の破壊と気腫様変化によりガス交換面積が減少するため，％DLCOは低下する．特に重度の肺気腫では，％DLCO/VAが著明に低下する．

> **NOTE** 1気圧の室内気には約21％の酸素が含まれ（吸気中酸素濃度：FiO_2 0.21），二酸化炭素はわずか0.03％に過ぎない．肺胞では酸素と二酸化炭素のガス交換が行われており，ガス交換が正常に行われると呼気中の酸素は16〜17％に減少し，二酸化炭素が4％に増加する．

異常値を示す疾患と病態・関連検査

異常値 気管支喘息（☞p.196），慢性閉塞性肺疾患（☞p.198）など
関連検査 スパイログラム，動脈血ガス分析，胸部X線検査など

以下の記述の正誤を答えよ．
1 気管支喘息などの閉塞性換気障害では，1秒率（$FEV_{1.0}$％）の低下が重要な所見である．

F-3 動脈血ガス分析

動脈血ガス分析および経皮的酸素飽和度とは

動脈血ガス分析では，**呼吸状態と酸塩基平衡状態を評価する**ことができ，水素イオン濃度（pH），動脈血酸素分圧（PaO_2），動脈血二酸化炭素分圧（$PaCO_2$）およびヘモグロビン（Hb），乳酸イオン（Lactate）は直接測定が可能な項目である．動脈血ガス分析で測定された数値より，動脈血酸素飽和度（SaO_2），重炭酸イオン（HCO_3^-），塩基余剰（BE）およびアニオンギャップ（AG）などを算出することができる．血液酸素飽和度の測定では，**パルスオキシメーター**による動脈血の**経皮的動脈血酸素飽和度（SpO_2）**が汎用され，SpO_2は血中の酸化ヘモグロビンの割合を反映した動脈血酸素飽和度（SaO_2）とほぼ等しい．

基準値と代表的な測定法および材料

通常は橈骨動脈からの直接採血または動脈ライン（A-line）からのサンプリングにて血液を採取し10分以内に測定する必要がある（表2F-4）．

表2F-4 動脈血ガスの基準値

項目	基準値	測定方法
pH	7.35〜7.45	電極法
PaO_2	80〜100 Torr (mmHg)	
$PaCO_2$	35〜45 Torr (mmHg)	
Lactate	0.5〜2 mmol/L	酵素法
SaO_2	95%以上	上記検査値および電解質検査の結果から算出
HCO_3^-	22〜26 mEq/L (mmol/L)	
BE	−2〜+2 mEq/L (mmol/L)	
AG	10〜14 mEq/L (mmol/L)	

NOTE 血液ガス分析のうち pH，HCO_3^-，BEおよび Hbについては，静脈からの採血でも数値がほとんど変わらないため，動脈からの採血が困難な場合に静脈血で代用することがある．

異常値の出るメカニズム

血液 pHが基準値よりも酸性を示す状態をアシデミア，アルカリ性を示す状態をアルカレミアといい，酸性側に向かう病態をアシドーシス，アルカリ性側に向かう病態をアルカローシスという（☞p.27）．

SpO_2 90％の状態は，酸素解離曲線により PaO_2 が約60 Torr（mmHg）であることを示すため著明な低酸素状態であり，室内気（room air）の呼吸で SpO_2≦90％の状態を呼吸不全という．呼吸不全は高炭酸ガス（高二酸化炭素）血症の有無によりⅠ型とⅡ型に分類する．$PaCO_2$≦45 Torr（mmHg）であればⅠ型呼吸不全で酸素投与が第一選択であるが，$PaCO_2$＞45 Torr（mmHg）のⅡ型呼吸不全では慢性的な高炭酸ガス血症のため，低酸素刺激によってのみ自発呼吸が維持されている．ここへ不用意に高濃度酸素を投与すると自発呼吸が弱まり，CO_2 がさらに蓄積して意識障害等の症状が増悪する．この状態を CO_2 ナルコーシスと呼び，重度のCOPDでは慢性的な呼吸障害のため，Ⅱ型呼吸不全を呈していることがある．

異常値を示す疾患と病態・関連検査

異常値 呼吸不全（Ⅰ型・Ⅱ型），低酸素血症，高炭酸ガス血症，アシドーシス，アルカローシスなど

関連検査 呼吸器機能検査，胸部 X線検査，胸部 CT検査，気管支内視鏡検査など

以下の記述の正誤を答えよ．
1 室内空気の呼吸で経皮的動脈血酸素飽和度（SpO_2）が90％以下のとき，動脈血酸素分圧（PaO_2）≦60 Torrの低酸素血症に相当し，呼吸不全という．
2 高二酸化炭素血症（$PaCO_2$＞45 Torr）を伴う呼吸不全をⅠ型呼吸不全と呼び，直ちに高濃度酸素の投与が必要である．
3 動脈血ガス分析では，代謝性アシドーシスなど酸塩基不均衡状態の評価が可能である．

F-4 バイタルサインを含むフィジカルアセスメント

救急医療におけるフィジカルアセスメント（ABCDEアプローチ）

　バイタルサインは生命徴候とも呼ばれる．救急領域では生体に酸素が取込まれる順序，すなわちA：気道→B：呼吸→C：循環→D：脳（意識レベル）→E：体温のABCDEアプローチで繰り返し評価するため，この手順を参考にフィジカルアセスメントを記述する．プライマリ・ケア領域では，意識レベルを含む見た目の重症感を第一印象（Appearance）として概略を評価した後に，呼吸，循環の順にバイタルサインを確認する方法もあるため，一例として示す（図2F-10）．

> **NOTE** 聴診器（ステート）にはシングルタイプとダブルタイプがあり，ダブルタイプには面積の小さいベル側と広い膜側の2面あるが，通常は膜側を使用する．イヤーチップは正面から見て"ハ"の字の方向で耳に装着する．

気道と呼吸（AおよびB）

　生体に酸素を取込む最初のステップで，まず患者を観察して肩および胸郭の上下で呼吸数と呼吸様式（パターン）を判断する．呼吸に伴って生じる肺音は聴診器を胸部の上部から下部まで「弓」の字を描くようにあてて聴取する．「スースー」と気道を空気が通過する音が呼吸音で，頸部や上葉で気管支音が，中葉以下で肺胞音が聞かれる．それ以外の音は副雑音として区別される．

　呼吸数は9回/分以下なら徐呼吸，30回/分以上では頻呼吸となる．呼吸様式の異常には，呼吸筋以外の筋肉を使用する努力呼吸，呼吸中枢の異常に伴い呼吸停止と再開を繰り返すチェーンストークス呼吸やビオー呼吸がある．また，代謝性アシドーシスでは代償性に二酸化炭素を多く排出するため，継続的な深呼吸（クスマウル大呼吸）が認められる．

　副雑音ではラッセル音（ラ音）が重要で，断続性ラ音（水疱音および捻髪音）が聴取される場合

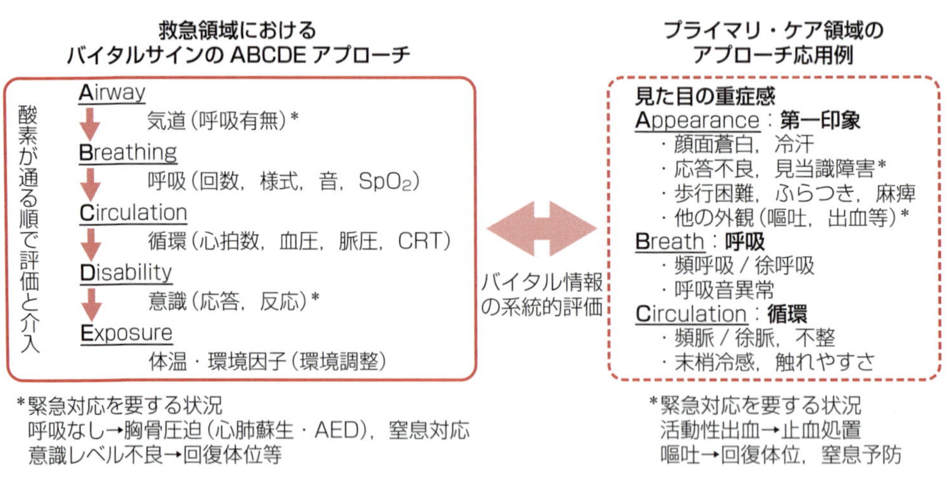

救急領域における
バイタルサインの ABCDE アプローチ

酸素が通る順で評価と介入

Airway
　　気道（呼吸有無）*
Breathing
　　呼吸（回数，様式，音，SpO_2）
Circulation
　　循環（心拍数，血圧，脈圧，CRT）
Disability
　　意識（応答，反応）*
Exposure
　　体温・環境因子（環境調整）

*緊急対応を要する状況
　呼吸なし→胸骨圧迫（心肺蘇生・AED），窒息対応
　意識レベル不良→回復体位等

⇔ バイタル情報の系統的評価

プライマリ・ケア領域の
アプローチ応用例

見た目の重症感
Appearance：第一印象
・顔面蒼白，冷汗
・応答不良，見当識障害*
・歩行困難，ふらつき，麻痺
・他の外観（嘔吐，出血等）*
Breath：呼吸
・頻呼吸／徐呼吸
・呼吸音異常
Circulation：循環
・頻脈／徐脈，不整
・末梢冷感，触れやすさ

*緊急対応を要する状況
　活動性出血→止血処置
　嘔吐→回復体位，窒息予防

図2F-10　バイタルサインのABCDEアプローチとプライマリ・ケアに応用される評価法の一例

は肺胞内分泌物や間質炎症の存在が示唆され，連続性ラ音（喘鳴およびロンカイ）が聞かれる場合は，気道や気管支に狭窄があると考える．

循環・血圧および心音（C）

循環は取込んだ酸素を血液により全身に運搬する．血圧は心拍出量と末梢血管抵抗により調節され，心拍ごとに規則正しく収縮期血圧と拡張期血圧を繰り返しており，この圧力差（脈圧）により脈拍が触知される．

脈拍は一般的に手首の橈骨動脈で確認する．基準値は60〜100回/分であり，脈拍が規則正しい場合を整，不規則な場合は不整と判断する．橈骨動脈の触知が困難な場合は，脈圧の減少または収縮期圧が80 mmHg以下になっている可能性があるため，60〜70 mmHg前後まで触知が可能な総頸動脈や大腿動脈でも確認を試みるか，補助的に毛細血管再充満時間（CRT）を確認する．CRTは爪を5秒間圧迫した後に解除し，爪の血色が戻るまでの時間で，ショックなどの末梢循環不良があるとCRTは2秒を超える．

血圧測定では，加圧バッグ（カフ）を心臓と同じ高さの上腕に巻き，カフを加圧して上腕動脈の血流を一旦止めてから，カフ圧を緩徐に下げて血流を徐々に再開させる．この際，狭窄した上腕動脈から生じる血流雑音（コロトコフ音）が聴診器などで聞こえ始めたときのカフ圧が収縮期血圧（SBP），コロトコフ音が消失したカフ圧が拡張期血圧（DBP）に相当する．

心音の発生には弁の開閉が関与しており，Ⅰ音とⅡ音が最も大きく聞こえる．Ⅰ音は房室弁（僧帽弁＋三尖弁）が閉鎖する際に発生し，Ⅱ音は動脈弁が閉鎖するときに発生する．Ⅰ音は心尖部（第5肋間付近）で，Ⅱ音は心基部（第2肋間付近）でより大きく聞こえる．Ⅲ音やⅣ音は心室充満音（急速流入音）であり，心不全などの異常時にはⅢ音やⅣ音が大きくなるため，馬が走るような音（奔馬音）が聴取される．房室弁逆流があると収縮期（Ⅰ音の直後）に，動脈弁に逆流がある場合は拡張期（Ⅱ音の直後）に雑音が聴取される．

意識レベル（D）

脳の機能（意識レベル）は血液によって運搬される酸素やグルコース，神経伝達物質によって維持されており，意識レベルの異常はこれらの障害を示唆する．

意識レベルの評価には，ジャパン・コーマ・スケール（JCS），グラスゴー・コーマ・スケール（GCS），簡単な指示に従うかどうかを確認する従命反応などがある．JCSでは，刺激に対する覚醒の有無により概略を桁数に相当するⅠ〜Ⅲの3段階で評価し，反応の程度をその桁の数値（3段階）で詳細に評価する3-3-9方式がとられている（表2F-5）．GCSは意識レベルを機能別に分割し，E（開眼）4点，V（言語反応）5点，M（運動反応）6点として評価する（表2F-6）．

意識清明でない（JCSが0以外，GCSが15点未満，従命反応がない）場合は，意識レベルの異常ととらえ，脳への血液および酸素の供給，血糖値，神経伝達物質のいずれかに異常があると考える．

表2F-5　ジャパン・コーマ・スケール（JCS）による意識レベルの評価

	Ⅰ　刺激がなくても覚醒している（1桁台）	付則
1	だいたい意識清明だが，いまひとつはっきりしない	R：不穏
2	時・場所または人物がわからない	I：便・尿失禁
3	名前または生年月日がわからない	A：自発性喪失
	Ⅱ　刺激すると覚醒する（2桁台）	
10	普通の呼びかけで容易に開眼する	
20	大きな声または体をゆさぶることにより開眼する	
30	痛み刺激と呼びかけを繰り返すと，かろうじて開眼する	
	Ⅲ　刺激しても覚醒しない（3桁台）	
100	痛み刺激に対し，はらいのけるような動作をする	
200	痛み刺激に対し手足を動かしたり，顔をしかめる	
300	痛み刺激に反応しない	

（例）意識清明な場合はJCS 0，深昏睡状態で尿失禁がある場合：JCS Ⅲ-300（I）となる．

表2F-6　グラスゴー・コーマ・スケール（GCS）による意識レベルの評価

	E：開眼 (eye opening)		V：言語反応 (best verbal response)		M：運動反応 (best motor response)
E4	自発的に開眼	V5	見当識*あり	M6	指示に従う
E3	言葉により開眼	V4	混乱した会話	M5	痛み刺激部位に手足をもってくる
E2	痛み刺激により開眼	V3	不適当な単語	M4	痛みに手足を引っ込める（逃避屈曲）
E1	開眼しない	V2	無意味な発声	M3	上肢を異常屈曲させる（除皮質肢位） 異常な四肢屈曲反応
		V1	発声がない	M2	四肢を異常進展させる（除脳肢位）
				M1	まったく動かさない

意識清明・正常
　E4V5M6＝15点（満点）
深昏睡状態の患者
　E1V1M1＝3点（最低点）

*見当識とは，時間・場所・人間関係を正しく認知している状態を指す．

体温（E*）

NOTE　*救急領域では環境因子まで含めることがあるが，ここでは体温についてのみ述べる．

体温には**体表面温度**と**深部体温**（直腸内，鼓膜内，膀胱内，血管内）がある．体表面温度の基準値は36.5±0.5℃で，一般に予測法により1分以内に測定可能な電子体温計を用いる．

発熱のパターン（熱型）には，日内変動が1℃以内の発熱状態が持続する**稽留熱**（肺炎や腸チフスなど）と日内変動が1℃以上ある**弛張熱**（敗血症や化膿性疾患），日内変動が1℃以上で解熱と発熱を繰り返す**間欠熱**（薬物副反応や腫瘍熱），発熱期と平熱期を繰り返す**波状熱**や**周期熱**（マラリアやホジキン病）がある．

低体温は深部体温の低下と定義され，深部体温が35℃以下になると激しい震えや，筋硬直，徐脈や徐呼吸，低血圧などを生じる．原因には溺水や寒冷地での保温不足などの外因性と甲状腺機能低下症，自律神経失調などの内因性がある．

以下の記述の正誤を答えよ．
1　救急領域におけるフィジカルアセスメントは，一般に体内に酸素が取込まれる順序（A：気道→B：呼吸→C：循環→D：脳＝意識レベル→E：体温）でバイタルサインを繰り返し評価する．
2　プライマリ・ケア領域のフィジカルアセスメントは，見た目の重症感のみで評価し，バイタルサインの確認は行わない．
3　刺激に対する反応が全くない深昏睡状態の患者は，JCS（ジャパン・コーマ・スケール）で0，GCS（グラスゴー・コーマ・スケール）ではE4V5M6＝15と評価する．

G-1　尿検査

尿は，生体への侵襲性がなく，最も容易に採取できる検体である．しかしながら，生理的変動幅が大きいため，検査とその解釈には注意が必要である．

尿量，尿比重，尿浸透圧とは

尿は，血液が腎臓で濾過され原尿となったのちに，尿細管での再吸収などいくつかのプロセスを経て生成したものである．基準値よりも尿量が少ない場合には乏尿（400 mL以下），さらに少ない場合には無尿（100 mL以下）という．1日あたりの尿量が基準値よりも多い場合には多尿（2,000 mL以上）という．また，尿の溶質成分であるナトリウムや糖，尿素，蛋白は，尿の比重や浸透圧に影響し，排泄が調節されている．尿比重は溶質の重量濃度に，尿浸透圧は電解質や尿素などの分子数に比例する．

基準値と代表的な測定法および材料

項目	基準値	測定法	材料
尿量	1,000～1,500 mL/日		尿
尿比重	1.010～1.025	試験紙法，尿比重計法	
尿浸透圧	50～1,300 mOsm/L	氷点降下法	

検体の取扱い

いずれも水分摂取量や食事，激しい運動などで変動するため注意が必要である．

異常値の出るメカニズム

健常者では，体液量に変動が生じた際には，抗利尿ホルモンなどの作用から水の再吸収を促進するなどして体内の浸透圧を一定に保とうと変化する．すなわち，尿の濃縮または希釈によって尿量の変化が生じ，これに伴い尿比重や尿浸透圧も変化する．また，腎障害などは，尿量や尿の溶質成分に変化が生じるため異常値が検出される．

異常値を示す疾患と病態・関連検査

[高値] 尿量（増加）：尿崩症（☞p.212）．尿比重・尿浸透圧：ネフローゼ症候群（☞p.192），脱水，糖尿病（☞p.214）

[低値] 尿量（減少）：心不全（☞p.156）．尿比重・尿浸透圧：尿崩症，腎盂腎炎

尿定性検査とは

試験紙法を利用し，簡便に検査を行う方法で，一般的な健康診断においても利用される．検査項目として，比重やpH，蛋白，糖，ビリルビン，ウロビリノーゲン，赤血球などが挙げられる．

基準値と代表的な測定法および材料

各検査項目の詳細については，それぞれの項にて示す．

検体の取扱い

尿検査に使用する尿検体は，原則保存せずにすぐに使用する．12時間以内であれば，冷蔵保存することでほとんどの検査に適用が可能である．また，長期間の保存や尿中の化学成分を検査する際には冷凍保存を行う．保存剤には，ホルマリンやトルエン，炭酸ナトリウム，アジ化ナトリウムなどが用いられる．

尿 pHとは

尿のpHは，5.0〜8.0の範囲内で変動するが，通常は6.0付近である．食事において動物性食品が多い場合には酸性に，植物性食品が多い場合にはアルカリ性となる．なお，早朝尿はpH 5.5未満となる．

基準値と代表的な測定法および材料

項目	基準値	測定法	材料
尿 pH	5.0〜7.0	試験紙法	尿

検体の取扱い

尿には，少量のグルコースや蛋白が含まれているため，細菌などが混入すると細菌の増殖にグルコースが消費され，その結果，尿のpHが酸性に傾くことがある．また，増殖した細菌のウレアーゼの作用によりアンモニアが生成し，尿がアルカリ性へ傾くこともあるため保存には注意が必要である．

異常値の出るメカニズム

代謝性・呼吸性アシドーシスやアスコルビン酸，アスピリンの投与において尿は酸性に傾く．一方，アルカローシスや炭酸水素ナトリウム，チアジド系利尿薬の投与によって尿はアルカリ性に傾く．

異常値を示す疾患と病態・関連検査

[酸性] 発熱，脱水，糖尿病（☞p.214），痛風（☞p.220），飢餓など
[アルカリ性] 尿路感染症，嘔吐，過呼吸，制酸剤服用など

尿蛋白とは

尿には，アルブミンやムコ蛋白，a_1-アンチトリプシン，トランスフェリン，免疫グロブリンなどの蛋白が含まれている．これらは，健常者の尿では微量のため試験紙では陰性となる．例え

ば，腎臓の糸球体や尿細管に障害を生じると，アルブミンなどの蛋白が尿中に多く混入する．

基準値と代表的な測定法および材料

項目	基準値	測定法	材料
尿蛋白	陰性〜偽陽性（定性・半定量）	試験紙法，スルホサリチル酸法	尿
	アルブミン30 mg/gCr未満（定量）	ピロガロールレッドモリブデン錯体発色法	

検体の取扱い

尿蛋白は，陰性および陽性（1+，2+，3+）といった形式で評価される．また，激しい運動，発熱，体位変換（起立や前彎曲など）により生じる生理的蛋白尿であるか，疾患由来の症候性蛋白尿であるかの鑑別が必要となる．したがって，陽性が検出された際には，繰り返しの検査や血尿の有無といった追加の検査が必要となる．

異常値の出るメカニズム

症候性蛋白尿は，その原因から腎前性蛋白尿，腎性蛋白尿（糸球体性蛋白尿・尿細管性蛋白尿），腎後性蛋白尿に分類される．腎前性蛋白尿では溶血によりヘモグロビン，骨格筋・心筋の破壊によりミオグロビンが尿中に排出される．糸球体性蛋白尿では糸球体の障害により蛋白の透過性が増すため，アルブミン，トランスフェリン，IgGなどが排出される．尿細管性蛋白尿では糸球体濾過後に本来は近位尿細管で再吸収される$β_2$-マイクログロブリン，$α_1$-マイクログロブリン，レチノール結合蛋白などが尿細管の障害のために再吸収されず尿中に排出される．腎後性蛋白尿では腎盂以下の尿路の異常により蛋白が尿中へ排出される．

異常値を示す疾患と病態・関連検査

陽性・高値 腎前性蛋白尿：多発性骨髄腫，横紋筋融解症，溶血性疾患
　腎性蛋白尿　糸球体性蛋白尿：急性糸球体腎炎，糖尿病性腎症，ループス腎炎
　　　　　　　尿細管性蛋白尿：間質性腎炎，先天性尿細管疾患
　腎後性蛋白尿：膀胱炎，尿道結石

尿糖（グルコース）とは

健康成人では，1日あたり40〜90 mg程度の少量の糖（グルコース）が尿中に排泄される．一方，高血糖状態においては，腎臓における糖の再吸収過程に限界が生じ，その結果，尿中に糖が排泄されるようになる．

基準値と代表的な測定法および材料

項目	基準値	測定法	材料
尿糖	陰性（定性・半定量）	試験紙法	尿
	随時尿20 mg/dL以下（定量）	ブドウ糖酸化酵素酸素電極法	

検体の取扱い

尿糖においては，食事の量や時間に大きく影響を受けるため注意が必要である．

異常値の出るメカニズム

腎臓では，1日に約180 gの糖が糸球体より濾過されるが，そのほとんどは近位尿細管によって再吸収される．したがって，尿細管の機能障害や糖の再吸収の飽和が引き起こされると尿中に糖が排泄される．

異常値を示す疾患と病態・関連検査

陽性・高値 糖尿病（☞p.214），クッシング症候群（☞p.209），肝機能障害，ファンコーニ症候群，甲状腺機能亢進症（☞p.206）

関連検査 空腹時血糖値，経口グルコース負荷試験（OGTT），HbA1c

尿ケトン体とは

ケトン体は，脂質が肝臓で代謝される際に生成するアセト酢酸およびβ-ヒドロキシ酪酸，アセトンの総称である．アセト酢酸およびβ-ヒドロキシ酪酸は，筋肉などの組織でエネルギー源として使われ，飢餓状態では脳もエネルギー源として利用する．尿ケトン体の陽性は，絶食（飢餓）や大手術・外傷，妊娠悪阻，ケトアシドーシスなどのときに認められ，エネルギー源として糖質利用が低下し脂肪分解が亢進していることを意味する．

基準値と代表的な測定法および材料

項目	基準値	測定法	材料
尿ケトン体	陰性	試験紙法	尿

検体の取扱い

採尿後，直ちに検査する．時間経過とともに，アセト酢酸はアセトンに分解され，容易に揮発してしまうためである．

異常値の出るメカニズム

飢餓やインスリン作用不足でグルコースが利用できなくなると，脂肪組織のホルモン感受性リパーゼがインスリン拮抗ホルモンで活性化され脂肪酸を供給する．肝ミトコンドリアで脂肪酸はβ酸化を受け，アセチルCoAに分解されケトン体が合成される．糖尿病のコントロール不良の状態などでは，肝臓でのケトン体の生合成が亢進し供給が過剰になる．

異常値を示す疾患と病態・関連検査

陽性 糖尿病（☞p.214），ケトアシドーシス，飢餓，絶食，激しい運動，大手術・外傷，妊娠悪阻

尿ビリルビンとは

　ビリルビンは，肝臓に取込まれグルクロン酸抱合を受ける前の非抱合型（間接ビリルビン）と，抱合され胆汁へと排泄される抱合型（直接ビリルビン）がある．間接ビリルビンは，アルブミンと結合し血清中に存在する．それに対し，水溶性の直接ビリルビンは，腸管に再吸収されず還元されるが，一定量を超えると腎臓から尿中に排出される．すなわち，尿ビリルビンの増加は，直接ビリルビンの増加を示している．

基準値と代表的な測定法および材料

項目	基準値	測定法	材料
尿ビリルビン	陰性	試験紙法	尿

検体の取扱い

　室温放置や光などによりビリベルジンに分解されてしまうため，採尿後，直ちに検査する．

異常値の出るメカニズム

　肝臓または胆道系疾患の場合には，胆汁の流れが阻害され，血液中の濃度が増加するため尿中に排泄されるビリルビンも増加する．

異常値を示す疾患と病態・関連検査

[陽性] 急性肝炎（☞p.174），肝硬変（☞p.178），胆道閉塞，閉塞性黄疸

尿ウロビリノゲンとは

　ウロビリノゲンは肝臓でグルクロン酸抱合された直接ビリルビンが，腸内細菌によって還元され生成する．約80％が糞便中に排泄され，残りは腸より再吸収されて腸肝循環を経て尿中に排泄される．肝臓・胆道系疾患や腸閉塞のスクリーニング検査として利用されている．通常，ウロビリノゲンは，尿中にごく少量が排泄されるため，<u>検査では偽陽性が基準値</u>となる．

基準値と代表的な測定法および材料

項目	基準値	測定法	材料
尿ウロビリノゲン	偽陽性	試験紙法	尿

検体の取扱い

　日内変動が大きく，午前中や夜間は低く，午後に増加する．また，尿中排泄量は尿のpHに依存し，アルカリ性尿では増加し，酸性尿では減少する．

異常値の出るメカニズム

　尿中ウロビリノゲンが陰性の場合には，ビリルビンが腸内へ正常に排泄されない胆道閉塞などの

疾患が疑われる．また，抗生物質の投与によって腸内細菌が減少した場合も陰性となる．陽性の場合には，急性肝炎やなんらかの原因で赤血球が壊れて起こる溶血性貧血などの疾患が疑われる．

異常値を示す疾患と病態・関連検査
[陽性] 急性肝炎（☞p.174），溶血性貧血（☞p.162）
[陰性] 総胆管閉塞，急性下痢症，抗生物質服用

尿潜血反応とは

血尿は，尿に血液が含まれていることを指す．0.1％以上の血液が尿に混入すると赤色を呈し，肉眼的観察が可能となる．<u>尿潜血反応</u>は，試験紙法を用いて肉眼的血尿以外のごくわずかな血液も発見できる感度の高い検査法である．本法は，尿中にヘモグロビン（赤血球）が存在すると，ヘモグロビンが有するペルオキシダーゼ様作用によって過酸化物が分解され，これに伴い試験紙の還元型色原体（無色）が酸化型色原体（有色）に変化することを利用し判定を行う．

基準値と代表的な測定法および材料

項目	基準値	測定法	材料
尿潜血反応	陰性	試験紙法	尿

検体の取扱い

月経前後においては，血液が混入し陽性となる可能性があるため注意が必要である．また，試験紙法の種類によっては，<u>ビタミンC（アスコルビン酸）を多量に含有すると偽陰性を示す</u>ことがある．

異常値の出るメカニズム

大きくは，腎臓で尿が生成する際に血液が混入したものと，尿管，膀胱，尿道で混入したものに分けられる．腎障害以外にも尿路結石により粘膜を傷つけた場合や，膀胱炎などの感染症によっても血尿がみられる．

異常値を示す疾患と病態・関連検査
[陽性] 糸球体腎炎，IgA腎症，尿路結石，尿路感染症
[関連検査] 尿沈渣

以下の記述の正誤を答えよ．
1 腎機能障害などにより尿量が減少する症候を尿閉という．
2 尿定性試験は，主に試験紙を利用した検査が用いられる．
3 尿蛋白は，激しい運動によっても検出されることがある．
4 尿潜血は，アスコルビン酸の服用者では偽陰性を示すことがある．

G-2　便検査

糞便は，尿と同様に患者に苦痛を与えることなく採取でき，消化器疾患や感染症，寄生虫症などの重要な情報が得られる検体である．

便潜血検査とは

便潜血検査は，主として下部消化管の出血の有無を調べる検査であり，大腸がんなどのスクリーニング検査として用いられている．糞便中のヘモグロビンがもつペルオキシダーゼ様活性を検出する化学的方法と，ヒトヘモグロビンに特異的な抗体を用いる免疫学的方法がある．ヘモグロビンは，蛋白分解酵素や細菌の作用によって抗原性がなくなるため，胃など上部消化管からの出血の検出頻度は低い．免疫学的方法は，特異性が高く，食事や薬物の影響を受けないため，わが国では便潜血検査の主流となっている．

基準値と代表的な測定法および材料

項目	基準値	測定法	材料
便中ヘモグロビン	陰性	LA，金コロイド凝集法，RPHA，イムノクロマト法	糞便

検体の取扱い

化学的方法では，ペルオキシダーゼ様活性をもつものが反応するため，食事に含まれる動物由来のヘモグロビンや緑黄色野菜，鉄剤などの薬物で偽陽性になることがある．そのため，検査実施3日前から偽陽性を呈するような肉類や緑黄色野菜を含まない食事を摂取してもらう必要がある．

異常値の出るメカニズム

便潜血が陽性の場合は，下部消化管の出血性疾患が強く疑われる．化学的便潜血検査での陽性は下部消化管だけでなく，上部消化管の検査も考慮する．それに対し，免疫化学的便潜血検査の場合は上部消化管出血の可能性は低くなり，陽性の場合は大腸内視鏡検査などを行うのが一般的である．

異常値を示す疾患と病態・関連検査

陽性 大腸がん（☞p.170），大腸ポリープ，潰瘍性大腸炎（☞p.172），薬物性大腸炎

以下の記述の正誤を答えよ．
1　便潜血検査には，ヘモグロビンのペルオキシダーゼ活性を利用した免疫学的方法が用いられる．

第3章 主要疾患での病態検査の役割

A 心臓・血管疾患

B 血液疾患

C 消化器疾患

D 肝臓・胆道・膵臓疾患

E 腎臓・泌尿器疾患

F 呼吸器疾患

G 内分泌・栄養・代謝疾患

H 脳・中枢神経疾患

I 免疫疾患

A-1　不整脈

病因

不整脈は下記の1)～4)に大別される．

1) 心室性不整脈（図3A-1）
  - 心室頻拍（VT）：心室性期外収縮（PVC）が3回以上連続して発生している状態で，同一部位からのPVCが連発する単形性VTと複数起源から連発する多形性VTがある．脈拍が触知できないVTは脈なしVT（pulseless VT）という．
  - 心室細動（VF）：心室筋が無秩序に興奮し，有効な心拍出が全く得られていない状態．QRS波形が著しく変動する不規則な電気活動である．
  - トルサード・デ・ポワンツ（Torsades de Pointes：TdP）：QT延長に伴う多形性心室頻拍の一種であり，発生中は脈なしVTやVFと同様に血行動態が失調している．

2) 上室性（不整脈の原因が心室より上位の伝導系にある）不整脈
  - 発作性上室性頻拍（PSVT）：心室以外（心房，房室結節・接合部）と心室の間で刺激のリエントリーが関与する頻脈性不整脈の総称である．房室結節内に伝導速度が異なる経路があるAVNRT（房室結節回帰性頻拍）と房室結節以外に副伝導路（ケント束）が存在するAVRT（房室回帰性頻拍）がある．AVRTのほとんどを占めるWPW症候群では，房室伝導よりも速く心室に到達する副伝導路刺激流入波形（δ波）が心電図で捕捉される場合がある（図3A-2）．

3) 心房性不整脈
  - 心房細動（AF）：心房筋が無秩序に300～600回/分の頻度で興奮し，P波の消失およびf波（300～600回/分）の出現，不規則なRR間隔（絶対的不整）の3点を特徴とする（図3A-2）．心房内のマイクロリエントリーが原因と考えられており，多くは肺静脈と左心房の境界部から，トリガーとなる興奮刺激が左房内に流入することで発生する．80歳以上の男性で有病率が5％近くと，高齢者に多い．

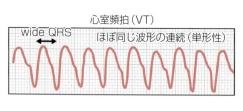
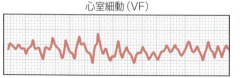

図3A-1　心室性重症不整脈（VTとVF）

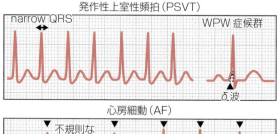
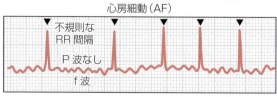

図3A-2　上質性および心房性不整脈（PSVTとAF）

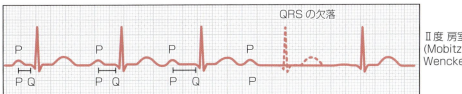

図3A-3 徐脈性不整脈（Ⅱ度AVB）
*PQ間隔が次第に延長してQRSの欠落が生じる.

4) 徐脈性不整脈

長距離ランナー等に認められる徐脈は生理的適応によるものである．病的徐脈では，P波に対応するQRSが欠落して徐脈を生じるⅡ度以上の房室ブロック（AVB, 図3A-3）の他，徐脈性心房細動や洞結節の機能異常が原因の洞不全症候群（SSS）などがある．

臨床症状

1) **心室性不整脈**：自覚症状は比較的少ないが，頻発する場合には胸部の違和感や脈の欠落を自覚する．血行動態が失調している場合は意識消失，脈拍の触知困難などを認め，緊急対応が必要である．

2) **上室性不整脈**：非発作時は無症状であるが，運動などを契機に頻脈発作が発生し，発作中は激しい動悸感を伴う．

3) **心房性不整脈**：心房細動（AF）は7日以内に自然停止する発作性AF，7日以上持続する持続性AF，除細動困難な永続性AFに分類される．心房細動の多くは頻脈性で動悸感を伴うが，自覚症状が乏しい場合もある．房室伝導が障害されている場合は高度の徐脈（心室レートの低下）により，失神などの中枢神経症状を伴うことがある．

4) **徐脈性不整脈**：高度徐脈（心室レート40回/分以下）では，めまいやふらつき，失神などの中枢神経症状を伴うことが多い．

スクリーニング検査・診断のための検査

12誘導心電図検査（☞p.132）は必須で，発生頻度によっては24時間ホルター心電図（☞p.136）や植込み型心電図記録計（ICM）が必要になる場合もある．

▶ **血液検査**：心筋逸脱酵素（☞第2章B-6），電解質異常（K，Ca，Mg等）（☞第2章B-1）

薬物治療

不整脈治療には大きく分けて抗不整脈薬による薬物治療とカテーテル治療や植え込み式のデバイスを用いた非薬物治療がある．

抗不整脈薬による治療は大規模臨床試験（CAST study）の結果から，特に生命予後の改善（突然死予防）または血行動態の改善（心不全増悪防止）を目的とする場合に限定すべきであり，自覚症状の改善のみを目的とする抗不整脈薬の使用には，催不整脈作用のリスクを十分に考慮する必要がある．

A-2 心不全

病態・検査マップ

大項目：
1. 夜間呼吸困難, 2. 起坐呼吸, 3. 頸静脈怒張, 4. 湿性ラ音, 5. 胸部X線検査での心拡大・肺うっ血, 6. Ⅲ音聴取, 7. 中心静脈圧上昇（>16mmHg), 8. 治療に反応して5日間で4.5kg以上の体重減少

小項目：
1. 両側の下腿浮腫, 2. 夜間咳嗽, 3. 通常労作で呼吸困難, 4. 肝腫大, 5. 頻脈（>120/分）

原因・合併症に関する検査：
心不全マーカー検査：BNP，NT-ProBNP（☞p.95）など
心臓超音波（心エコー・ドプラ）検査：収縮能と拡張能，弁機能などを調べる
甲状腺機能検査：FT_3，FT_4，TSH（☞第2章B-8.b）
感染症合併の疑い：CRP（☞p.97），培養検査（尿，痰，血液）
ホルター心電図
高血圧性心疾患／糖尿病の合併：眼底検査，脈波伝播速度と足関節上腕血圧比，OGTT，HbA1c（☞p.37）

NOTE 自他覚症状，身体所見に加えて，心電図，胸部X線検査，一般血液・尿検査，BNP，心臓超音波検査などの所見から正確に病態を評価して診断する．同時に原因疾患の探索を行う．

病因

　心不全とは，心臓の機能不全が原因で身体の代謝に見合うだけの十分な心拍出量を心臓が維持できなくなる状態をいい，症候（病態）であり疾患名ではない．心不全は，進行速度による分類（急性心不全，慢性心不全），症状や身体所見による分類（左心不全，右心不全），低下する心機能による分類（収縮不全，拡張不全）がある．左心不全に続発して右心不全が起こることも多い（両心不全）．心不全の多くは，心拍出量が減少しうっ血をきたす（低拍出量心不全）が，心拍出が増加する心不全（高拍出性心不全）もある．高拍出性心不全の原因として貧血，動静脈瘻，脚気心，甲状腺機能亢進症などがある．心不全の診断がつけば，心不全の治療を開始しながら同時進行で心不全の原因を突き止める必要がある．心不全の原因が明らかになれば治療戦略を絞りこめる（表3A-1）．

表3A-1　心不全の原因となる疾患

機械的循環障害	弁膜疾患，先天性左右短絡疾患
心筋収縮不全	心筋症，心筋炎，急性心筋梗塞，代謝障害
心筋拡張不全	心タンポナーデ，収縮性心膜炎，肥大型心筋症，高血圧
心調律異常	頻脈性不整脈，徐脈性不整脈
その他	動静脈瘻，高拍出性心不全

表3A-2 右心不全と左心不全の臨床症状

左心不全	右心不全
発作性夜間呼吸困難，起坐呼吸	労作性疲労，倦怠感
急性肺水腫	食思不振，悪心
咳，血痰	浮腫
倦怠感	右季肋部痛，腹部膨満
冷汗，チアノーゼ	

表3A-3 心不全の症状

低拍出に伴う症状	うっ血に伴う症状
易疲労感，運動耐容能低下，尿量減少，意識障害，ショック	労作性呼吸困難，起坐呼吸，発作性夜間呼吸困難，体重増加，浮腫，肝脾腫，静脈怒張，胸腹水

臨床症状

心不全は，異常発生部位によって左心不全，右心不全，両心不全といった分類をすることがあり，左心不全では肺うっ血が前面に出る．右心不全では全身静脈のうっ血が前面に出る．左心不全と右心不全で臨床症状が異なり，その発症の経過（急性心不全と慢性心不全）によっても異なった臨床像を呈する（表3A-2）．心不全の症状は低拍出に伴う症状とうっ血に伴う症状の二つに分けられ，二つの要素が複雑に絡み合って実際の臨床像を呈する（表3A-3）．

スクリーニング検査・診断のための検査

- ▶ **胸部X線検査**（☞p.137）：肺うっ血，心拡大，呼吸器疾患との鑑別を行う．
- ▶ **心電図**（☞p.132）：虚血性心疾患，不整脈，基礎心疾患の検索を行う．
- ▶ **心臓超音波（心エコー・ドプラ）検査**（☞p.136）：現在，臨床現場で最も広く用いられている左室収縮機能指標は，駆出率（LVEF）であり，経胸壁心エコー・ドプラ法により簡便に評価し得る．原因となる疾患（弁膜症，心筋疾患，虚血性心疾患など）や心嚢水の有無を検索．
- ▶ **血液検査**：動脈血ガス分析（☞p.140），白血球数（☞p.10），Hb・Ht（☞p.13），血小板数（☞p.18），電解質[Na（☞p.27），K（☞p.28），Cl（☞p.29）]，腎機能[BUN（☞p.51），Cr（☞p.52）]，肝機能[AST，ALT（☞p.58），LD（☞p.60），ビリルビン（☞p.56）]，脂質[LDL-C（☞p.42），HDL-C（☞p.40），TG（☞p.44）]，血糖（☞p.35），BNP（☞p.95），NT-proBNP（☞p.95）．
- ▶ **尿検査**（☞第2章G-1）：一般尿検査，尿中微量アルブミン．

薬物治療

症状や血行動態の改善を目指した薬物治療（利尿薬，血管拡張薬，強心薬など）や心不全の長期予後を改善する心保護作用をもつ薬物治療（ACE阻害薬，アンギオテンシンⅡ受容体拮抗薬，β遮断薬など）が行われる．

A-3　高血圧

病態・検査マップ
（初診時の高血圧管理計画）

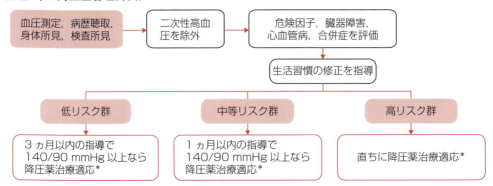

*降圧薬治療で降圧目標（75歳未満の成人：130/80 mmHg未満，75歳以上の高齢者：140/90 mmHg未満）を目指す．
日本高血圧学会：「高血圧治療ガイドライン2019」を参考に著者作成

病　因

　血圧とは，血液が血管壁に与える血管内圧のことであり，大動脈などの太い血管の内圧を指す*．成人の高血圧は，収縮期血圧140 mmHg以上あるいは拡張期血圧90 mmHg以上，または降圧薬治療を受けている状態をいう．高血圧は成人の約10％を占め，わが国の国民病の一つである．高血圧患者が治療を要するのは，高血圧が脳卒中や循環器疾患の罹患率・死亡率を高め，慢性腎臓病の予後を悪化させる要因となるからである．

> **NOTE**　*全身動脈圧の低下を低血圧という．明確な定義はないが，一般に収縮期血圧100 mmHg以下の場合をいうことが多く拡張期血圧は考慮しない．本態性および二次性低血圧（心機能低下，自律神経異常など）に分類される．本態性低血圧自体の予後は良好で治療を必要とせず，生活習慣の改善で対処することも多い．二次性低血圧は各疾患の治療に準ずる．

　高血圧が無治療あるいはコントロール不良のまま長期間経過すると，動脈硬化の進行に基づく臓器障害や心血管疾患の発症リスクが増大するため，的確な血圧測定と心血管系の臓器障害の評価が重要である．初診の高血圧患者では，胸部X線検査と心電図は必須である．異常があれば，心臓超音波検査を行う．成人における血圧値の分類は表3A-4に示したとおりである．

　病因に基づく高血圧の分類では90％以上が病因不明で原因を特定できない**本態性高血圧**であり，10％未満が原因を特定できる二次性高血圧である（表3A-5）．その中では，腎性高血圧（全高血圧の約5％；二次性高血圧の約75％：腎実質性・腎血管性高血圧），内分泌性（全高血圧の約1％：原発性アルドステロン症，甲状腺機能亢進症，褐色細胞腫，クッシング症候群，先端巨大症），その他に大動脈炎症候群などを原因とする高血圧が多い．二次性高血圧を疑わせる徴候がない場合，本態性高血圧とみなして検査・治療を始める（マップ）．二次性高血圧の場合，原疾患の確定・治療を行う．

表3A-4　成人における血圧値の分類

分類	診察室血圧 (mmHg)			家庭血圧 (mmHg)		
	収縮期血圧		拡張期血圧	収縮期血圧		拡張期血圧
正常血圧	<120	かつ	<80	<115	かつ	<75
正常高値血圧	120〜129	かつ	<80	115〜124	かつ	<75
高値血圧	130〜139	かつ/または	80〜89	125〜134	かつ/または	74〜84
Ⅰ度高血圧	140〜159	かつ/または	90〜99	135〜144	かつ/または	85〜89
Ⅱ度高血圧	160〜179	かつ/または	100〜109	145〜159	かつ/または	90〜99
Ⅲ度高血圧	≧180	かつ/または	≧110	≧160	かつ/または	≧100
(孤立性)収縮期高血圧	≧140	かつ	<90	≧135	かつ	<85

日本高血圧学会高血圧治療ガイドライン作成委員会(編):「高血圧治療ガイドライン2019」, p.18, 表2-5, 2019年より許諾を得て転載

臨床症状

高血圧緊急症*を除いて，高血圧患者は血圧の高値以外には臨床症状に乏しく，高血圧発症の初期には頭重感，肩こり，めまいなどの不定愁訴のような症状を訴えることがある．長期間の放置により，脳（脳内出血など），心臓（心不全など），腎臓（腎硬化症など），網膜（網膜症）に障害を起こし，致命的な合併症の原因となる．

> **NOTE** *高血圧緊急症：高度の高血圧とそれに伴う頭重感，息切れなどがあり早急に降圧しなければ生命予後に重大な影響を引き起こすと予想される病態である．

表3A-5　本態性高血圧と二次性高血圧の鑑別

	本態性高血圧	二次性高血圧
発症年齢	35〜60歳	若年(<35歳)または高齢(>60歳)
原因	不明	腎性，内分泌性，血管性，神経性など
家族歴	あり	ないことが多い
降圧薬の反応性	良好	治療抵抗性あり
一般検査	正常	電解質異常，腎機能異常，蛋白尿，内分泌検査異常
身体所見	正常	特異的所見あり

スクリーニング検査・診断のための検査

▶ **一般検査**：高血圧の診断は，初診時の血圧だけでなく，2回以上異なる来院時に測定した安静坐位の血圧から判定する．症状のない高血圧でも，初診時血算(☞第2章A-1)と尿検査(☞第2章G-1)，BUN(☞p.51)，Cr(☞p.52)，脂質・脂質代謝物(☞第2章B-3)，血糖値(☞p.35)を調べておく．二次性が疑われるとき，それに応じて甲状腺機能(☞第2章B-8. b)，レニン(☞p.77)，アルドステロン(☞p.75)，カテコラミンなどを測定する．

▶ **胸部X線検査，心電図**(☞p.132)，**眼底検査など**：初診の高血圧患者では必須．正常か否かを確認しておくことが大切である．

▶ **心臓超音波検査**(☞p.136)，**頭部CT・MRIなど**：虚血性心疾患，心不全，脳血管障害，腎障害，末梢動脈疾患などの標的臓器障害の有無，進展の程度を精査する．

薬物治療

第一選択薬としてはCa拮抗薬，ARB，ACE阻害薬，利尿薬，β遮断薬のなかから病態に適した降圧薬を選択し，単剤または2・3剤の併用を行う．

A-4 虚血性心疾患

病態・検査マップ

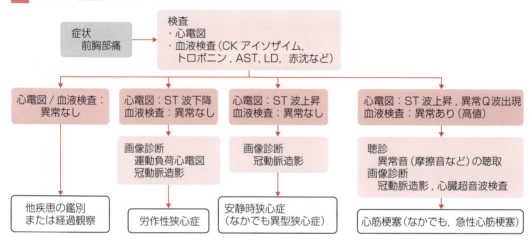

病因

　虚血性心疾患は，虚血に伴う可逆的な心筋障害によって起こる狭心症と不可逆的な心筋障害，すなわち心筋壊死による心筋梗塞に分類される．虚血性心疾患の発症につながる主因は冠動脈の動脈硬化性病変，いわゆるプラーク形成と異常な攣縮に起因することがほとんどで，それに伴う冠動脈内腔の狭窄は心筋の一時的な酸素や栄養不足を介して狭心症を発症する（表3A-6）．狭心症は運動・作業時に起こる労作性狭心症と冠動脈の攣縮によって安静時に発症する安静時狭心症に分けられるが，発症原因から器質性狭心症や冠攣縮性狭心症などにも分類される．また，プラークの破綻や血栓の形成による冠動脈の完全な閉塞は心筋梗塞を引き起こす．

　虚血性心疾患は動脈硬化の発症と密接に関わるため，動脈硬化症の誘因となる高脂肪食，運動不足やストレスなど生活習慣の乱れや脂質異常症，糖尿病などの疾病により発症頻度が高まる．

臨床症状

1）**狭心症**：短時間（1〜5分程度で長くて15分）の前胸部の痛みや圧迫感，鈍痛，ときに灼熱感がみられるが，これらの症状は安静にすることによって改善する．安静時狭心症では夜間から明け方など睡眠時にも胸痛が起こる．

2）**心筋梗塞**：ほとんどの場合，長時間（30分以上）継続する激しい前胸部痛がみられる．また，絞扼感で不安感や冷や汗を伴う場合も多い．顎下部，左肩，左腕や背中などの放散痛，呼吸困難や悪心を訴える人もいるが，なかには無痛の人もいる．

スクリーニング検査・診断のための検査

▶**心電図**：ST波の波形変動や異常Q波や冠性T波の出現を確認する（図3A-4）．

▶**血液検査**：心筋障害の逸脱酵素［CKアイソザイム（☞p.65），トロポニンT*，AST（☞

表3A-6 狭心症と心筋梗塞の違い

	狭心症	心筋梗塞
症状	短時間の胸痛，圧迫感 （安静にすると寛解することが多い）	長時間の激しい胸痛 （安静にしても寛解しない）
発症時期	労作時，早朝（労作性狭心症） 睡眠中（安静時狭心症）	労作などに関係なく一日中
血管の状態 （冠動脈の断面図）	狭窄 外膜／中膜／内膜／内皮細胞／血管内腔 可逆的な心筋障害	閉塞 血栓（血小板の集まり）／プラーク（脂質やマクロファージの死骸，増殖した血管平滑筋細胞） 不可逆的な心筋壊死

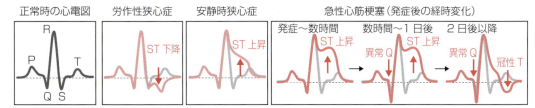

図3A-4 狭心症と心筋梗塞の心電図変化

p.58），LD（☞p.60）など］の増加の有無を判定する．急性心筋梗塞の場合，CKアイソザイム，トロポニンとASTの血中濃度は，発作数時間後に増加し始めて12〜24時間後にピークに達するのに対し，LDは6〜10時間に増加し始めて2〜3日後にピークに達する．

> **NOTE** ＊トロポニンT：トロポニンTは，横紋筋の細いフィラメント上でトロポニンI，Cとともにトロポニン複合体を形成し，筋収縮の制御に関与している分子量40,000の蛋白である．特異的な心筋障害のマーカーであり，心筋梗塞発症早期から血液中に上昇する．

▶ **冠動脈造影検査**：経皮的にカテーテルを挿入して心房や心室の内圧や酸素飽和度を測定するとともに，造影剤を用いて形態学的に観察することによって血行状態を把握する．

▶ **心臓超音波検査**（☞p.136）：超音波によって心臓の大きさや動き，心臓の筋肉や弁の状態，血液の流れなどを観察し，心機能が正常であるかどうかを評価する．

薬物治療

硝酸薬（ニトログリセリンなど），β遮断薬，ACE阻害薬，Ca拮抗薬，抗血小板薬（アスピリンなど），血栓溶解薬などが用途に応じて広く使用されている．

B-1 貧血

病態・検査マップ

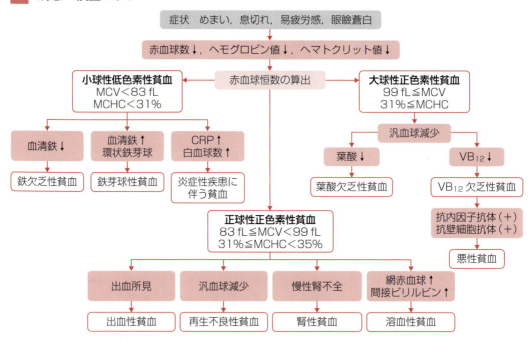

病因

貧血は，赤血球数，ヘモグロビン値のいずれか，あるいはその両方が低下する疾患である．WHOではヘモグロビン濃度が成人男性では13 g/dL未満の場合，成人女性では12 g/dL未満の場合，妊婦，幼児，高齢者では11 g/dL未満の場合を貧血と定義している．自覚症状があるなど貧血が疑われる場合，赤血球数，ヘモグロビン値，ヘマトクリット値を測定し，これらの値から赤血球恒数を求めて，貧血のタイプを判定する．

貧血の病因はさまざまであり，表3B-1のように分類することができる．

臨床症状

- 酸素欠乏症状：頭痛，めまい，耳鳴り，易疲労感，倦怠感，脱力感，胸部圧迫感．
- ヘモグロビン色素減少に伴う症状：顔色不良，眼瞼結膜蒼白．
- 酸素欠乏の代償症状：息切れ，動悸，頻脈，心拡大，胸痛．
- 鉄欠乏状態では，スプーン状爪，舌炎，異食症を伴うことがある．
- 骨髄における赤血球の産生に原因がある場合には，汎血球減少（赤血球，血小板，白血球のすべてが減少）を伴う．
- 溶血性貧血では，間接ビリルビンの上昇によって黄疸を伴う．
- 軽度の貧血においては臨床症状を伴わない場合もある．

表3B-1 貧血の分類

貧血の種類	原因
鉄欠乏性貧血	鉄の不足
鉄芽球性貧血	ビタミン B_6 の不足あるいはヘム合成系酵素の欠損
巨赤芽球性貧血	ビタミン B_{12} の不足，葉酸の不足
悪性貧血	胃壁自己抗体や抗内因子自己抗体によるビタミン B_{12} の吸収不全
再生不良性貧血	造血幹細胞の減少
赤芽球癆	造血幹細胞から赤芽球への分化の抑制
自己免疫性溶血性貧血	抗赤血球自己抗体の産生
発作性夜間ヘモグロビン尿症	赤血球上の補体活性化抑制分子の欠損
腎性貧血	腎臓におけるエリスロポエチン産生の低下

スクリーニング検査・診断のための検査

- ▶赤血球恒数（指数）（☞p.15）：貧血の型を推定する．
- ▶血中エリスロポエチン濃度：慢性腎不全に伴う腎性貧血の場合に測定する．
- ▶間接ビリルビン（☞p.56），LD（☞p.60）：溶血性貧血が疑われる場合に測定する．
- ▶血清フェリチン（☞p.33），血清鉄（☞p.31），UIBC（☞p.32），TIBC（☞p.32）：体内の鉄貯蔵量の指標．鉄欠乏性貧血の場合は低値，鉄芽球性貧血の場合は高値となる．
- ▶白血球数（☞p.10），血小板数（☞p.18），網赤血球数（☞p.16）：造血系の機能の指標．再生不良性貧血の場合は低値となる（汎血球減少）．
- ▶ビタミン B_{12}，葉酸：DNA合成に関与するため，欠乏すると細胞分裂が遅延し，赤芽球や赤血球が大型となる．

疾患のフォローアップ

鉄欠乏性貧血の治療においては鉄剤の服用を行うが，血清フェリチン値の回復が生じるまで鉄剤の服用を継続する．

薬物治療

貧血の原因に応じた治療を行う．鉄欠乏性貧血では鉄剤が用いられる．悪性貧血ではビタミン B_{12} 製剤を筋注する．軽度の再生不良性貧血では蛋白同化ステロイドが用いられる．腎性貧血ではエリスロポエチン製剤やHIF-PH阻害薬が用いられる．

B-2 白血病と悪性リンパ腫

病態・検査マップ

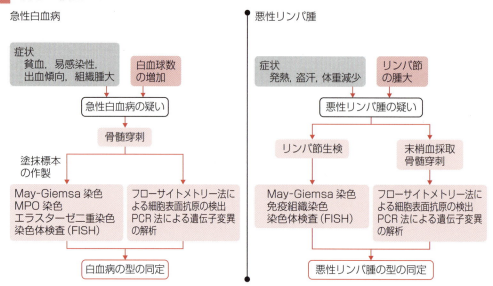

病因

　白血球は骨髄にて産生される．自己複製能と多分化能をもつ造血幹細胞から，各種の分化段階を経てそれぞれの白血球の前駆細胞が産生される．前駆細胞が分化因子に応答して成熟白血球となる．それぞれの分化段階の細胞は増殖を繰り返しながら分化・成熟するが，必要時に，必要とされる種類の細胞を必要とされる数だけ供給するように制御されている．白血病は，白血球の前駆細胞の増殖や分化の制御が失われ，特定の細胞の過剰な増殖に伴って，造血機能に支障をきたす疾患である．増殖する細胞の種類によってリンパ性と骨髄性に分けられる．
　悪性リンパ腫は，リンパ組織のリンパ球が異常増殖して腫瘍を形成する疾患である．増殖シグナルの伝達に関わる分子の変異によって，リンパ球において増殖シグナルが継続的に強く入り続けることが原因となる．ある一群の悪性リンパ腫はホジキンリンパ腫と称され，ホジキン細胞やリード・スタンバーグ細胞といった特殊な形態の細胞が出現する．日本人に多い悪性リンパ腫は，非ホジキンリンパ腫である．

臨床症状

　急性白血病と慢性白血病では臨床経過が異なる．急性白血病の症状は，骨髄における造血障害と腫瘍細胞の組織への浸潤に伴う症状に分かれる．
　造血障害に伴う症状として，赤血球の産生障害に伴う貧血症状（全身倦怠感，顔面蒼白，息切れ），血小板の産生障害に伴う出血傾向，正常な機能をもつ白血球の産生障害に伴う易感染性がある．また，腫瘍細胞が臓器に過剰に浸潤すると組織の腫脹を引き起こす．なかでも肝臓と脾臓

の腫大を生じやすい．リンパ性白血病においてはリンパ節の腫大を引き起こす．中枢神経への浸潤を生じると中枢症状を伴い，頭痛や嘔吐を生じる．中枢神経の機能障害は精神症状を引き起こす．中枢症状はリンパ性白血病で頻度が高い．急性前骨髄球性白血病では，凝固因子を活性化する組織因子と線溶系を強く活性化するアネキシンⅡを多量に分泌することから，高頻度で線溶亢進型の播種性血管内凝固症候群を合併する．

慢性白血病は，分化能が保たれているため，疾患初期には自覚症状に乏しいが，進行すると全身倦怠感や肝脾腫の症候が出現する．慢性骨髄性白血病が進行すると急性転化を生じ，急性白血病と同等の臨床症状が生じる．急性転化後の慢性骨髄性白血病の予後は不良である．

悪性リンパ腫は，無痛性のリンパ節腫脹によって発見される．頸部，腋窩，鼠径リンパ節の腫脹がみられるが，頸部リンパ節の腫脹から発見されるものが最も多い．進行例では，発熱，盗汗（ひどい寝汗），体重減少を生じる．

スクリーニング検査・診断のための検査

- 骨髄穿刺：骨髄細胞を採取し，塗抹標本を作成して観察を行う．

  塗抹標本中のMPO（ミエロペルオキシダーゼ）染色，エラスターゼ二重染色，フローサイトメトリー法により細胞表面抗原の同定を行い，白血病の細胞種（骨髄性，リンパ性）を同定する．

- 遺伝子検査・染色体検査：PCR法，FISH（fluorescence in situ hybridization）法により異常な遺伝子や染色体を同定する．

- 一般検査所見：CRP（☞p.97），LD（☞p.60），可溶性IL-2受容体α鎖（sCD25）の検出は悪性リンパ腫の診断に有用である．

疾患のフォローアップ

化学療法を施行した後，血液中と骨髄中の腫瘍細胞を定期的にチェックする．

化学療法の施行にあたっては，腫瘍崩壊症候群に注意を払う．腫瘍崩壊症候群では，高K血症，高リン血症，高尿酸血症およびこれらに伴う腎機能の低下が生じるので，利尿薬の投与，補液の投与，高尿酸血症治療薬の予防的投与を行う．

薬物治療

急性骨髄性白血病の治療にはアントラサイクリン系抗腫瘍抗生物質が用いられる．急性前骨髄球性白血病の治療にはトレチノインが用いられる．慢性骨髄性白血病の治療にはBcr-Ablチロシンキナーゼ阻害薬が用いられる．悪性リンパ腫の治療には，シクロホスファミドとビンカアルカロイドとアントラサイクリン系抗腫瘍抗生物質と副腎皮質ステロイドの組み合わせ（CHOP療法）が行われる．B細胞性の悪性リンパ腫にはCHOP療法に抗CD20抗体薬が組み合わされる．

B-3 播種性血管内凝固症候群（DIC）

病態・検査マップ

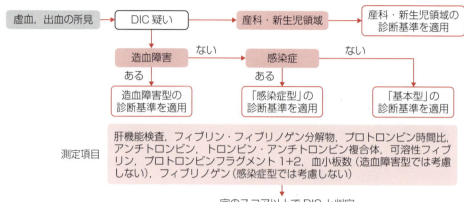

病因

　播種性血管内凝固症候群（DIC）は，基礎疾患を有する患者に合併し，凝固系の亢進によって血管内血栓の多発による循環障害を生じている状態である．DICを合併する代表的な基礎疾患は，感染症（敗血症），悪性腫瘍（特に白血病），外傷，熱傷，血管損傷である．臓器内の血管内に血栓が多数形成されるため，虚血に伴う臓器障害が生じる．また，血栓形成に伴って血小板や血液凝固因子が消費され，引き続いて生じる線溶系の亢進によって，出血傾向となる．DICでは血栓形成を必ず伴うが，それに引き続く線溶系の活性化の程度によって，病型が分類される．敗血症に伴って生じるDICでは凝固系の活性化が強く生じ，線溶系の活性化は相対的に弱いので，血栓形成による虚血性臓器障害が病態の主体となる．これを線溶抑制型と称する．急性前骨髄球性白血病に伴って生じるDICでは凝固系の活性化を上回る線溶系の活性化を生じ，相対的に出血傾向が強くなる．これを線溶亢進型と称する．

臨床症状

1）血管内血栓に伴う症状

　虚血性臓器障害に伴う症状が出現する．すなわち脳血管内に形成される血栓によって脳梗塞の症状が現れる．その結果として片麻痺，痙攣，意識障害が出現する．呼吸器，特に肺胞を通る血管内に血栓が生じ，換気障害が生じて呼吸困難となる．腎臓の血管内の血栓の形成に伴って糸球体の血管が閉塞すると糸球体の濾過機能が低下して腎不全の症状を呈する．形成される血栓の規模によっては大血管が閉塞することもあり，その場合全身的な循環不全状態となり過度の血圧低下を引き起こす．

2）出血に伴う症状

　過剰に形成された血栓は，線溶系を強く活性化することがある．線溶系の強い活性化によって出血傾向となる．その結果，消化管，肺胞，鼻腔，口腔内，膀胱内，頭蓋内の出血を生じる．皮

下の出血は紫斑を生じる．凝固系の強い活性化によって血液凝固因子や血小板が枯渇・減少した後には止血がきわめて困難となり，頭蓋内，肺胞内，消化管での出血はときに致命的となる．急性前骨髄球性白血病を基礎疾患としてもつDICでは，高頻度に出血症状が強く現れる．

スクリーニング検査・診断のための検査

- フィブリン・フィブリノゲン分解産物（☞p.23），プロトロンビン時間比（☞p.19），トロンビン・アンチトロンビン複合体（TAT，☞p.23），可溶性フィブリン（SF），プロトロンビンフラグメント1+2（F1+2）：上昇の程度によって重症度が決まる．
- アンチトロンビン活性（☞p.23）：低下の程度によって重症度が決まる．
- 血小板数（☞p.18）：低下の程度によって重症度が決まる．造血障害型では考慮しない．
- フィブリノゲン濃度（☞p.21）：低下の程度によって重症度が決まる．感染症型では考慮しない．

DICの発症の背景には基礎疾患があるので，その鑑別を必ず行う．

薬物治療

DICの発症の背景には基礎疾患があるので，基礎疾患の治療を第一優先にする．そのうえで，DICの型に対応する薬物治療を考慮する．線溶抑制型にはヘパリン類などの抗凝固薬を用いる．線溶亢進型には，蛋白分解酵素阻害薬やトロンボモジュリン製剤を用いる．血小板や血液凝固因子の補充療法も行われる．

C-1　胃・十二指腸潰瘍

病態・検査マップ

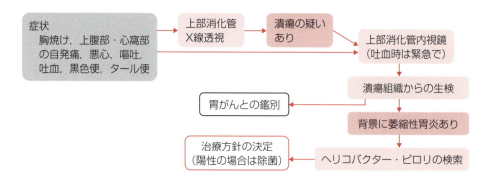

> **NOTE** 粘膜筋板より深い，粘膜組織の欠損（図3C-1）を「潰瘍」と称する．さらに表層で浅い粘膜欠損の場合は「びらん（糜爛）」と呼ぶ．潰瘍のほうが深い欠損だが，びらんではしばしば範囲が広大なため，どちらも大量吐血の原因となり得る．

病因

粘膜の攻撃因子と防御因子のアンバランスによって生ずる．
要因として
- ヘリコバクター・ピロリ：胃，十二指腸に寄生する，らせん型のグラム陰性桿菌（図3C-2）．遊走能を有し，胃内を泳ぎ回る．毒素を産生し，潰瘍や胃がんの原因となる．
- ストレス：頭部外傷，重症熱傷など．日常生活や仕事上のトラブルで生ずる場合もある．
- 薬物：副腎皮質ステロイド（副腎皮質ホルモン），解熱鎮痛薬など．
- 喫煙は胃粘膜の血流を阻害し，潰瘍の治癒を妨げる．

臨床症状

- 上腹部・心窩部の自発痛，胸焼け，悪心：食事により増悪または軽減する．
- 吐血，黒色便，タール便：上部消化管（食道〜十二指腸）の出血では吐血や黒色便，下部消化管（小腸〜直腸）の潰瘍では下血やタール便をきたす．

スクリーニング検査・診断のための検査

- 上部消化管内視鏡．
- 上部消化管X線透視（いわゆるバリウム検査）．
- 迅速ヘリコバクター・ピロリ試験：迅速ウレアーゼ試験*．
- 尿素呼気試験（☞p.122）．
- 血中ヘリコバクター・ピロリ IgG抗体（☞p.122）：感染既往の検索に有用．60歳以上の日本人では過半数に感染既往が認められる．
- 便中ヘリコバクター・ピロリ抗原．

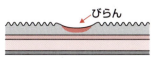

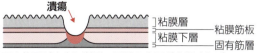

びらん
潰瘍
粘膜層
粘膜筋板
粘膜下層
固有筋層
粘膜層全層に欠損がみられるが，
粘膜筋板は不変.
固有筋層が完全に断裂，胃壁の全層が穿通すれば，
穿孔性潰瘍となる.

図3C-1　粘膜の断面図と潰瘍の概念

びらん（左）と潰瘍（右）．潰瘍では欠損が粘膜筋板に及ぶ．

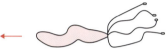

図3C-2　ヘリコバクター・ピロリの模式図

らせん状の菌体をしており，べん毛をスクリューのように回転させ，矢印の方向に進む．その速さはきわめて迅速で，ヒトの大きさに例えると100 mを6秒足らずで泳ぎ抜ける速さに相当する．

NOTE　*迅速ウレアーゼ試験：内視鏡施行時に胃の組織を採集し，アルカリ性の環境下で色が変わる指示薬とその場で反応させる．菌はウレアーゼという酵素をもつため，存在すると数分ほどで指示薬が変色し，感染を診断できる．

疾患のフォローアップ

- 通常は内服加療により2〜3週間で改善する．
- 胃がんなど悪性腫瘍との鑑別が必要である．
- 除菌を行った場合は，2ヵ月以上空けて再検査し，陰性化を確認する．

薬物治療

- **潰瘍に対して**：プロトンポンプ阻害薬，H_2ブロッカー，制酸薬，粘膜保護薬，消化健胃薬，鎮痙薬（疼痛の緩和目的に）．
- **ヘリコバクター・ピロリの除菌**：アモキシシリン（ペニシリン系抗菌薬），クラリスロマイシン（マクロライド系抗菌薬），ボノプラザン（プロトンポンプ阻害薬）を併用．除菌成功率は60〜80%．上記で無効の場合はメトロニダゾール併用が有効とされる．除菌成功後に逆流性食道炎を起こすことがある．

C-2　消化管の悪性腫瘍（胃がん，大腸がん）

病態・検査マップ

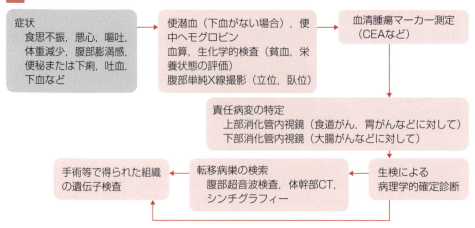

病因

不明であるが，胃がんに関してはかなりの部分ヘリコバクター・ピロリ感染（☞p.168）の関与が推定されている．菌の産生する毒素が，粘膜細胞を慢性的に傷害する作用をもつためである．一方，遺伝子異常による発生も知られている．がん抑制遺伝子である $p53$ の変異や，細胞の活性化をもたらす K-ras 遺伝子の変異が報告されている．家族性大腸腺腫症では，生まれながらにしていくつかのがん抑制遺伝子に変異がみられるため，青壮年期までに大腸にポリープが多発し，そのなかからがんが発生する．わが国の大腸がん患者数は，1980年以降増加傾向が続いており，その遠因として，食物繊維が少なく脂質の多い食事の普及が推定されている．

臨床症状

▶ 早期の場合は自覚症状に乏しいため，多くは検診で発見される．
▶ がんが進行すると，食思不振，悪心，嘔吐，体重減少，腹部膨満感，便通異常などを呈する．
▶ 進行胃がんでは黒色便や吐血をみることがある．
▶ 大腸がん，直腸がんでは下血，タール状の便を呈する．右側結腸原発の場合は鼓腸や下痢を，左側結腸の場合は狭窄症状として便秘をきたしやすい．腫瘤を触知する場合もある．直腸がんでは便線の狭小化，下血を認めることが多い．

スクリーニング検査・診断のための検査

▶ **便潜血，便中ヘモグロビン**（☞p.152）：簡便ではあるが，大腸進行がんにおける感度はおよそ7割，早期がんでは2〜3割にすぎない．よって見逃しを減らすには，検査を複数回繰り返すべきである．陰性でもがんは否定できない．
▶ **血中ペプシノゲン（PG）I/II比**：胃がんのスクリーニングに注目されている血液検査．低値の場合は胃がんを疑い，内視鏡検査が強く推奨される．
▶ **上部および下部消化管内視鏡**：最も確実な検査法である．病変部より組織片を採取し病理検

表3C-1　胃がんの伸展様式からみたボルマン分類

ボルマン分類	1型(隆起型)	2型(限局潰瘍型)	3型(浸潤潰瘍型. 最も頻度が高い)	4型(びまん浸潤型. スキルス胃がんを含む)
割面像				

がん細胞が組織に浸潤してゆく3型,4型では,遠隔転移をきたしやすく予後が悪い.

表3C-2　早期胃がんの分類

分類	Ⅰ型(隆起型)	Ⅱa型(表面隆起型)	Ⅱb型(表面平坦型)	Ⅱc型(表面陥凹型)	Ⅲ型(陥凹型)
割面像					

表3C-3　大腸がんの分類

分類	0型(表在型)	1型(隆起型)	2型(限局潰瘍型)	3型(浸潤潰瘍型)	4型(びまん浸潤型)
割面像					

	Ⅰ型(隆起型)			Ⅱ型(表面型)	
	Ip(有茎型)	Isp(亜有茎型)	Is(無茎型)	Ⅱa(表面隆起型)	Ⅱc(表面陥凹型)

査で確定診断に至る.数ミリ以下の小さなポリープでは,内視鏡的に切除することで完全にがんを取り切ることも可能である(☞口絵図A〜C).

- **腫瘍マーカー**:CEA(がん胎児性抗原,☞p.114)が最も頻繁に用いられる.基準範囲未満であっても,がんを否定することはできない.CEAの個人における値は比較的一定しているため,基準範囲内であっても徐々に上昇してくる場合は要注意である.

疾患のフォローアップ

- 内視鏡による病巣の確認.
- CT,超音波検査,シンチグラフィー,MRIなどによる転移病巣の検索.
- 腫瘍マーカーによる治療効果,再発の推定.
- 遺伝子検査:切除または生検されたがん組織の遺伝子型を解析し,化学療法の薬剤の組み合わせを判断することが多い.とくに*RAS*遺伝子は抗EGFR抗体医薬投与前の効果予測に有用である.コンパニオン診断(☞p.120)参照.

薬物治療

- 治療の基本は外科的切除である.薬物治療は術後に残ったがん組織や遠隔転移に対する化学療法など補助的役割に留まる.
- 胃がんの化学療法には,シスプラチン,フルオロウラシル,ドキソルビシン,マイトマイシンC,イリノテカン,パクリタキセル,テガフール・ギメラシル・オテラシルカリウム配合剤,ドキシフルリジンなどの全身投与や,他の温熱療法との併用が行われる.単剤で用いられることはほとんどなく,評価が定まった組み合わせで投与される.
- 大腸がんの化学療法は,FOLFOX(フルオロウラシル,レボホリナート,オキサリプラチン),FOLFIRI(FOLFOXの前2者に加えイリノテカン)など一連のレジメンに従う.

C-3 炎症性腸疾患（潰瘍性大腸炎，クローン病）

病態・検査マップ

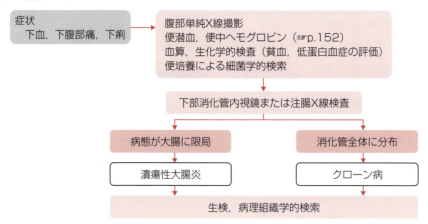

病因

炎症性腸疾患とは，若年者に好発し，増悪と寛解を繰り返しながら完治に至らない非特異的な腸の炎症性疾患である．**潰瘍性大腸炎**の炎症の場は大腸から肛門までに限られており，主として粘膜表面を侵すのに対し，**クローン病**では口唇から肛門までが対象となり，炎症も腸管壁全層に波及する（表3C-4）．

免疫異常，腸内細菌叢の異常，幼少時におけるある種の食事抗原曝露に対する過剰な反応などを原因とする学説が提出されているが，決着をみていない．遺伝的素因やアラキドン酸代謝産物の関与も報告されている．

臨床症状

- **腹痛**，腹部の圧痛，**下痢**，**粘血便**（重症では1日6回以上）．
- **発熱**，頻脈，めまい，立ちくらみなどの貧血症状．
- 体重減少．

スクリーニング検査・診断のための検査

- **消化管内視鏡**：粘膜びらん，膿性白苔，地図状潰瘍，粘膜橋，縦走潰瘍，敷石像など（図3C-3, 4，口絵図 D〜H）を認める．

表3C-4　潰瘍性大腸炎とクローン病の比較

	潰瘍性大腸炎	クローン病
発生部位	大腸〜肛門	口唇〜肛門の腸管全体
炎症の深さ	粘膜に限局	腸管壁全層
好発年齢	小児〜50歳代	10歳代後半〜20歳代の若年者

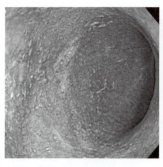
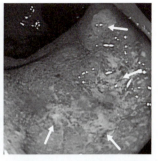

図3C-3　潰瘍性大腸炎の内視鏡像
(☞口絵図 D-a)、d))
粘膜びらん(左)、膿性白苔(右)
(写真提供：昭和大学横浜市北部病院　消化器センター　大塚 和朗 博士による)

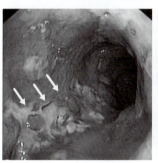
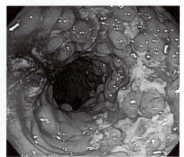

図3C-4　クローン病の内視鏡像
(☞口絵図 G)
縦走潰瘍(左)、敷石像(右)
(写真提供：昭和大学横浜市北部病院　消化器センター　大塚 和朗 博士による)

- 注腸X線検査：びまん性粗糙、顆粒状粘膜、腸管狭小化．
- 便培養および鏡検：細菌性赤痢、腸結核などの否定．
- 便の原虫検査：アメーバ赤痢の鑑別（病歴、海外渡航歴、同性愛遍歴などが手がかりとなる）．
- 血液検査：貧血［赤血球数（☞p.12）、Hb（☞p.13）の低下］、炎症反応［CRP（☞p.97）、赤沈（☞p.16）の上昇］、栄養状態［TP（☞p.48）、アルブミン（☞p.48）、TC（☞p.39）の低下］で病勢を評価．

疾患のフォローアップ

- 血液検査：貧血の進行、炎症の強さ、栄養状態の評価．
- 内視鏡検査：病状の把握だけでなく、狭窄部位の拡張など治療目的でも使用される．
- 手術療法：内科的治療に反応しない重症例、大量出血、穿孔などで考慮される．大腸全摘に人工肛門造設が行われることが多い．

免疫抑制薬を使用している場合は、感染の早期発見のため喀痰培養や胸部X線撮影など感染症に対する検査を症状がなくても数ヵ月ごとに併用する．加療中に結核を発症する例もみられる．

薬物治療

メサラジン、5-アミノサリチル酸製剤（5-ASA）（軽症〜中等症）、副腎皮質ステロイド（中等症〜重症例）、免疫抑制薬（寛解状態の維持）、抗TNF-α抗体、ブデソニドの他、最近では分子標的薬が次々と開発され、インフリキシマブ、アダリムマブ、トファシチニブ、ゴリムマブなどが好成績をあげている．

D-1　肝炎

病因

肝障害をもたらす病因によって1)～4)に大別される．

1) ウイルス性肝炎
   ① A型肝炎：ウイルスの経口摂取による感染．海外などで飲食物を介して感染し帰国後発症する例が多い．
   ② B型肝炎：最も感染力の強い肝炎ウイルス．針刺し・血液曝露など医療行為を介したり，性行為で感染．
   ③ C型肝炎：血液製剤や針刺し事故で感染．
   ④ D型肝炎，E型肝炎（加熱不十分な野生動物の肉で感染），G型肝炎．
   ⑤ 伝染性単核球症（EBウイルス，サイトメガロウイルスなど）．
   ⑥ その他のウイルスによる肝炎．
   *6ヵ月以上，肝機能検査値の異常と肝炎ウイルス感染が持続している場合を「慢性肝炎」という．
2) 薬物性肝炎・アルコール性肝障害
3) 自己免疫性肝炎：抗核抗体，抗平滑筋抗体が陽性の1型と抗肝腎ミクロソーム（LKM）-1抗体陽性の2型に分類される．
4) その他の要因（代謝疾患，先天異常など）

> **NOTE　肝臓の機能**
> ・蛋白合成，糖新生，グリコーゲン貯蔵　　・排泄機能（ビリルビンの代謝，胆汁酸合成）
> ・脂質の合成・分解　　　　　　　　　　・解毒機能
> ・尿素サイクル　　　　　　　　　　　　・ビタミン，ホルモン，免疫能の調節
> 肝炎では，これらの機能が障害される．

臨床症状

1) 急性肝炎（典型的経過をとった場合の出現順）
   ① 前駆期：発熱，下痢，悪心，嘔吐
   ② 黄疸期：食思不振，言いようがないほどつらい倦怠感，次いで黄疸，尿の濃染，灰白色便
   ③ 回復期：自覚症状の消失
2) 慢性肝炎：無症状．ときに倦怠感，食思不振．一部は徐々に進行し，数十年のうちに肝硬変，肝細胞がんに至る
3) 劇症肝炎：急激な増悪で意識不明，昏睡状態を経て死に至る

スクリーニング検査・診断のための検査

1) 共通した検査所見
   ▶ 腹部診察で腫大した肝臓を右季肋部に触知，圧痛を訴える．
   ▶ 血中トランスアミナーゼの上昇．肝細胞の障害で血中に逸脱．ALT，AST（☞p.58）が通常40以下のところ，急性期ではしばしば1,000 U/Lを超え，病勢を反映する．

- ▶ 胆汁のうっ滞を反映した異常値：ビリルビン（☞p.56），γ-GT（☞p.66），ALP（☞p.62）の上昇．
- ▶ 肝臓における蛋白・脂質の合成能低下：アルブミン（☞p.48），ChE（☞p.68），TC（☞p.39）の低下．
- ▶ 凝固蛋白の産生低下等による出血傾向：PT・APTTの延長（☞p.19），血小板の減少（☞p.18）．
- ▶ 炎症所見：白血球増多（☞p.10），CRP（☞p.97）上昇，γ-グロブリン（☞p.48）の増加．
- ▶ 画像診断：腹部超音波検査，腹部CT．必要に応じMRI．

2) ウイルス性肝炎のスクリーニング：HA-IgM抗体，HA-IgG抗体，HBs抗原，HCV抗体（☞p.100），サイトメガロウイルスIgM・IgG抗体，EBウイルス（VCA-IgG・IgM抗体，EBNA抗体）．

3) 薬物性肝炎のスクリーニング：末梢血の好酸球増多（☞p.11），リンパ球幼若化試験＊．

4) 自己免疫性肝炎のスクリーニング：血清補体価（CH50）・C3・C4，抗核抗体（抗DNA抗体，抗Sm抗体，抗RNP抗体），抗平滑筋抗体，抗LKM-1抗体．

> **NOTE** ＊リンパ球幼若化試験：薬物性肝障害で，原因薬物を特定する場合に実施．培養した患者リンパ球に候補の薬物を作用させ，^3H-サイミジンのリンパ球への取込み量が増加するかで幼若化を判定する．原因薬物の場合は，感作されたリンパ球が反応するため幼若化がみられる．

疾患のフォローアップ

- ▶ 肝障害の程度を評価する検査：ALTの上昇，ChEの減少，アルブミンの減少，PT延長，（☞p.19），総ビリルビン・間接ビリルビンの上昇，血小板の減少．
- ▶ ウイルスの消長をみる検査：B型肝炎→HBV-DNA定量，C型肝炎→HCV-RNA定量（☞p.100，急性肝炎における各ウイルスマーカーの消長，☞p.101，図2C-1，2，3）．
- ▶ 肝細胞の再生をみる検査：AFP（☞p.114）が一過性に軽度増加する．継続的な増加は肝細胞がんの発生を疑う．
- ▶ 肝細胞の線維化をみる検査：プロコラーゲンⅢペプチド（P-Ⅲ-P），オートタキシン，Ⅳ型コラーゲン・7S，M2BPGi（Mac-2結合蛋白糖鎖修飾異性体）の上昇．
- ▶ がん化を早期発見するための検査：腫瘍マーカー［AFP，AFP-L3（☞p.181），PIVKA-Ⅱ（☞p.115）］の上昇，血小板数の著しい低下，腹部超音波検査，CT．

薬物治療

1) ウイルス性肝炎
   - ▶ インターフェロン，リバビリン，直接型抗ウイルス薬（DAA），ソホスブビル，ベルパタスビル
   - ▶ 肝庇護剤（グリチルリチン製剤，小柴胡湯）（主として慢性肝炎）．
   - ▶ 血漿交換，副腎皮質ステロイド，ラクツロース（劇症肝炎，肝性昏睡）．

2) 薬物性肝炎：原因薬物の特定，排除を行い，免疫抑制薬を投与．アルコール性肝障害では嫌酒薬を用いることもあるが，二日酔い状態になるため，本人が内服しなければ効果はない．

3) 自己免疫性肝炎：副腎皮質ステロイド，免疫抑制薬（無効の場合，最終的には肝移植）．

D-2 非アルコール性脂肪性肝疾患（NAFLD/NASH）

病因

　非アルコール性脂肪性肝疾患（NAFLD）とは，肥満やインスリン抵抗性を基盤として発生する脂肪肝のうち，アルコール性脂肪肝を除外したものをいう．このうち肝炎の状態まで進展したものを非アルコール性脂肪肝炎（NASH）と呼び，より深刻な病態と捉えることができる．

　20世紀終盤まで，肝炎はウイルス感染やアルコール過剰摂取によって惹起され，慢性的な経過を経て肝硬変，肝がんに至る臨床経過が一般的であった．これに対し血液製剤のウイルス検査やワクチンの普及，防護具など感染機会を減らす各種の努力の結果，ウイルス感染事例は減り，アルコールについても対策の重要性が認識されるようになってきた．これに伴い，慢性肝炎や肝硬変は過去の疾患になるかと思われた．しかし21世紀に入り世界的な肥満人口の増加を背景に，栄養の過剰摂取に基づく肝疾患が憂慮すべき公衆衛生上の課題に浮上してきた．

　20年ほど前までNAFLDは肝硬変や肝がんに至ることのない良性疾患と考えられていた．しかしNAFLDやNASHがウイルス感染を合併しない肝がん増加の主因と認識されるに至り，対策が急がれるようになってきた．

　わが国においてもNAFLD症例は近年急速に増加している．成人におけるNAFLDの有病率は男性が30～40％，女性で10～20％といわれ，男性は中年，女性は高齢者に多く認められる．大雑把にいえば検診を受ける成人男性の25％がNAFLDと診断され，その25％がNASHとなり，さらにその25％が肝硬変に進行するという．

　過剰に摂取された糖質や脂質が，皮下脂肪として蓄えられる限界を超え，肝臓に蓄えられるようになった結果が脂肪肝である．肝臓への脂肪酸流入に伴い，炎症性サイトカインなど自然免疫が過剰応答をきたす．ボロボロになった肝細胞はインスリンへの反応性が低下し（インスリン抵抗性という），2型糖尿病も悪化する．内臓脂肪の蓄積が脂肪肝，肝硬変に進展する経路を図3D-1に示す．

　NAFLDは肥満やメタボリックシンドロームの肝臓における表現型とされ，2型糖尿病と関連が深い．すなわち，図3D-2のように，まず糖尿病で蓄積された内臓脂肪の分解が亢進，細胞内の糖利用が低下し肝細胞が炎症を起こす．この結果，肝臓の線維化が促進され肝硬変に近づく．肝臓や筋肉で糖が使われにくくなるため，血糖値を下げるホルモンであるインスリンの効き目が低下する．これを補うべくインスリン分泌を高めようと膵臓のβ細胞が働くのであるが，やがて膵臓は疲弊し糖尿病も悪化する．このような全身の悪循環が複合的に起こるため，まずは糖尿病やメタボリックシンドロームの対策がNAFLDにも有効となる．

臨床症状

　NASH/NAFLDの始まりは脂肪肝であるが，多くの症例でほとんど自覚症状がない．健康診断での採血や腹部超音波検査が有用な手がかりとなる．腹部超音波検査では肝臓への脂肪蓄積に伴う輝度の上昇，肝臓の腫大が診断に有用な所見である．

　ウイルス性肝炎と異なり，NASHではメタボリックシンドロームに基づく心血管疾患の合併率が高いため，心血管疾患（☞本章A），脳血管障害（☞本章H-1），腎不全（☞本章E-1）に基づ

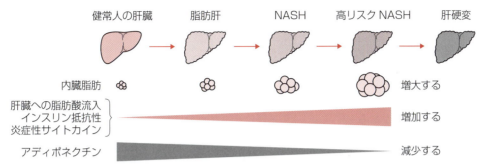

図3D-1 内臓脂肪の蓄積による脂肪肝,肝硬変への進展経路

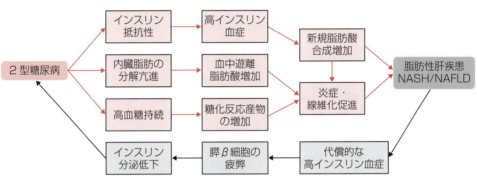

図3D-2 2型糖尿病とNASH/NAFLDの関係

く症状が前面に出る場合がある.

スクリーニング検査・診断のための検査

　NAFLDでは,ALT優位のトランスアミナーゼ上昇が認められ,同時にAST(☞p.58)も上昇する.はじめのうちは100 U/L未満の軽度上昇に留まるが,糖質の過剰摂取体質を放置すれば数年〜十数年のうちに数百 U/Lの値をとるようになる.肝硬変につながる肝臓の線維化についてはM2BPGiやオートタキシンなどの血中マーカーが開発されつつある(☞本章D-1).TG(☞p.44)やLDL-C(☞p.42)高値も脂肪肝を示唆する所見と考えられ,年に1回は血液検査で悪化がないか確認するのが望ましい.

薬物治療

　対策の基本は生活習慣の改善である.糖質の摂取をコントロールすること,適度の有酸素運動でカロリーの消費を促進させる.水泳,ウォーキングなどがよいとされる.効果を判定する最も手軽なマーカーは体重である.
　肥満がなければ2型糖尿病,脂質異常症,高血圧など基礎疾患の探索を行い,これらが確認されればピオグリタゾン,スタチン,アンジオテンシンⅡ受容体拮抗薬など内服を開始する.生活習慣の改善には年余にわたる動機づけが必要であり,患者自身による病態の理解が重要である.

D-3 肝硬変

病因

肝硬変は，ウイルスやアルコール過剰摂取などで生ずる「慢性肝炎」の終末像である．病因には下記のようなものがある．

- 感染症：ウイルス性肝炎*（B型・C型肝炎：刺青（いれずみ）や針刺し事故で感染），日本住血吸虫症．
- アルコール依存症，薬物使用，毒物：メトトレキサート，アミオダロン．
- 代謝異常：先天性の疾患が多い．ヘモクロマトーシス（鉄代謝異常），ウィルソン病（銅代謝異常），糖原病．
- 胆汁うっ滞：原発性胆汁性肝硬変（PBC，成人の自己免疫疾患），先天性胆道閉鎖症（新生児の先天性奇形）．
- 自己免疫疾患：SLE（☞p.243），ルポイド肝炎，自己免疫性肝炎．
- うっ血性：右心不全，バッド・キアリ症候群．

> **NOTE** *ウイルス性肝炎による肝硬変では，時を経るに従い高率に肝細胞がんを合併する．

臨床症状*

病変が軽微に留まる代償性肝硬変や，偶然発見される潜在性肝硬変では，ほとんど自覚症状を示さない．一方，進行して肝臓の機能代償が追いつかない状態に達すると「非代償性肝硬変」となり，下記症状を呈する．

1）皮膚・外表症状

黄疸（皮膚や眼球結膜（いわゆる白目）が黄染する），クモ状血管腫，女性化乳房，手掌紅斑，太鼓ばち状指，腹壁静脈怒張（拡張した静脈が神話の怪物「メデューサ」の髪に似るため「メデューサの頭」と呼ばれる）．

2）腹部症状

腹水貯留，辺縁の鈍化した硬い肝臓を触知，脾臓の腫大．

3）全身症状

全身倦怠感，出血傾向，食道静脈瘤（大量吐血の原因となる），肝性脳症（手指を小刻みに動かす「羽ばたき振戦」がみられる）．

> **NOTE** *肝硬変では，肝臓全体にびまん性の著明な線維化と結節（コブ状の塊）が形成されて肝臓が硬くなり，腸管から肝臓へ流入する重要な血管「門脈」内部の圧力が上昇する．これを「門脈圧亢進」といい，血液が他の抜け道に流れるため腹壁静脈瘤怒張や食道静脈瘤をもたらす．また，肝臓の萎縮により本来の機能（☞p.174）が著しく低下し，多彩な特徴的臨床症状を呈する．この病変は非可逆的で，治療により症状緩和はみられても，病理所見は元には戻らない．

スクリーニング検査・診断のための検査

1）血液検査

- 肝臓で合成される蛋白や酵素の低下：アルブミン（☞p.48），ChE（☞p.68），TC（☞p.39）の低下，血液凝固蛋白の減少．

- ▶血中トランスアミナーゼの軽度上昇＊：AST＞ALT（☞p.58）．
  > **NOTE** ＊健常者では40 U/L以下である．肝細胞内に逸脱する酵素がもはやあまり残存していないため，100程度の上昇に留まる．
- ▶黄疸：ビリルビン（☞p.56）の上昇，γ-GT（☞p.66）上昇．
- ▶凝固蛋白の産生低下と血小板数の減少による出血傾向：PTの延長（☞p.19），血小板数の減少（☞p.18，10万/μL以下は肝細胞がん合併のリスクが上昇）→食道静脈瘤が破裂した場合，止血困難となり大量吐血で死亡．
- ▶γ-グロブリン（☞p.48）の増加：血清膠質反応（ZTT）の上昇，IgM，IgAの上昇．

2）原因となる病態のスクリーニング
- ▶肝炎ウイルス（HBV，HCV）の検索（☞p.99），血中ウイルス濃度の定量．
- ▶SLE，PBCの鑑別（抗核抗体，抗ミトコンドリア抗体）など．

3）画像診断
- ▶腹部超音波検査，腹部CT，MRI：肝臓の萎縮，変形，腹水の貯留，脾臓の腫大を認める（肝がんのスクリーニングを行う上でも重要）．

4）確定診断（必須ではない）：腹腔鏡下肝生検（☞口絵図Ⅰ）

疾患のフォローアップ

- ▶肝硬変の進行度をみる血液検査：総ビリルビン，アルブミン，プロトロンビン活性
  > **NOTE** 上記指標と肝性脳症，腹水の有無から，肝障害の重症度を判定するのがチャイルド分類である．進行するほど点数は高くなる．

表3D-1 チャイルド分類

項目	ポイント	1点	2点	3点
	脳症	ない	軽度	ときどき昏睡
	腹水	ない	少量	中等量
	血清ビリルビン値（mg/dL）	2.0未満	2.0〜3.0	3.0超
	血清アルブミン値（g/dL）	3.5超	2.8〜3.5	2.8未満
	プロトロンビン活性値（%）	70超	40〜70	40未満

各項目のポイントを加算しその合計点で分類する．A：5〜6点，B：7〜9点，C：10〜15点．

- ▶肝細胞線維化の進行度をみる検査：プロコラーゲンⅢペプチド（P-Ⅲ-P），ヒアルロン酸，Ⅳ型コラーゲンの上昇．
- ▶肝性昏睡に至った場合の検査：血中アンモニアの上昇，脳波（三相波がみられる）．
- ▶合併しやすい肝細胞がん（☞p.180）を早期にみつける検査：血中腫瘍マーカー［AFP（☞p.114），PIVKA-Ⅱ（☞p.115），AFP-L3分画（☞p.181）］の上昇，血小板数の減少，腹部超音波検査．

薬物治療

グルチルリチン，ウルソデオキシコール酸など肝庇護剤，分岐鎖アミノ酸を投与する．ウイルス性では抗ウイルス薬，核酸アナログ，インターフェロンを，自己免疫性では副腎皮質ステロイドを投与する．

D-4 肝がん

病態・検査マップ

肝細胞がんの場合

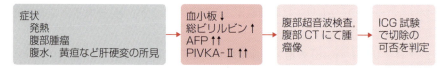

病因

9割はウイルス性肝炎，肝硬変を背景とし，年余の経過を経て発症する．C型肝炎によるものが大多数を占め，B型肝炎によるものは4分の1程度である．1980年代までは輸血によるウイルス感染が多かったが，現在は輸血製剤のスクリーニング体制が改善され，将来は患者数減少が予想される．しかし，ウイルスキャリアや慢性肝炎，肝硬変患者は依然としてハイリスク状態にあり，複数の肝がんが同時進行する場合も多いため定期的な精査加療が推奨される．

転移性肝がんでは，胃がん，肺がん，大腸がん，膵がん，胆嚢がんなどの血行性転移が多い．ウイルス性肝炎によって起こる場合，一般に図3D-3のような経過をとる．

臨床症状

▶ 直径2 cm程度の比較的早期の肝細胞がんでは，がんによる特異的な自覚症状はない．
▶ 肝硬変を背景にもつ場合が多いため，腹水，腹部膨満，食思不振など肝硬変症状を呈する．
▶ 抗菌薬の効かない発熱（腫瘍熱）．
▶ 肝臓の腫大（直径10 cm以上に成長），腫瘤の触知．
▶ 食道静脈瘤破裂による吐血，がんによる胆道閉塞による黄疸．
▶ 腫瘍増大に伴う腹腔内出血による腹痛，ショック症状．

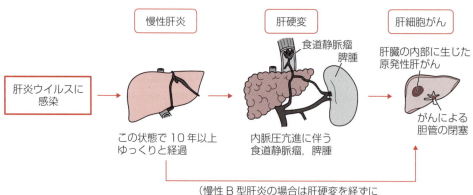

図3D-3　原発性肝がんが発生する過程

スクリーニング検査・診断のための検査

1) 血液検査
- 慢性肝炎, 肝硬変の検査所見を背景にもつ (☞p.174, 178). 特に, ①血小板数の減少 (10万/μL未満, ☞p.18), ②総ビリルビン (☞p.56), ALP (☞p.62), LD (☞p.60) の上昇.
- AFP (☞p.114) の上昇：アルファ胎児性蛋白. 400 ng/mL 以上ではがんを強く疑う.
- AFP-L3分画：AFPの上昇が肝炎によるものか肝細胞がんによるものかを鑑別する検査. 糖蛋白である AFP には, 糖鎖部分にフコースをもつ AFP と, もたない AFP が併存し, 肝細胞がんでは前者の占める割合が増加する. フコースのついた糖鎖に親和性が高いレンズマメレクチンを用いて電気泳動すると, AFP をフコースのついた L3 分画と, ついていない L1 分画に分けることができる. 肝細胞がんでは AFP-L3 分画が増加する.
- PIVKA-Ⅱ (☞p.115)：本来はビタミン K が欠乏した際に生ずる「でき損ない蛋白」であるが, 原発性肝がんで血中濃度が上昇する. 肝がん診断の感度は AFP に劣るが特異度は高い.

2) 画像診断
- 腹部超音波検査：被曝もなく最も有効な検査. 2 cm 程度の小さい腫瘍は SOL (space occupying lesion), 4 cm を超える大型では腫瘍内部にモザイクパターン, 周囲の陰影増強 (ハロー) を認める.
- 腹部 CT, MRI：単純 CT で低濃度域, 造影 CT では高濃度域として描出される. 遠隔転移の検索にも有用である.

疾患のフォローアップ

- 血管造影：肝細胞がんは血管に富む腫瘍として描出される.
- ICG 試験：インドシアニングリーン (ICG) という緑色の薬剤を静注し, 肝臓を経て血流から排除される効率をみる検査. 肝機能が低下しているほど末梢血中の残存率は高い. 病変部を切除した際, 残存部分の肝臓の機能が十分かを確認する目的で行われる.

薬物治療

肝臓の予備能が十分であれば, 肝切除術を検討する.
- 抗がん薬の全身投与を行う.
・分子標的薬：アテゾリズマブ, ベバシズマブ, ソラフェニブ, レンバチニブ, レゴラフェニブ, ラムシルマブ, カボザンチニブ等

D-5 胆石症

病態・検査マップ

症状
　発熱，黄疸，激しい腹痛（右季肋部〜心窩部の差し込むような自発痛．食後に増強）

検　査
　①腹部超音波検査で結石の証明
　②白血球数，CRP，胆道系酵素の上昇
　③血液培養

病　因

胆石とは，胆汁中のコレステロールや色素が，胆嚢や胆管内で析出し成長した有形物である．胆汁は肝臓で作られ胆嚢で濃縮を受け，食物の摂取とともに十二指腸に分泌される（図3D-4）．胆石には砂や泥のような軟らかいものから，石のように硬いものまであり，数も1個とは限らず多数みられる場合がある．患者は中高年の肥満型女性に多く，無症状の例を入れると国内に1,000万人近くの罹患者がいるとの推定もある．

▶結石の局在による3分類
　胆嚢結石（わが国の胆石症の77％）
　胆管結石（21％）
　肝内結石（2％）

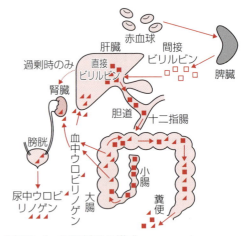

図3D-4　腸肝循環の模式
□間接ビリルビン，■直接ビリルビン，▲ウロビリノゲン
（木村　聡：尿中ウロビリノーゲン・ビリルビン．治療 76（5）；1452-1454, 1994より引用）

臨床症状

▶疝痛（colic pain）：心窩部から右季肋部までの反復する自発痛．食事，とりわけ高脂肪食や卵黄の摂取で増強する．
▶発熱，黄疸：胆嚢炎，胆管炎の合併でみられ，39℃を超えることもまれではない．
▶無症状：胆嚢結石の3割，肝内結石の2割は無症状とされる．腹部超音波検査などで偶然発見される．

表3D-2　結石の種類

結　石	原因，特徴
コレステロール結石 （胆石全体の約6割） （☞口絵図 J）	・脂質異常症，高脂肪食，薬物，回腸病変，肝硬変→胆汁酸の低下→コレステロールの析出→胆汁うっ滞で結石が成長 ・石灰化がみられないため，X線撮影では写らない
黒色石 （胆嚢結石の2割以下）	・ビリルビン過剰状態で無菌的に生成される．溶血性貧血，人工弁置換後などに起こり，石灰化を認めることがある
ビリルビン結石 （胆管結石の半数）	・胆管を介して侵入した腸内細菌がβ-グルクロニダーゼを産生→可溶性である直接ビリルビンを不溶性の間接ビリルビンに加水分解→Ca^{2+}と結合して析出 ・石灰化を認めることがある

実際はこれらが複合した混合性結石である場合が多い（☞口絵図K）．

スクリーニング検査・診断のための検査

1) 血液検査
   ① 胆道系酵素の上昇：胆汁うっ滞に伴うγ-GT（☞p.66），ALP（☞p.62），LD（☞p.60），LAP（☞p.67）の上昇．ALT，AST（☞p.58）などの上昇は胆道閉塞を伴わない限り軽度に留まる．
   ② 黄疸のアセスメント：ビリルビン（☞p.56）の上昇．
   ③ 炎症反応（胆嚢炎，胆管炎の合併時）：白血球数とりわけ好中球の増加（☞p.11），核の左方移動，CRP（☞p.97）上昇．その度合いは入院や手術の要否を判断する指標となる．
   ④ 脂質代謝異常：TC（☞p.39），TG（☞p.44）などの増加．
2) 腹部超音波検査：被曝の心配がなく，非侵襲的である（痛くない）ため，最も手軽で確実な画像診断法である．音響陰影を伴う高エコー像[*1]を呈する．
3) 腹部CT：胆汁うっ滞を呈する疾患（胆嚢がん，胆管がん，膵臓がん，十二指腸乳頭がん，慢性膵炎，原発性胆汁性肝硬変など）の鑑別に有用．
4) ERCP：内視鏡的逆行性胆管膵管造影[*2]
5) MRCP：核磁気共鳴胆管膵管造影[*3]

> **NOTE**
> [*1] 音響陰影（☞口絵図L）：石にあたった部分の超音波が跳ね返され，影が生じた像．
> [*2] ERCP（☞口絵図M）：内視鏡を介して十二指腸乳頭から造影剤を注入し，胆管を撮影する技法．細胞診，生検が可能で膵臓・胆道系の悪性腫瘍の鑑別に有用．合併症として急性膵炎や胆管炎を起こすことがある．
> [*3] MRCP：MRIで膵臓や胆管を描出する手技．三次元画像を構成できる．

疾患のフォローアップ

▶ 疝痛発作を繰り返す場合，治療の基本は腹腔鏡または開腹手術による摘出である．
▶ 腹部超音波検査：無症状の場合は最初3ヵ月間，結石の大きさや数，胆嚢壁の厚さを観察．手術後の経過観察にも用いられる．
▶ 腹部CT：術前に膵臓など周辺臓器との位置関係を把握する上で有用．
▶ 血液検査：スクリーニングの項目に加え，CA19-9（☞p.115）やDUPAN-2など膵臓・胆道系の腫瘍マーカーを加える．

薬物治療

▶ 疼痛の緩和：抗コリン薬，COMT阻害薬を用いる．ペンタゾシンやモルヒネは胆管の十二指腸への開口部であるオッディ括約筋を収縮させるため禁忌．
▶ 抗菌薬の投与：胆汁排泄率が高く，大腸菌や腸内細菌の多くをカバーするセフォペラゾンなど．
▶ コレステロール結石の場合，胆汁酸利胆薬で溶解を試みる．

D-6　膵炎

病態・検査マップ

1) 急性膵炎

症状
　上腹部・心窩部，季肋部の激痛発作
　背部へ放散する激しい痛み（前屈姿勢で疼痛が軽減）
　悪心，嘔吐，腹部膨満感

↓

膵酵素（血中，尿中AMY，P型AMY）の大幅な上昇
血中トリプシン・リパーゼの上昇

↓

画像診断
　腹部CT，腹部超音波検査，腹部単純X線撮影

2) 慢性膵炎

症状
　腹痛，背部痛，体重減少，口渇・多尿，黄疸，脂肪便

↓

膵酵素（エラスターゼ1，AMY，トリプシン）の軽度上昇

↓

画像診断
　腹部単純X線撮影，腹部超音波検査，腹部CT

病因

急性膵炎は，暴飲暴食などを契機に，活性化された膵臓酵素によって組織の自己消化をきたす病態である．男性に多く，全国で毎年およそ2万人弱の新規発症がある．

慢性膵炎は，主に慢性的な飲酒や暴食等により，膵実質の脱落・線維化が慢性的に進行する病態で，男性に多い．

表3D-3　膵炎の原因

	急性膵炎	慢性膵炎
原因	①暴飲暴食 ②胆石，胆道系の感染 ③遺伝性（家族発生がみられる） ④腹部の外傷，内視鏡後の合併症（ERCP後など） ⑤特発性（原因不明）	①常習・大量飲酒の反復 ②遺伝性 ③自己免疫性 ④特発性（原因不明）

臨床症状

1) 急性膵炎

- <u>上腹部・心窩部，季肋部の激痛発作</u>（大量飲酒後8〜24時間後に発生）．
- <u>前屈姿勢で疼痛が軽減</u>するため患者は膝を抱えて側臥位で救急搬送される．
- SIRS診断基準＊のうち3項目以上に該当の場合は予後不良．

2) 慢性膵炎

- 腹痛，背部痛，体重減少，口渇・多尿，黄疸，脂肪便．

> **NOTE** ＊**全身性炎症反応症候群（SIRS）の診断基準**
> 手術や重症感染などで全身状態が急激に悪化した際の評価基準
> ①38℃以上の発熱，または36℃未満の低体温
> ②90回/分以上の頻脈
> ③呼吸数20回/分以上，または $PaCO_2 < 32$ mmHg
> ④白血球数≧12,000/μLまたは≦4,000/μL，あるいは10%以上の芽球の出現症

スクリーニング検査・診断のための検査

1）急性膵炎
- ▶ 膵酵素の上昇：総 AMY，P型（膵型）AMY（☞p.64，最も早く大きく変動．重症度と値は相関しない）．リパーゼ，トリプシン，エラスターゼ1（図3D-5）．
- ▶ 腹部 CT：膵臓の腫大（☞口絵図 N），膵臓内部の不均一像，膵臓周囲への炎症波及像．
- ▶ 腹部超音波検査：麻痺性イレウスを呈し描出し難い．膵頭部の腫大．滲出液に伴う膵臓周囲の低エコー．
- ▶ 腹部単純 X 線撮影：胸水貯留，横隔膜の挙上．

2）慢性膵炎
- ▶ 急性増悪時は膵酵素の上昇：半減期の長いエラスターゼ1．
- ▶ 膵実質の荒廃が進行した例では膵酵素が低下．
- ▶ 腹部単純 X 線撮影：膵臓の石灰化像．
- ▶ ERCP：膵石の形成（☞口絵図 O）．
- ▶ 腹部 CT：膵臓の変形，石灰化．

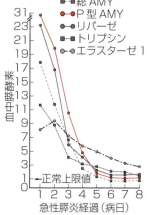

図3D-5 急性膵炎における血中逸脱酵素の推移
正常上限値を1とした場合の上昇の程度．

疾患のフォローアップ

1）急性膵炎

血液検査［膵酵素：AMY（特に尿中 AMY），リパーゼ，トリプシン．血算，凝固系（☞第2章 A），血糖値（☞p.35），電解質（☞第2章 B-1），Ca（☞p.30）］，血液培養，腹部 CT．

2）慢性膵炎

膵酵素の変動，膵外分泌機能の低下（PFD 試験*），耐糖能（血糖値，インスリン，HbA1c）．アルコールを背景にした慢性膵炎は，何度教育しても聞き入れない患者が少なくない．

> NOTE *PFD 試験：膵外分泌酵素，キモトリプシンの合成基質である BT-PABA を内服させ，分解，吸収され尿中に現れた代謝産物 PABA の量を計測，排泄率から膵外分泌能を推定する検査．

薬物治療

1）急性膵炎
- ▶ まず，絶飲食として膵臓を休ませる．
- ▶ 疼痛管理：ペチジン（合成麻薬），ペンタゾシン＋アトロピン，モルヒネ＋アトロピン．
- ▶ 制酸・膵液分泌の抑制：H_2ブロッカー，プロトンポンプ阻害薬の点滴静注．
- ▶ 膵酵素阻害薬の静注．
- ▶ 二次感染の予防：腸内細菌による感染を念頭に抗菌薬の静注．

2）慢性膵炎
- ▶ 疼痛のコントロール：NSAIDs（内服，坐薬）．
- ▶ 膵酵素阻害薬の点滴静注．
- ▶ 糖尿病の管理，栄養管理：禁酒，経口血糖降下薬，α-グルコシダーゼ阻害薬，インスリン．

D-7 膵がん

病態・検査マップ

症状
腹痛，上腹部を中心とした不定愁訴，胆管閉塞による黄疸，腰背部痛，全身倦怠感，食思不振，体重減少
→
鑑別診断
腹部CT，腹部超音波検査，ERCPによる膵管造影，血液検査
→
診断

病因

膵管の上皮細胞から生ずる悪性腫瘍．原因は不明．初期症状に乏しいうえ，膵臓が後腹膜（腹部の奥深く，胃の裏側で脊椎の前）に存在するという解剖学的特徴から，発見が遅れやすい．門脈など周囲の大血管に対しても，浸潤を押し留める構造物がなく，巻き込んで増殖するため，非常に予後が悪い．

臨床症状

膵臓は「沈黙の臓器」といわれ，初期から特異的な症状がみられることはほとんどない．
1) 膵頭部がん：腹痛，上腹部を中心とした不定愁訴，胆管閉塞による黄疸．
2) 膵体尾部がん：腰背部痛，腹痛，全身倦怠感，食思不振，体重減少．

進行すると，
- 腹膜播種による消化管通過障害で悪心，嘔吐，摂食困難．
- 消化管への浸潤で腸内細菌による感染，敗血症．
- やせた患者では腹部触診で腫瘤を触知できることがある．
- 遠隔転移：がん性疼痛（骨），神経症状（脳），呼吸困難（肺）など．

スクリーニング検査・診断のための検査

1) 腹部CT（図3D-6）：最も手軽で確実な検査であるが，被曝の問題があるため，検診目的に何度も実施すべきではない．膵がんは低吸収域を伴った腫瘤性病変として描出される．周囲の組織への浸潤，転移のスクリーニングにも有用である．
2) 腹部超音波検査：膵頭部がんでは描出されることも多いが，腸管ガスの影響を受けやすく，膵体尾部のがんでは描出不能の場合が多い．がんは境界不明瞭な低エコー域として認められる．膵胆管の閉塞をきたした場合は主膵管の拡張をみる．
3) ERCPによる膵管造影：内視鏡を介して膵管を造影し狭窄像や壁不整像，途絶を認める．膵液を採取し，細胞診でがん細胞を直接検出することも可能．合併症として膵管逆流で急性膵炎がしばしば起こる．利益とリスクをよく勘案し，患者の同意を得て行う．
4) 血液検査：初期の膵がんで特異的に増加する物質はみつかっていない．
   ① 膵がんの腫瘍マーカー（☞p.118）：多くの種類があるが，カバーする抗原が異なるため，スクリーニングにはいくつかを組み合わせて使用する（CA19-9，SPan-1，DUPAN-2，

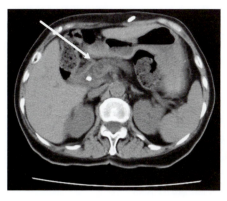

図3D-6　膵頭部がんの腹部CT像(☞口絵図P)
(写真提供：昭和大学横浜市北部病院　消化器センター　大塚 和朗 博士による)

NCC-ST-439, SLXなど). いずれも腫瘍の有無を診断するには感度が不足しており，なんらかの画像診断を加える必要がある.

②胆道系の閉塞を反映した血液所見の変化
- 胆道系酵素［ALP(☞p.62), LD(☞p.60), γ-GT(☞p.66), LAP(☞p.67)］の上昇.
- 膵酵素［AMY(☞p.64), リパーゼ, エラスターゼ1］の上昇.
- 総ビリルビン，直接ビリルビン(☞p.56)の上昇.

疾患のフォローアップ

早期の場合は切除，進行例では化学・放射線療法を行う.
- 腹部CT, MRI：原発巣への腫瘍縮小効果，浸潤の進行，遠隔転移などの評価に用いられる.
- 腹部超音波検査：膵頭部腫瘍の大きさや胆道の閉塞状況をみる.
- 血算，血液生化学検査：上昇のみられた腫瘍マーカーで，病勢・治療効果を判定する. 胆道系酵素の上昇は，腫瘍の増大を示唆する. 発熱時は血液培養で感染の評価を行う.
- 抗がん薬感受性試験：効果の期待しがたい抗がん薬を投与前に把握する.

薬物治療

化学療法にはゲムシタビン，エルロチニブ，シスプラチン，イリノテカン，フルオロウラシル，ナブパクリタキセル，テガフール・ギメラシル・オテラシルカリウム配合剤などをレジメンに従った量・組み合わせで投与する. FOLFIRINOX療法，ゲムシタビン・ナブパクリタキセル併用療法などが推奨されているが，最新のガイドラインを参照されたい. 緩和ケアには疼痛緩和にモルヒネなどオピオイドが使用される.

> **NOTE**　近年，がん組織や血液からDNAなどを取り出し，がんの発症に関連する数十～数百個の遺伝子を一度に解析することができるがん遺伝子パネル検査が登場した. これにより，患者のもつ遺伝子変異の発見率が上がり，患者1人ひとりに合った抗がん薬の選択が容易になることが期待されている.

E-1 腎不全

病態・検査マップ

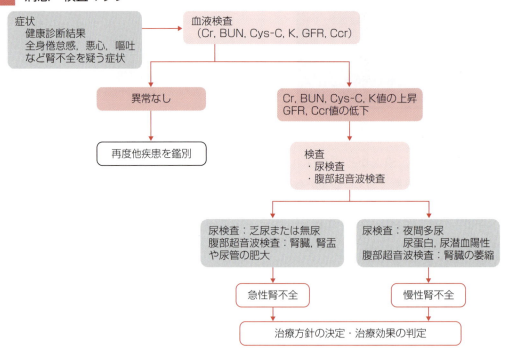

病因

　腎不全とは，何らかの原因で<u>腎臓による排泄・調節機能が低下して，生体内の恒常性が保てなくなった病態</u>をさす．腎不全は急激（数時間〜数日）に腎機能が低下して発症する<u>急性腎不全</u>と，長期（数ヵ月〜数年）にわたって徐々に腎臓の排泄機能が低下する<u>慢性腎不全</u>に大別される．どちらも糸球体濾過量（GFR）が著しく低下し，クレアチニン，尿素窒素，尿酸などの窒素含有物質の尿中への移行や体液組成の維持に支障をきたす．一般的に，急性腎不全はネフロンあたりのGFRの一時的な減少に起因するのに対し，慢性腎不全ではネフロンの機能障害が起こって濾過できるネフロン数自体が減少するため，機能障害の回復はほとんど見込めない．

臨床症状

　腎不全になると，腎臓のサイズや尿量などに変化が起こる．急性腎不全と慢性腎不全においてみられるそれらの変化と発症の原因を**表3E-1**に要約する．また，腎機能の慢性的な低下は，老廃物の排泄低下による高窒素血症や代謝性アシドーシス，血漿蛋白の喪失による浮腫，エリスロポエチンの分泌量低下による貧血（腎性貧血）など多様な疾病が併発する．そして，腎不全がある程度進行すると，糸球体硬化や尿細管の再吸収機能の低下を引き起こして糸球体濾過能はさらに低下し，最終的には尿毒症*を発症するため，早期の発見が重要である．

表3E-1 急性腎不全と慢性腎不全の症状と発症原因

		急性腎不全	慢性腎不全
病状の進行		短時間(数時間～数日)	長時間(数ヵ月～数年)
症状	腎臓サイズ	肥大	萎縮
	尿量	1日あたり400 mL以下の乏尿～無尿	夜間多尿
	その他	悪心, 嘔吐, 倦怠感(腎前性・腎性) 側腹部痛(腎後性)	高血圧, 貧血, 浮腫
発症原因		1. 腎前性:循環器系の異常による 　・細胞外液の減少(出血, 下痢) 　・循環血液量の減少(心機能低下, 血圧低下) 2. 腎性:腎実質組織の病変による 　・尿細管細胞の壊死(抗生物質投与, 腎虚血) 　・糸球体の障害(炎症) 3. 腎後性:尿路の障害による 　・尿管の閉塞(尿管結石, 後腹膜線維症) 　・尿道の閉塞(前立腺肥大, 膀胱がん)	各種疾病による(糖尿病性腎症, 慢性糸球体腎炎, 腎硬化症など)
治療による腎機能回復		有	無

> **NOTE** *尿毒症
> 蛋白分解時に生成する尿毒素(尿素やクレアチニンなど)が腎機能の低下によって尿中に排泄されず, 血液中に貯留することによって起こる症状をさす. 軽度の場合には, 食思不振や悪心, 頭痛などの症状がみられるが, 重度の場合, 高度の貧血や意識障害, 痙攣を引き起こし, 放置すると数日で死に至る. 尿毒症であることが判明した際には, 早期の食事療法と血液浄化(透析)療法が必要である.

スクリーニング検査・診断のための検査

▶ **尿検査**:原尿の量を調べる. また, 尿蛋白(☞p.147), 尿潜血反応や尿沈渣により, 血中蛋白の尿中への漏出を確認する(☞第2章G-1).

▶ **血液検査**:血清Cr(☞p.52), BUN(☞p.51), Cys-C(☞p.53), K(☞p.28), Ca(☞p.30), リン(P)などを測定する. また, 腎機能の低下は血清中のクレアチニンの除去能(クレアチニンクリアランス, Ccr, ☞p.52)やGFRの検査結果も併せて評価する必要がある.

▶ **腹部超音波検査**:腎臓の大きさを調べる. また, 腎後性急性腎不全では腎盂, 水腎症, 尿管の拡大などがみられるため, これらの有無を評価する.

▶ **腎生検**:腎組織を病理学的に診断し, 腎組織の障害の有無を判定する.

薬物治療

摂取する栄養分および体内水分量, 電解質の管理を行うと同時に, 腎不全の原因となった疾病の治療を行う. これらの治療にもかかわらず, 腎機能の低下が進行する場合には, 血液浄化療法を行う. 腎不全進行の遅延や症状緩和のために, ループ利尿薬, ACE阻害薬, Ca拮抗薬, 活性型ビタミンD製剤, イオン交換樹脂, 炭酸カルシウム, エリスロポエチン製剤などが使用される.

E-2 慢性腎臓病（CKD）

病態・検査マップ

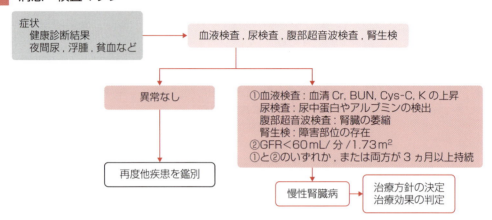

病因

慢性腎臓病（CKD）とは，米国において近年提唱された慢性的腎障害の新概念であり，慢性腎不全に至らない未病状態から末期状態までのすべてをさす．この新概念の提唱に至った背景は血液浄化療法や腎移植を要する末期腎不全患者の世界的な急増にあり，わが国においてもCKD患者数は1,300万人（成人の8人に1人）を超え，新たな国民病となりつつある．CKDは日本人に適合した推算糸球体濾過量（eGFR）*の計算値に基づいて6段階（ハイリスク群〜ステージ5）に分類され，それぞれの段階に合わせた治療方針や管理基準が提案されている（**表3E-2**）．また，ほとんど臨床症状のみられない早期段階での診断法として尿検査が用いられるが，尿蛋白やアルブミン量とCKD重症度との間には相関がみられるため，それらも新たな判定基準として利用されている（**表3E-3**）．

> **NOTE** *eGFRの算出法
> 男性：eGFRcre（mL/分/1.73 m²）= 194×（Cr）$^{-1.094}$×（年齢）$^{-0.287}$
> 女性：eGFRcre（mL/分/1.73 m²）= 194×（Cr）$^{-1.094}$×（年齢）$^{-0.287}$×0.739
>
> 日本人のeGFRは標準的な体型（身長170 cm，体重63 kg，体表面積1.73 m²）の人の1分間あたりの糸球体濾過量として，酵素法によって求めた血清クレアチニン（Cr）値と年齢（18歳以上）を代入することによって算出する．
>
> 四肢欠損やるいそうなど筋肉量が極端に少ない患者や小児において実際の計算値より高くなるため，そのような場合には血清Cys-C（Cys-C）と年齢を用いた以下の式からeGFR値を算出することもできる．
> 男性：eGFRcys（mL/分/1.73 m²）= 104×（Cys-C）$^{-1.019}$×0.996^{年齢} − 8
> 女性：eGFRcys（mL/分/1.73 m²）= 104×（Cys-C）$^{-1.019}$×0.996^{年齢}×0.929 − 8

CKDの発症につながる原因疾患としては，慢性腎疾患と同様，糖尿病性腎症，慢性糸球体腎炎，腎硬化症などが知られるが，小児の場合，ネフローゼ症候群や急性腎炎に起因することが多い．また，腎障害は心疾患リスクとも密接に関連する（心腎連関）ことも知られているため，脂質異常症，糖尿病，高血圧などの心疾患関連疾患やそれらの発症に関わるリスクファクター（喫煙，過度の飲酒やストレスなど）も誘因となり得る．

表3E-2 慢性腎臓病の重症度分類と診療・管理方針

ステージ		腎機能	eGFR (mL/分/1.73 m²)	診療・治療	管理目標
ハイリスク		正常	>90	CKDスクリーニング CKDリスクの軽減	リスクファクターがあるハイリスク群またはステージ1以上において以下の5項目を定期的に管理する。 1. 生活習慣の管理 ・体重　BMI<25 ・摂取食塩量<6 g/日 ・飲酒　男性　エタノール<30 mL/日 　　　　女性　エタノール<20 mL/日 ・有酸素運動>30分/日 2. 血圧の管理 　血圧<130/80 mmHg 3. 血糖値の管理 　HbA1c<6.9% 4. 脂質量の管理 　LDL-C<120 mg/dL 5. その他 Hb、カリウム、リン、カルシウム、副甲状腺ホルモンなどの血中濃度の変動にも注意を払う必要がある。
1		正常	>90	上記に加えて、 　CKDの診断と治療 　合併症の治療	
2		軽度異常	60〜89	上記に加えて、 　腎障害進行度の評価	
3	3a	中等度異常	45〜59	上記に加えて、 　腎不全合併症の把握・ 　治療	
	3b		30〜44		
4		高度異常	15〜29	上記に加えて、 　透析・移植の準備	
5		腎不全	<15	(尿毒症状があったら) 透析・移植の導入	

表3E-3 蛋白とアルブミンの尿中排泄量によるCKD重症度の分類

ステージ	尿蛋白		尿中アルブミン	
	1日あたりの排泄量 (g)	Cr比	1日あたりの排泄量 (g)	Cr比
A1	正常 (<0.15)	<0.15	正常 (<0.03)	<0.03
A2	少量 (0.15〜0.49)	0.15〜0.49	少量 (0.03〜0.299)	0.03〜0.299
A3	多量 (≧0.5)	≧0.5	多量 (≧0.3)	≧0.3

尿蛋白と尿中アルブミンのクレアチニン (Cr) 比は、随時尿中のクレアチニン1 gあたりの量として表した．

臨床症状

早期のCKDではほとんど自覚症状が現れず、あっても易疲労感、全身倦怠感、頭痛、浮腫などCKDと予期できない初期症状が多いため、明確なCKD様症状がみられたときには重度な腎不全まで進行していることが多い．

スクリーニング検査・診断のための検査

尿検査、血液検査、腹部超音波検査、腎生検などによってCKDであることを判定するが、これらの詳細な項目についてはE-1. 腎不全に記載した各項目に準ずる．

薬物治療

末期腎不全や心疾患の発症・進展を抑制するために、生活習慣の改善とCKD発症の原因疾患に対する集学的な薬物治療を行う．しかしながら、薬物治療や透析療法は腎機能のさらなる低下を防ぐための対症療法であり、腎機能の回復はほとんど見込めない．NSAIDsやアムホテリシンBなど腎排泄性薬物の投与は、尿細管細胞の壊死や腎血流量の低下などを引き起こしてCKDを悪化させる恐れがあるため注意を要する．

E-3 ネフローゼ症候群

病態・検査マップ

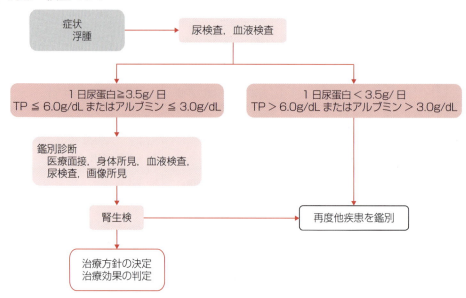

病因

ネフローゼ症候群とは，糸球体基底膜の障害に起因して，アルブミンなどの血液中の蛋白が大量に尿中に排泄される病態をさす．ネフローゼ症候群による血中蛋白の漏出は，低蛋白血症だけでなく，むくみ（浮腫）やコレステロールなどの増加による高コレステロール血症を高頻度に引き起こす．また，腎機能の低下がさらに進行すると，尿毒症を発症することがあるため注意が必要である．

ネフローゼ症候群はほとんどの糸球体腎炎において認められ，原発性糸球体疾患による一次性ネフローゼ症候群と，続発性糸球体疾患による二次性ネフローゼ症候群に大別される（表3E-4）．一次性ネフローゼ症候群は幼年期（特に男子）に発症することが多いが，糖尿病，SLEやアミロイドーシスなどに起因する二次性ネフローゼ症候群は成人の発症が多い．

臨床症状

ネフローゼ症候群は，慢性腎不全と同様に腎糸球体濾過機能の低下が起こるため，認められる臨床症状は類似している．

▶浮腫：血中蛋白の喪失による血漿膠質浸透圧の低下に起因する．
▶食思不振・呼吸困難：浸透圧の低下により肺周辺や腹部に胸水が貯留することにより生じる．

表3E-4 ネフローゼ症候群の分類

一次性ネフローゼ症候群	微小変化型ネフローゼ（リポイドネフローゼ）	小児ネフローゼの多くを占める
	巣状糸球体硬化症	感染や薬物による糸球体上皮細胞傷害により起こる
	慢性糸球体腎炎（慢性腎症や膜性増殖性糸球体腎炎など）	免疫機能異常により免疫グロブリンが糸球体基底膜に沈着することにより起こる
二次性ネフローゼ症候群	糖尿病性腎症	長期の高血糖状態による糸球体基底膜の肥厚により起こる
	アミロイド腎症	アミロイド線維が大量に腎臓に沈着することにより起こる
	紫斑病性腎炎	多種ウイルスやアレルギーにより発症するといわれているが，詳細は不明である

スクリーニング検査・診断のための検査

▶ **尿検査**：尿蛋白（☞p.147），尿潜血反応（☞p.151）や尿沈渣により，血中蛋白の尿中への漏出を確認する．

▶ **血液検査**：TP（☞p.48）やアルブミン量（☞p.48）の減少と，血中 TC（☞p.39）や TG（☞p.44）値の増加の有無を判定する．また，腎糸球体濾過機能の指標である Cr（☞p.52），BUN（☞p.51），Cys-C（☞p.53），Ccr（☞p.52）を測定する．

▶ **腎生検**：腎糸球体組織を少量採取して顕微鏡で病型を判定する．しばしば免疫染色することにより原因の詳細を調査する．

薬物治療

副腎皮質ステロイド，免疫抑制薬，抗凝固薬や抗血小板薬などが広く使用されている．

E-4 前立腺疾患

病態・検査マップ

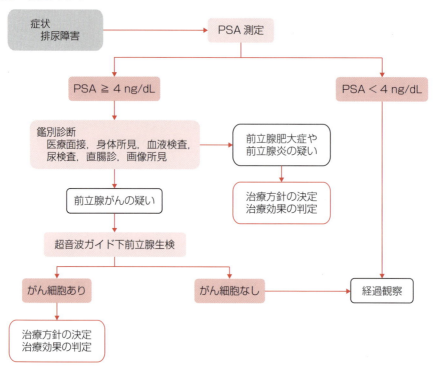

病因

前立腺は，図3E-1に示すように男性の膀胱の直下で尿道を取り囲むように存在しており，中心域，辺縁域（以前は外腺領域と呼ばれていた），移行域（以前は内腺領域）と前方線維筋性間質の四つの領域に分かれている．前立腺には射精時に収縮を繰り返して精液を尿道に押し出す，および精子の運動を活発にする弱酸性粘液を分泌する機能があり，男性の生殖機能において重要な役割を果たしている．

前立腺疾患には，前立腺肥大症，前立腺がんと前立腺炎の3種類の疾患が知られている．加齢とともに精巣機能が低下すると，前立腺自体は小さくなるが，移行域は肥大化するため，前立腺肥大症は高齢者において多くみられる．その発症機序は不明であるが，男性ホルモン（アンドロゲン）のバランスや増殖因子との関連性が推測されている．

前立腺がんは，前立腺肥大症が起こる部位とは異なり，前立腺の背中側に位置する辺縁域に起こりやすく，進行すると近傍に存在する膀胱への浸潤や腰椎，骨盤骨やリンパ節への転移がみられる．日本人の前立腺がんによる死亡率は，現在あまり高くないが，近年の生活習慣の変化により急激に罹患率や死亡率が増えているため注意が必要である．

また，前立腺炎には，主に尿道からの細菌感染により発症する急性前立腺炎と，感染を含む多

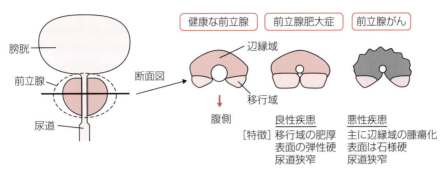

図3E-1 前立腺の形態と主な前立腺疾患におけるその変化

くの要因により発症する慢性前立腺炎などがある.

臨床症状

すべての前立腺疾患において,排尿障害を訴える患者が多い.よくみられる排尿障害の症状には,排尿時間の延長,夜間頻尿や残尿感があり,重度の場合には血尿(性器異常出血)や尿閉などもみられる.前立腺がんにおいては,症状が発現したときには腫瘍は増殖して外部組織へ転移していることがあり,進行時には骨転移によるがん性疼痛が認められる.また,前立腺肥大症や前立腺炎では排尿痛や下腹部痛がみられることがある.

スクリーニング検査・診断のための検査

- **直腸診**:前立腺肥大症では表面は滑らかで弾性硬の前立腺を触知するが,前立腺がんの表面は平滑ではなく石様硬である.
- **超音波検査・X線検査**:前立腺の大きさやがん部の特定に大変有用である.
- **腫瘍マーカー**:前立腺がんの形成は,その特異的腫瘍マーカーであるPSA(前立腺特異抗原,☞p.117)の血中濃度を測定する方法が汎用されている.本マーカーは前立腺肥大症でも増加するが,血中蛋白との結合の有無が異なるため,両疾患の判別は可能である.
- **前立腺生検**:前立腺を少量採取して顕微鏡で腫瘍の有無を判定する.

薬物治療

前立腺肥大症の治療には,閉塞している尿道を回復するためにα遮断薬が広く使用されている.また,前立腺がんに対してはエストロゲン薬や黄体形成ホルモン放出ホルモン(LHRH)作動薬などが用いられ,疼痛がみられる場合にはモルヒネも併用する.前立腺を小さくすることによる病態緩和を考慮して,両疾患に対して抗アンドロゲン薬が用いられることもある.前立腺炎にはα遮断薬や抗炎症薬が使用されている.

F-1　気管支喘息

病態・検査マップ

症状
咳，喘鳴，呼吸苦
重度のとき：チアノーゼ，
起坐呼吸，意識障害

→

聴診
乾性ラ音（喘鳴），
呼気延長
重症のとき：呼吸音消失

→

検査
血液一般検査，喀痰，画像所見
重症度判定：動脈血ガス分析・肺機能検査
原因判定：アレルゲン検査

↓

気管支喘息の診断（発作の程度の判定），他の心肺疾患の除外
・軽度（小発作）：苦しいが横になれる
・中等度（中発作）：苦しくて横になれない
・高度（大発作）：苦しくて動けない，会話困難
・重篤：体動・会話不能，チアノーゼ

病因

気道の慢性炎症によって起こる疾患．可逆性の気道狭窄・気道過敏性が特徴的（図3F-1）．

炎症により起こる気道の閉塞性変化（気道粘膜の浮腫・気道分泌物の粘稠化など）から喘鳴，呼吸困難の症状をきたす．

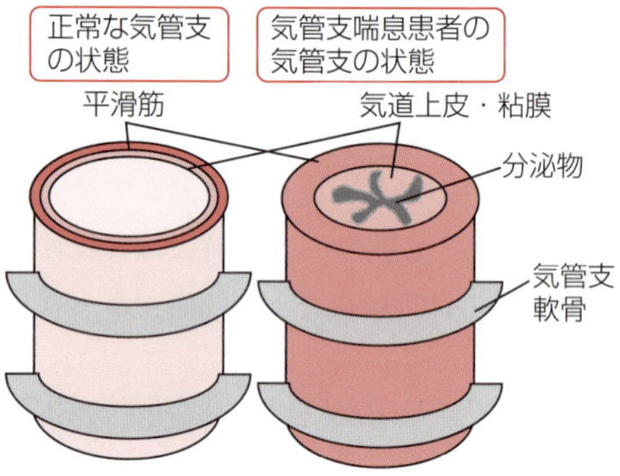

臨床症状

▶ 咳，喘鳴，呼吸困難：炎症により，気道の平滑筋収縮や粘膜の腫れ，分泌物などをきたす．気道が狭くなり，呼吸が苦しくなる．

▶ 重症例：呼吸音減弱，チアノーゼ，起坐呼吸，意識障害．

図3F-1　病態模型図

スクリーニング検査・診断のための検査

気管支喘息診断のための検査と，重症度（患者の呼吸状態）を調べる検査の大きく二つに分かれる．

▶ 呼吸状態を調べる検査：動脈血ガス分析（☞p.140），肺機能検査（☞p.138）．

▶ 気管支喘息診断のための検査

・気道過敏性試験
・アレルゲン検査：皮内反応テスト，プリックテスト・スクラッチテスト（☞p.241），特異的IgE*（MAST，Viewアレルギー39）
・血液検査：総IgG値，好酸球（☞p.11）
・喀痰検査
・胸部X線検査
・心電図（☞p.132）：心臓喘息や肺性心といった他の病気の判別に必要．

表3F-1 気管支喘息の誘発・悪化をきたすもの

遺伝的素因	アトピー素因（生まれつきもっている抗原に対し，過敏症を作りやすい体質）が気管支喘息発症の大きな危険因子となり得る
アレルゲンの曝露	ある特定の物質（アレルゲン）に接触することで気管支喘息が誘発される アレルゲン：ハウスダスト，ダニ（最も頻度が高い），花粉，動物の毛，昆虫，カビ，食物（卵，牛乳，小麦，そば粉など）など 中にはアレルゲンが特定できないこともあり，非アトピー性喘息という．成人発症例の約半数近くにみられる
感　染	細菌やウイルスによる呼吸器感染によって，アレルゲン刺激に過敏になり，喘息発作が起きやすくなる．子ども（年少者）ではRSウイルスやパラインフルエンザウイルス，成人ではライノウイルスやインフルエンザウイルスが重要
ストレス	ストレスなどの心理的因子も気管支喘息発症，悪化の要素となり得る
運　動	運動中の換気量増加や，冷たい空気や乾燥が発作を誘発する
薬物性：アスピリン喘息	成人喘息の1割はアスピリンのようなNSAIDsで発作が誘発されることがある．内服薬や注射のみならず，坐薬，シップでも発作を誘発し得るので注意が必要．同時に食品添加物の黄色4号（タートラジン），防腐剤の安息香酸ナトリウム，パラベンなどに対しても過敏性をもっていることがある
その他	タバコの煙，暖房器具からの窒素酸化物，建材や壁紙の接着剤に使われるホルムアルデヒドなどの空気汚染物質など

> **NOTE** *特異的IgE：アレルゲンに特異的なIgEを定量することで，アレルゲンが何かを調べる．試験管内で行うため，アナフィラキシーショックの危険がない．

疾患のフォローアップ

健常者と変わらない肺機能を維持し，日常生活を送れるようにする．コントロール状態の評価は，喘息症状（日中および夜間）・発作治療薬の使用・運動を含む活動制限・増悪がないこと，呼吸機能（$FEV_{1.0}$およびPEFR）が正常範囲内であること，PEFRの日（週）内変動が20％未満であること，を満たすと良好とされる．

> **NOTE 喘息発作を予防するために**
> ①アレルゲン曝露を避ける
> ②運動誘発性の場合：β_2遮断薬などで運動前に気管支を広げておく，十分にウォーミングアップする．冬場はマスクをして冷たく乾燥した空気をなるべく吸い込まないようにするなどを心がける．

薬物治療

治療薬は吸入ステロイドが中心である．その他の治療薬としてβ_2刺激薬，ロイコトリエン受容体拮抗薬（LTRA），テオフィリン徐放製剤が選択される．また，追加治療薬としてLTRA以外の抗アレルギー薬（メディエーター遊離抑制薬，ヒスタミンH_1拮抗薬，トロンボキサンA_2阻害薬，Th2サイトカイン阻害薬）がある．

F-2　慢性閉塞性肺疾患（COPD）

病態・検査マップ

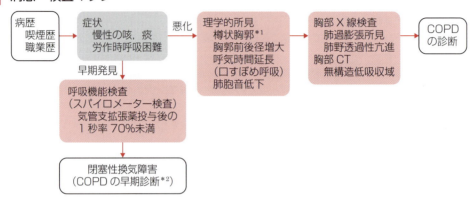

NOTE　長期の喫煙歴があり慢性に咳，痰，労作時呼吸困難があればCOPDが疑われる．
*1 樽状胸郭とは肺の過膨脹のために肋骨が水平になり，腹部が突出する現象．
*2 COPDの診断基準は，気管支拡張薬投与後のスパイロメトリーで1秒率70％未満を満たすこと，他の気流制限（閉塞性障害）をきたし得る疾患を除外すること．重症例では胸部X線検査で肺の透過性亢進や過膨脹所見がみられることもあるが早期診断には役立たない．

病因

　COPDとは慢性気管支炎，肺気腫，または両者の併発により，気流閉塞（閉塞性換気障害）をきたした症例に対する病名として生まれた（図3F-2）．よって，気流閉塞（閉塞性換気障害）を伴わない慢性気管支炎または肺気腫はCOPDには含まれない．この閉塞性換気障害は，慢性気管支炎による気道病変と肺気腫による肺胞病変とがさまざまに組み合わさって起こる．

　COPDはさまざまな原因，特に喫煙により肺に慢性炎症が生じ，これにより末梢気道病変や肺胞病変が起き，気流閉塞（息が吐きづらい）を示す疾患である．その結果，咳嗽や喀痰（気道症状）が増加したり息切れ（肺胞症状）を生じたりする．

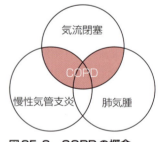

図3F-2　COPDの概念

- ▶慢性気管支炎：タバコなどの有害物質の長期吸入による気道の炎症により気管支壁の肥厚と粘液分泌が亢進し，慢性または反復性に喀痰が増加する状態で，1年のうち3ヵ月以上，大部分の日に認められる状態が2年以上続く状態．
- ▶肺気腫：タバコなどの有害物質の長期吸入により，終末細気管支より末梢（呼吸細気管支，肺胞管，肺胞嚢）の気腔が異常に拡大し，肺胞壁の破壊をきたす病態．肺胞の拡張・破壊が小葉全体に及ぶ①汎小葉型肺気腫と，呼吸細気管支とこれに隣接する肺胞に破壊・拡張がみられ小葉周辺部の肺胞は比較的正常に保たれている②小葉中心型肺気腫に分類される．

> **NOTE** 先天性のα_1-アンチトリプシン欠損症は常染色体劣性遺伝を示し肺気腫を合併しやすい．日本人では非常にまれである．

臨床症状

慢性の咳嗽・喀痰，労作時呼吸困難がみられる．また肺炎，気管支炎を起こしやすい．

COPDが進展すると肺高血圧症から右心不全を呈する．COPD患者では，心血管疾患，消化器疾患，骨粗鬆症，糖尿病，不安，抑うつなどの全身併存症をきたし得ることが知られている．

スクリーニング検査・診断のための検査

COPDの診断基準は，気管支拡張薬投与後のスパイロメトリーで1秒率70％未満を満たすこと，他の気流制限（閉塞性障害）をきたし得る疾患を除外することである．重症例では胸部X線検査で肺の透過性亢進や過膨脹所見がみられることもあるが早期診断には役立たない．

- 一般理学検査：聴診で肺胞呼吸音減弱や，胸郭前後径の増大，呼気時間延長（口すぼめ呼吸）の評価を行う．
- 肺機能検査：スパイロメトリーで閉塞性換気障害の有無や重症度を評価する．COPDでは1秒率は70％未満となる（☞p.138）．
- 胸部X線検査：肺過膨張所見，肺野透過性亢進の程度を評価する．
- 胸部CT：無構造低吸収域の広範な分布の有無を評価する．
- 動脈血ガス分析：PaO_2の低下，$PaCO_2$の増加，$AaDO_2$の拡大（☞p.140）．

疾患のフォローアップ

COPDは進行性・不可逆性の慢性疾患であるため，定期的に肺機能検査，動脈血ガス分析，胸部CT，心電図，心臓超音波検査を行い病状の進行の評価を行う．呼吸不全（PaO_2 60 mmHg以下）になった場合，在宅酸素療法を考慮する．

薬物治療

COPDの治療は禁煙が第一である．COPDの薬物治療の中心は気管支拡張薬（抗コリン薬，β_2刺激薬）であり，その他必要に応じて，去痰薬，鎮咳薬，感染症を防ぐ抗生物質などを使用する．喘息の病態が関与するときは副腎皮質ステロイドを用いる．

F-3　肺炎

病態・検査マップ

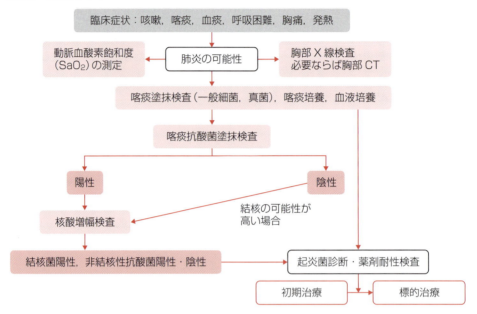

病因

　肺炎は，病原微生物により発症する肺実質の炎症である．病原微生物には，細菌，ウイルス，真菌，寄生虫などが含まれる．

- 市中肺炎：病院外で健康な生活を送っている人が病原体に感染して発症する肺炎をいう．肺炎球菌やインフルエンザ桿菌（Hib）が起炎菌となることが多い．
- 院内肺炎：入院後48時間以上を経てから発症した肺炎であり，入院時すでに感染していたものを除く．起炎菌として緑膿菌や肺炎桿菌は重要である．また，多くの抗菌薬に耐性を有するメチシリン耐性黄色ブドウ球菌（MRSA）やMRSAの治療薬であるバンコマイシンに対して耐性を有するバンコマイシン耐性黄色ブドウ球菌（VRSA）も院内感染の起炎菌として重要である．
- 人工呼吸器関連肺炎（VAP）：院内肺炎の中で人工呼吸器が装着されている患者に発生する肺炎をいう．ただし気管内挿管，人工呼吸器装着前には肺炎のないことが条件である．
- 医療・介護関連肺炎（NHCAP）：①長期療養型病床群もしくは介護施設に入所している，②90日以内に病院を退院した，③介護を必要とする高齢者，身障者，④通院にて継続的に血管内治療（透析，抗菌薬，化学療法，免疫抑制薬などによる治療）を受けている，このような状況のもとに発症した肺炎をいう．
- 嚥下性肺炎：高齢者の肺炎の頻度が高くなる原因の一つである．胃酸の誤嚥，口腔内嫌気性菌の誤嚥（口腔内の常在菌は嫌気性菌が主である）による．口腔内を清潔に保つことは重要

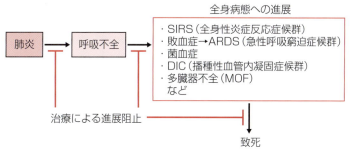

図3F-3 肺炎と全身病態

である．
▶ 免疫不全患者の肺炎：免疫不全は，液性（B細胞性）免疫，および細胞性（T細胞性）免疫のいずれか，あるいは両者の障害によって引き起こされ，ヒトに易感染性をもたらす要因の中で中心的なものである．しかし，好中球の減少も易感染性の重要な成因である．

臨床症状

咳嗽，喀痰，血痰，呼吸困難，胸痛，発熱など．

スクリーニング検査・診断のための検査

▶ スクリーニング検査：胸部X線検査，喀痰塗抹検査．
▶ 診断のための検査：胸部CT，喀痰培養同定，核酸増幅検査．迅速診断可能な検査として，抗原検査（レジオネラ尿中・肺炎球菌尿中/喀痰中・マイコプラズマ咽頭拭い液など），抗体検査（マイコプラズマIgMなど）．

疾患のフォローアップ

肺炎は増悪すると呼吸不全をきたし，SaO_2（☞p.140）の低下を招く．また炎症が全身に波及するとSIRS，敗血症，DIC，多臓器不全などの全身病態へ進展して患者は死に至ることもある．肺炎の治療の目的はこれらの病態の悪化を未然に防ぐことである（図3F-3）．

薬物治療

適正な抗菌化学療法のもと，安静保温，呼吸管理，循環管理，栄養管理および基礎疾患の治療を併せて集学的に行う．院内肺炎においては緑膿菌やMRSAの原因菌としての関与の有無を考慮しつつ，広域抗菌薬から狭域抗菌薬へのde-escalation治療を行う．結核との鑑別は常に念頭に入れておく必要がある．

F-4 肺結核

病態・検査マップ

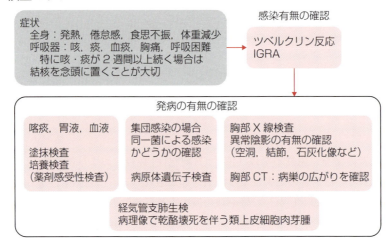

病因

マイコバクテリウム・ツベルクローシス（*Mycobacterium tuberculosis*）の感染により起こる*.

発症の誘因としては，HIV感染，糖尿病，血液透析，じん肺，胃切除後，高齢者，低栄養者，免疫抑制薬による治療などが挙げられる．成人発症は，抵抗力や感染防御能の低下で起こる再燃によることが多い．

感染様式：患者の咳嗽等により空気中に飛散した飛沫の中に含まれる結核菌を吸入することにより感染する．比較的大きな飛沫は急速に落下する一方，飛沫を構成する水分は速やかに蒸発するため，飛沫核である結核菌は空気中に長く漂う．実際の感染様式は空気中に浮遊する飛沫核（結核菌）を吸い込むことによる空気感染である．

> **NOTE** *結核の感染と発症は区別して考える必要がある．つまり，感染者は必ずしも発症するわけではなく，約90%は一生の間を通じ発病しない．結核の約90%は肺結核であるが，残りの10%は肺外結核であり，この中には結核性髄膜炎，骨関節結核，腎臓結核などいろいろな種々の臓器の結核症が含まれる．

臨床症状

- 全身症状：発熱・倦怠感：感染によって起こる炎症や組織壊死によって起こる．その他，食思不振，体重減少など．
- 呼吸器症状：咳・痰*：結核菌感染による肺胞の滲出液貯留により起こる．
- 血痰：感染による肺組織崩壊により起こる．
- 胸痛：結核病変の胸膜侵襲による．
- 呼吸困難：肺病変によって起こる換気障害による．

ときには無症状のこともあり，組織生検によって診断される症例もある．

NOTE *咳・痰が2週間以上続く場合は特に結核も念頭に入れて検査することが大切.

スクリーニング検査・診断のための検査
結核菌感染の有無を調べる方法と結核発病を調べる方法の大きく分けて二つある.

1) 結核菌感染の有無を調べる方法
- ▶ツベルクリン反応（☞p.126）：陽性の場合，結核菌感染を疑うが，BCG接種や，類似の非結核性抗酸菌感染でも陽性になることがある．わが国ではBCG接種率が高く，結核菌の感染者とBCG接種者を区別できないため，結核菌の感染の検査は，IGRAに移行している.
- ▶IGRA［インターフェロン（IFN）γ遊離試験］：結核菌の抗原刺激による血液T細胞からのIFN-γ産生の有無から，結核菌に対する細胞性免疫の反応を確認することにより感染の有無を判定する検査．結核患者との接触検診（潜在性結核症の診断）や活動性結核の補助診断に用いる．以下の2種類の検査がある.
  - ①クォンティフェロン®（QFT ☞p.125）法：患者血液（全血）を結核菌特異抗原で刺激し，IFN-γをELISA法で定量する方法である．ウィンドウ期を考慮して接触検診の際のQFT検査は原則，最終接触から2〜3ヵ月後に行う.
  - ②エリスポット（ELISPOT）法（☞p.125）：通常のヘパリン採血管で実施が可能である．末梢血単核球を精製分離して結核菌特異的抗原で刺激し，IFN-γ産生細胞の個数を測定する.

2) 結核発病を調べる方法
喀痰，胃液，血液をサンプルとして採取，必要に応じて下記検査を行う.
- ▶塗抹検査（☞p.125）：チール・ネールゼン染色.
- ▶培養検査（☞p.125）：3％小川培地で4〜8週間後のコロニー形成で判定．塗抹検査より検出能が高く，菌種同定・薬剤感受性試験も可能である．近年，液体培地を用いた迅速培養が行われることが多くなった.
- ▶病原体遺伝子検査（☞p.128）．　▶胸部CT.
- ▶胸部X線検査：特に成人においては，胸水が唯一の異常所見になることもある.
- ▶肺生検：塗抹陰性の場合さらに，診断率を上げる方法として経気管支肺生検がある．乾酪壊死を伴う類上皮細胞肉芽腫がみられる.

薬物治療
- ▶予防：BCG接種を乳児期（生後5〜8ヵ月）に受けることが推奨される.
- ▶薬物治療：感受性のある抗結核薬を2〜4剤併用することを原則とする．代表的な薬は，リファンピシン，イソニアジド，ピラジナミド，ストレプトマイシン，エタンブトールなど.

NOTE 治療に際しては，副作用の発現を十分考慮する．また，化学療法失敗の最大の原因は，治療中断と不完全な治療である．そのため，患者に対しては，規則的な服用の励行について十分指導する．この対策としてWHOが打ち出しているのが，6〜8ヵ月間で治療が完了する短期で有効な化学療法を用い，さらに患者が薬を確実に服用していることを確認しながら治療を進めるDOTS（短期化学療法による直接服薬確認療法）であり，徐々に世界中で成果を上げつつある.

F-5 肺がん

病態・検査マップ

症状・身体所見
咳，血痰，呼吸困難，閉塞性肺炎，リンパ節腫脹，腫瘍随伴症候群など
→ 一般検査
胸部X線写真，胸部CT，血算，生化学検査など
→ 確定診断
穿刺細胞診（胸水など），喀痰細胞診，気管支鏡検査（生検，擦過細胞診）など
→ 小細胞がん／非小細胞がん
→ 病期診断
頭部CT，胸部CT，腹部エコー，MRI，FDG-PET/CTなど

病因

- 喫煙，受動喫煙，ブリンクマン指数（1日の喫煙本数×喫煙年数）≧400（肺がんのリスクはそれぞれ13倍，1.5倍，60〜70倍）．
- 職業的因子（アスベスト（石綿），ヒ素，ベリリウム，カドミウム，ニッケル，塩化ビニルなど），放射線．
- 肺気腫，特発性間質性肺炎，石綿肺．
- ドライバー遺伝子の異常（*EGFR*遺伝子異常，*ALK*遺伝子転座，*ROS1*遺伝子転座など）が認められ，薬剤選択の指標とされる．

小細胞肺がんと非小細胞肺がんに大別される（表3F-2）．小細胞肺がんは限局型と進展型に分類され，放射線照射可能な範囲内に腫瘍が限局しているものを限局型，それを超えたものを進展型とする．非小細胞肺がんは扁平上皮がんと非扁平上皮がんに分類される．

臨床症状

- 原因不明の長期の咳，喀痰・血痰排出．
- 気道閉塞：繰り返す肺炎，呼吸困難．
- 胸痛：胸膜・胸壁を巻き込む場合．
- 肺内・肺外転移に伴う症状：リンパ節腫脹，嗄声，嚥下障害，パンコースト症候群，胸水．
- 小細胞がんにおいて，がん細胞が分泌するホルモン様物質により腫瘍随伴症候群（ランバート・イートン症候群，ACTHによるクッシング症候群，抗利尿ホルモンによる低Na血症，カルシトニンによる低Ca血症等）を呈することがある．

スクリーニング検査・診断のための検査

- 胸部X線検査：健康診断や術前検査で偶然発見される場合（不顕性）が5〜15％を占める．
- 胸部CT：肺病変の存在診断や質的診断の推定，さらに肺がんの病期診断に有力である．
- PET：肺がんの病期診断に対して感度，特異度ともに優れ，非常に有用な検査である．

表3F-2 肺がんの分類

	小細胞肺がん	非小細胞肺がん		
		扁平上皮がん	非扁平上皮がん	
			腺がん	大細胞がん
好発部位	肺門	肺門	肺野	肺野
頻度	約15%	約30%	約40%	約5〜15%
腫瘍マーカー	Pro-GRP, NSE	CYFRA, SCC	SLX, CEA	
胸部X線所見	肺門リンパ節腫大	無気肺, 空洞形成	コイン状病変, 胸膜嵌入像, 血管の収束像	八つ頭状病変
放射線・化学療法の感受性	高い	やや高め	低い	多少あり
転移の頻度	高い	少ない	中	中

- ▶ 穿刺細胞診（胸水など），喀痰細胞診，気管支鏡検査（生検，擦過細胞診），透視下・エコー下・CTガイド下の穿刺．組織採取後の病理診断は肺がんの診断に必須であり，小細胞がん・非小細胞がんを区別する必要がある．
- ▶ 腫瘍マーカー（☞第2章C-4）：扁平上皮がん（SCC抗原，シフラ），腺がん（CEA，SLX），小細胞肺がん（NSE，ProGRP）などが使われる．

疾患のフォローアップ

肺がんはわが国の臓器別がん死亡原因の第1位であり，今後も増加することが予想される．肺がんの治療成績は不良であり，全体の5年相対生存率は40〜50%である．このことからも早期発見が重要であり，肺がん進行後では根治が困難であることが推察される．

薬物治療

小細胞肺がんと非小細胞肺がんにおいて治療方針，使用薬物が大きく異なる．標準的治療に含まれる代表的薬物に白金製剤（シスプラチン，カルボプラチン）がある．

小細胞肺がんに対して，抗PD-1抗体であるニボルマブ（オプジーボ®）とペムブロリズマブ（キイトルーダ®）が免疫チェックポイント阻害薬として従来の標準的治療（殺がん細胞）より優れていることが証明された．進行期非小細胞肺がんに対しては，腫瘍細胞のバイオマーカー，すなわちドライバー遺伝子（*EFGR*，*ALK*，*ROS1*，*BRAF*，*MET*，*RET*）変異の有無と変異遺伝子の種類，PD-L1発現の程度により治療方針が異なる．

G-1 甲状腺機能異常症

病態・検査マップ

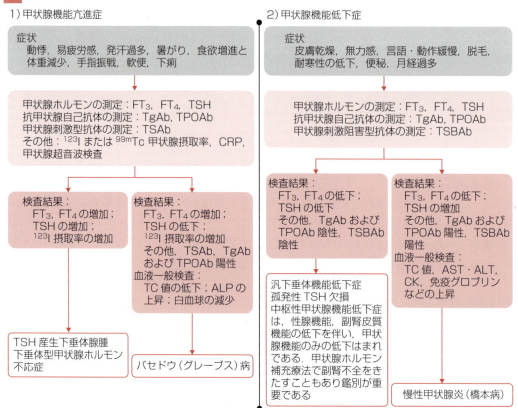

> **NOTE** 甲状腺機能異常症は，甲状腺ホルモンの分泌・作用状態により，甲状腺機能亢進症と機能低下症に分類できる．甲状腺機能亢進症は，甲状腺中毒症と同義に使われる場合も多い．

病因

1) 甲状腺機能亢進症

バセドウ病（グレーブス病）が甲状腺機能亢進症の原因として最も頻度が高く，20～40歳代の女性に多い．遺伝因子や環境因子が背景にあり，TSH受容体に対する刺激性自己抗体*が産生され甲状腺ホルモンの合成分泌が過剰になる自己免疫疾患である．その他の原因疾患として，TSH産生下垂体腺腫，下垂体型甲状腺ホルモン不応症などがあり，TSHの過剰分泌によって甲状腺機能が亢進する．

2) 甲状腺機能低下症

先天的な甲状腺の無形成などが原因で起こるクレチン病では，出生後からの慢性的ホルモン不足により，知能低下や身体発育の低下が起こる．成人型甲状腺機能低下症（粘液水腫）は，臓器特異的自己免疫疾患の代表である慢性甲状腺炎（橋本病）の終末像として認められることが多い．

橋本病は，アポトーシスにより甲状腺組織が破壊され，甲状腺ホルモンの合成の低下をきたす自己免疫疾患と考えられている．また，甲状腺内に著明なリンパ球の浸潤を認め，細胞成分であるサイログロブリン (Tg) や甲状腺ペルオキシダーゼ (TPO) に対する自己抗体 (TgAb, TPOAb) を認める．その他，汎下垂体機能低下症や視床下部を原因とする甲状腺機能低下症がある．

> **NOTE** *TSH が甲状腺の TSH 受容体に結合するのを阻害する一連の抗体を TRAb といい，甲状腺を刺激する抗体 (TSAb)，TSH 作用を阻害する抗体 (TSBAb) がある．

臨床症状

1) 甲状腺機能亢進症

バセドウ病では，メルセブルグの三徴として甲状腺腫大，眼球突出，頻脈が挙げられる．甲状腺ホルモンの過剰症状として，動悸，易疲労感，発汗過多，暑がり，手指振戦，食欲増進を伴う体重減少，精神的不安定，軟便，下痢など．よく食べるがやせるということがあればバセドウ病を疑う．

2) 甲状腺機能低下症

無力感，皮膚乾燥，言語・動作緩慢，眼瞼浮腫，脱毛，耐寒性の低下，便秘．その他，循環器症状（心筋障害，徐脈，血圧低下）．

スクリーニング検査・診断のための検査

1) 甲状腺機能亢進症

バセドウ病と亜急性甲状腺炎・無痛性甲状腺炎の急性期では，いずれも甲状腺中毒症状を呈するため鑑別が必要である．ただし，亜急性甲状腺炎および無痛性甲状腺炎では急性期を過ぎると，一過性の甲状腺機能低下状態になる場合もある．これは炎症により低下した甲状腺ホルモンの合成機能が回復するのに時間を要するためである．

- ▶ 血中甲状腺ホルモンの測定（☞p.79）：FT_3, FT_4, TSH を測定する．スクリーニング検査として，FT_4 が高く，TSH が低下していれば，負のフィードバックが保たれる甲状腺中毒症，すなわち，バセドウ病や破壊性（亜急性）甲状腺炎などが考えられる．
- ▶ 自己抗体（TRAb, TSAb, TgAb, TPOAb）の測定：バセドウ病の場合，甲状腺刺激性の自己抗体すなわち，TRAb または TSAb の存在を確認する．TgAb（抗サイログロブリン抗体），TPOAb（抗甲状腺ペルオキシダーゼ抗体）も陽性であることが多い．
- ▶ ^{123}I または ^{99m}Tc 甲状腺摂取率：バセドウ病では，TRAb または TSAb が甲状腺濾胞細胞のヨードの取込みとホルモンの合成を促進しているため，摂取率は著明に亢進する．亜急性甲状腺炎では TSH 分泌は抑制傾向にあるためヨードの取込み率は低値になる．
- ▶ 甲状腺超音波検査：エコー所見が診断の手がかりになることがある．びまん性腫大とその血流亢進はバセドウ病に特徴的である．亜急性甲状腺炎では血流が亢進していないことが多い．
- ▶ その他の血液一般検査：TC の低下（☞p.39），ChE（☞p.68），ALP（☞p.62），Ca（☞p.30）の上昇，白血球数の減少（☞p.10）などが認められる．
- ▶ 心電図（☞p.132）：頻脈や心房細動がみられる．

2) 甲状腺機能低下症

　甲状腺機能低下症においては，二次性（下垂体性）と三次性（視床下部性）との鑑別にTRH試験が有用である．TRH投与による下垂体からのTSH分泌反応をみる試験であり，二次性では下垂体に障害があるためTSHは上昇しないが，三次性ではTSH分泌は上昇する．

- ▶ **血中甲状腺ホルモンの測定**：FT_3, FT_4, TSHを測定する．一般に FT_3・FT_4 が低下するが，FT_3 は正常のこともある．TSHが高値であれば，原因としては甲状腺を原発とする橋本病であることが多い．TSHが低値または正常であれば，中枢性（汎下垂体機能低下症など）の場合が多い．
- ▶ **自己抗体（TRAb, TSAb, TgAb, TPOAb）の測定**：橋本病の場合，TgAb, TPOAbが陽性になる．
- ▶ **その他の血液一般検査**：TC値の上昇，CK（☞p.65），LD（☞p.60），AST（☞p.58）などの上昇，γ-グロブリン（☞p.48）上昇，膠質反応陽性などが認められ，CKを除けば慢性肝機能障害と誤診されることがある．
- ▶ **心電図**：徐波や波高の低下がみられる．重度の場合，心拡大（心嚢液貯留，粘液水腫）が起こる．

疾患のフォローアップ

1) 甲状腺機能亢進症
- ▶ **甲状腺ホルモンの測定**：治療開始直後は1～2回/月，その後1回/1～2ヵ月の測定を行う．放射線療法後はさらに，最低1回/年の長期的フォローを必要とする．
- ▶ **TRAbまたはTSAbの測定**：必要により1回/3～6ヵ月．

2) 甲状腺機能低下症
- ▶ **甲状腺ホルモンの測定**：治療開始直後は1～2回/月，その後1回/2～3ヵ月から1回/6ヵ月～1年の測定を行う．
- ▶ **TSBAb, TgAb, TPOAbの測定**：必要により1回/6ヵ月～1年．

薬物治療

　甲状腺機能亢進症に対しては抗甲状腺薬（チアマゾール，プロピルチオウラシル），β遮断薬を用いる．治療は長期になるため，症状が改善しても服用を中止しないように指導する．甲状腺機能低下症に対しては T_4 製剤を投与する．粘液水腫による昏睡の場合は，半減期が短く強力な T_3 製剤を用いる．

G-2 クッシング症候群

病態・検査マップ

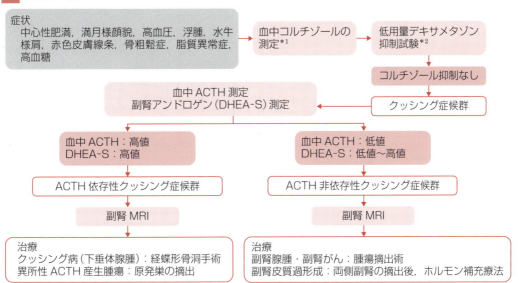

*1：コルチゾールの過剰分泌を証明，*2：コルチゾールの自律的分泌を証明．

病因

クッシング症候群は，副腎腺腫，副腎がん，副腎過形成，ACTH産生下垂体腺腫（クッシング病）などによる<u>慢性のコルチゾール過剰による症候群</u>である（図3G-1，☞p.73）．コルチゾールが過剰となる原因として内因性と外因性がある（表3G-1）．クッシング症候群は，血中ACTHが高値を示すACTH依存性と低値を示すACTH非依存性に分けられる（図3G-1，表3G-2）．ACTH依存性のクッシング病が約40％，異所性ACTH症候群が約10％，またACTH非依存性の副腎性クッシング症候群が約50％である．

臨床症状

▶ **コルチゾール過剰症状**：満月様顔貌・中枢性肥満，高血圧，水牛様肩，赤色皮膚線条，浮腫，筋力低下，骨粗鬆症，糖尿病，精神症状，易感染性．
▶ **アンドロゲン過剰症状**：月経異常，多毛，にきび．
▶ **ACTH過剰症状**：色素沈着．

スクリーニング検査・診断のための検査

クッシング症候群はACTH依存的または非依存的にコルチゾールの過剰分泌を呈し，Na（☞p.27）増加，K（☞p.28）低下，代謝性アルカローシス，白血球数（☞p.10）増加（リンパ球と好酸球は低下），血中および尿中コルチゾール（☞p.73）の増加，血中コルチゾールの日内変動消失などの所見がみられる（表3G-2）．

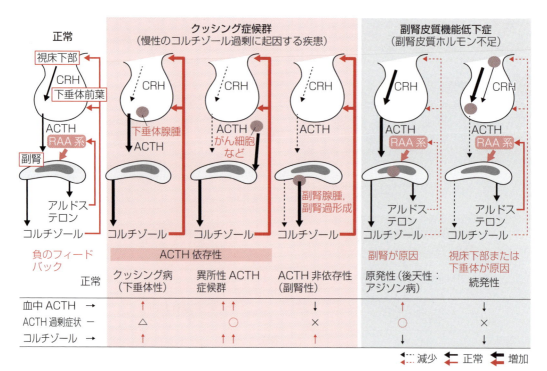

図3G-1　副腎皮質機能と疾患

表3G-1　クッシング症候群の分類

内因性	ACTH過剰分泌（ACTH依存性）	クッシング病，異所性ACTH症候群，CRH産生腫瘍
	コルチゾール自律的分泌 （ACTH非依存性）	副腎腺腫，副腎癌，副腎皮質過形成
外因性	医原性（ステロイド長期投与など），偽性（アルコールなど）	

表3G-2　クッシング症候群の鑑別診断

ACTH 依存性	疾患		血漿 ACTH	尿中 17-OHCS	デキサメタゾン抑制試験		メチラポン 負荷試験
					少量	8 mg	
依存	クッシング病（下垂体型）		↑	↑	抑制なし	抑制	++
依存	異所性ACTH産生腫瘍		↑↑↑	↑↑	抑制なし	抑制なし	－
非依存	副腎腫瘍	副腎腺腫	↓	↑	抑制なし	抑制なし	－
		副腎がん					
非依存	原発性副腎過形成		↓	↑	抑制なし	抑制なし	－

▶ **デキサメタゾン抑制試験**：ACTH分泌抑制試験である．強力な糖質コルチコイド活性をもつ合成ステロイドであるデキサメタゾンの作用により，副腎からのコルチゾール分泌が抑制される．

▶ **CRH試験**：ACTH分泌刺激試験である．CRHを静脈注射後にACTH（☞p.72）を測定すると，クッシング病では正常または過剰反応を示す．一方，副腎腺腫や異所性ACTH産生腫瘍では無反応である．

▶ **尿中17-OHCS**：C-17位に水酸基をもつステロイドで，大部分は11-デオキシコルチゾール，コルチゾールやコルチゾンから由来し，糖質コルチコイドの分泌量の指標となる．

▶ **メチラポン試験**：メチラポンは副腎皮質ステロイドの生合成の過程において，11β-水酸化酵素を特異的かつ可逆的に阻害し，コルチゾールの生成を低下させる．脳下垂体が正常であれば，フィードバック機構によりACTH分泌促進，コルチゾール代謝物17-OHCSが増える．

> **NOTE** 副腎腺腫や異所性ACTH産生腫瘍では，メチラポン投与による尿中17-OHCS増加はない（副腎腺腫や腫瘍は反応性が破綻して，フィードバックが強くかかり，下垂体機能が低下しているためACTH上昇せず）．
>
> クッシング病では，メチラポン投与により尿中17-OHCSが増加する（負のフィードバックが抑制され，もともと多量分泌であるACTHのさらなる増加）．

▶ **尿中17-KS**：C-17位にケト基をもつステロイドで，男性では20〜30％が精巣由来で残りが副腎に由来し，女性や小児ではほとんどが副腎由来である．副腎アンドロゲンの分泌量の指標となる．

▶ **血中DHEA-S**：ACTH分泌過剰に起因するクッシング病，異所性ACTH産生腫瘍で高値を示す．

薬物治療

手術療法が第一選択となる．治療薬としてはコルチゾールの合成を抑制するメチラポン，トリロスタンおよび副腎皮質の細胞のミトコンドリアを選択的に阻害するミトタンがある．

G-3 尿崩症

病態・検査マップ

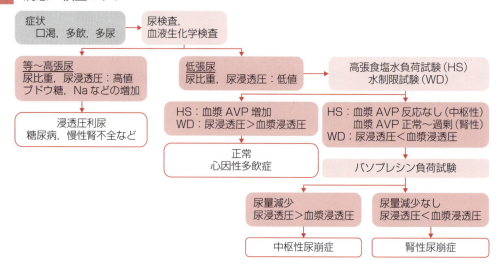

病因

抗利尿ホルモンであるアルギニンバソプレシン（AVP）合成・分泌障害（中枢性尿崩症）または腎臓のAVPに対する反応性低下（腎性尿崩症）のため，腎集合管における水の再吸収が障害されて多尿を起こす．尿比重1.010以下の低張尿（尿浸透圧が血漿浸透圧以下となる状態）となる．疾患のメカニズムは第2章B-8. e) 参照（☞表2B-6）．尿崩症と心因性多飲症は症状が同一で鑑別が困難であり，両者を鑑別するには高張食塩水負荷試験や水制限試験が必要である（マップ）．尿崩症では腎集合管における水の再吸収が低下し多尿を起こす．その結果，血漿浸透圧は上昇し，口渇中枢が刺激されて口渇，多飲を起こす（AVP合成・分泌障害や反応性低下が原因となる）．一方，心因性多飲症は神経疾患やストレスが視床下部の口渇中枢を刺激して口渇，多飲を起こす．その結果，血漿浸透圧は低下し，視床下部浸透圧受容体を介してAVP分泌を抑制し，多尿を起こす（結果的にAVP分泌が抑制される）．

臨床症状

▶ 多尿，口渇，多飲，高Na血症（☞p.27）があれば尿崩症を疑う．外因性のAVP（☞p.85）に対する反応があれば中枢性，なければ腎性である．両者に症状の違いはない．

スクリーニング検査・診断のための検査

- **高張食塩水負荷試験**：5％食塩水を0.05 mL/kg/分で120分間点滴投与する．健常者は血漿浸透圧の上昇に伴いAVPの分泌が増加する．中枢性尿崩症ではAVP増加反応が欠如，腎性尿崩症では健常者と比較し軽度亢進する．
- **水制限試験**：体重が3％減少するまで飲水を禁止する．正常および心因性多飲症では血漿浸透圧の上昇に伴いAVP分泌が増加し尿量の減少と尿浸透圧の上昇がみられるが，尿崩症では尿量の減少や尿浸透圧の上昇は認めず，血漿浸透圧は上昇する．
- **バソプレシン負荷試験**：水溶性ピトレシンまたはデスモプレシンを負荷し，尿量が減少するか検査する．中枢性では尿量は減少し，尿浸透圧は血漿浸透圧を上回る．腎性では尿量の減少や，尿浸透圧の上昇はみられない．
- **MRI**：中枢性尿崩症では下垂体後葉の信号が低下し，前葉とほぼ同一となる．
- **尿検査**（☞p.146）：1日尿量は3,000 mL以上，低張尿（尿浸透圧が血漿浸透圧より低値）．
- **AVP分泌**：中枢性では低下，腎性では正常または上昇する．

薬物治療

中枢性尿崩症では酢酸デスモプレシンの点鼻・内服により不足しているAVPを補う．腎性尿崩症では，チアジド系利尿薬により二次的に尿量を減少させる．チアジド系利尿薬は，遠位尿細管でNa^+とCl^-の再吸収を抑制し，遠位尿細管の尿流量減少，最大尿希釈力低下により尿量を減少させる．

G-4　糖尿病

病態・検査マップ

症状
口渇，多飲，易疲労感，体重減少，視力低下，むくみ，蛋白尿，四肢のしびれ，発汗異常，便秘・下痢

→ 血糖値の測定

次のいずれかに該当すれば糖尿病型と判定する．
血糖値：空腹時 126 mg/dL 以上，OGTT2 時間値 200 mg/dL 以上，随時 200 mg/dL 以上のいずれか．
HbA1c 値：6.5%以上

以下のいずれかで，糖尿病と診断する*．
1) 血糖値と HbA1c 値が，ともに糖尿病型であった場合．
2) 血糖値が糖尿病型で，かつ，糖尿病の典型的症状（口渇，多飲，多尿，体重減少）か確実な糖尿病網膜症のいずれかの条件を満たせば 1 回の検査で糖尿病と診断する．
3) 血糖値が糖尿病型であった場合，別の日の検査で，血糖値または HbA1c のいずれかが糖尿病型であった場合．
4) HbA1c のみ糖尿病型であった場合，別の日の検査で，血糖値が糖尿病型であった場合．

＊ HbA1c の反復検査では糖尿病と診断できない．

NOTE　糖尿病の診断には，高血糖（血糖値検査）と慢性的な高血糖の指標（HbA1c）が必要である．糖尿病が疑われる場合は，早期診断・早期介入を促進するため，血糖値と同時に HbA1c を測定する．同日に血糖値と HbA1c が糖尿病型を示した場合には，初回検査だけで糖尿病と診断する．再検査はなるべく 1 ヵ月以内に行う．

病　因

　糖尿病は，インスリン作用の不足に基づく慢性高血糖を主徴とし，種々の特徴的な代謝異常を伴う疾患群である．インスリン効果が不足する機序には，インスリンの供給不足（絶対的，相対的）とインスリン感受性の低下（インスリン抵抗性）がある．その発症には遺伝因子と環境因子がともに関与する．長期間にわたる代謝異常の持続は，特有の三大合併症（網膜症，腎症，神経障害）をきたし，動脈硬化症なども促進する．糖尿病は，糖代謝異常の成因に基づき**表3G-3**のように分類される．インスリンを合成・分泌する膵ランゲルハンス島β細胞の破壊・消失によるインスリン作用不足が 1 型糖尿病の主な原因である．2 型糖尿病は，インスリン分泌低下やインスリン抵抗性をきたす素因を含む複数の遺伝因子に，過食，運動不足，肥満などの環境因子および加齢が加わり発症する．

臨床症状

1）症状と特徴

　糖尿病で認められる症状は，多少差はあるが 1 型，2 型糖尿病とも同じである．2 型糖尿病では血糖値が 126 mg/dL 付近でも自覚症状がなく，診断時には合併症が認められることが多い．糖尿病の急性症状として脱水症状を起こしやすく，口渇，多飲，体重減少，易疲労などがみられる．また，1 型糖尿病と 2 型糖尿病は，発症機構，家族歴，発症年齢，肥満度，自己抗体の点で対照的な病態である（**表3G-4**）．

表3G-3 糖尿病と耐糖能低下の成因分類

病型	成因
I. 1型糖尿病	膵β細胞の破壊，通常は**絶対的インスリン欠乏**に至る A. 自己免疫性，B. 特発性（自己抗体が証明できない）
II. 2型糖尿病	**インスリン分泌低下**が主体のものと，インスリン抵抗性が主体で，それに**インスリンの相対的不足**が伴うのもの
III. その他の特定の機序，疾患によるもの	A. 遺伝因子として遺伝子異常が同定されたもの ①膵β細胞機能に関わる遺伝子異常（インスリン遺伝子，グルコキナーゼ遺伝子など），②インスリン作用の伝達機構に関わる遺伝子異常（インスリン受容体遺伝子など） B. 他の条件・疾患によるもの ①膵外分泌疾患（膵炎など），②内分泌疾患（クッシング症候群など），③肝疾患（慢性肝炎など），④薬物や化学物質によるもの（糖質コルチコイドなど），⑤感染症（サイトメガロウイルスなど），⑥免疫機序によるまれな病態（インスリン自己免疫症候群など），⑦その他の遺伝的症候群（ダウン症など）
IV. 妊娠糖尿病	妊娠中に認められる耐糖能異常

表3G-4 糖尿病の型と臨床的特徴

糖尿病の分類	1型糖尿病	2型糖尿病
割合	約5%	約95%以上
発症機構	主に自己免疫を基礎にした膵β細胞破壊	インスリン分泌の低下やインスリン抵抗性
遺伝的素因	HLAなどの遺伝因子．家系内の糖尿病は2型より少ない	いくつかの遺伝子多型が関与．家系内にしばしば糖尿病患者をみる
年齢	小児～思春期に多い．中高年でも認められる	40歳以上に多い．若年発症も増加している
肥満度	肥満とは関係ない	肥満または肥満の既往が多い
自己抗体	抗GAD抗体などが陽性	陰性
インスリン不足の程度	最終的にインスリン依存性．内因性分泌能の指標であるC-ペプチド欠乏	インスリン非依存性が多い．C-ペプチドはある程度保たれている
インスリン抵抗性	なし	あり
昏睡	**糖尿病性ケトアシドーシス**：インスリンの極度の不足により，糖利用障害をもたらし，脂肪組織から大量の脂肪酸が血中に動員され，肝臓でのケトン体が増加しアシドーシスを呈する	**高浸透圧高血糖症候群**：本態は高度な脱水である．高カロリー輸液，利尿薬やステロイド治療などが誘因となり，高齢者に多い．脱水が重症化すると昏睡に至る
臨床指標	ケトン体：血中，尿中とも著増 血糖値：高い・不安定	ケトン体：上昇しても1型ほどではない 血糖値：高い・比較的安定

2）合併症

糖尿病の合併症には，インスリンの作用不全が高度になって起こる急性合併症（糖尿病ケトアシドーシス，高血糖高浸透圧昏睡，感染症）と，長期にわたる高血糖の持続によって起こる慢性合併症（網膜症，腎症，神経障害）がある（表3G-5）．

表3G-5　糖尿病の合併症

Ⅰ．急性合併症
a．糖尿病性昏睡
a-1　ケトアシドーシス昏睡
１型糖尿病で多く，インスリンの極度の不足により，糖質，脂質，蛋白代謝の異常が起こり，放置すれば死に至る．インスリン不足がエネルギー源としての糖利用障害をもたらし，脂肪組織から大量の脂肪酸が血中に動員され，肝臓でのケトン体産生が増加する．ケトン血症が起こり，ケトーシスとなる．
a-2　高浸透圧性非ケトン性昏睡
著しい口渇，多尿，多飲，脱水，激しい倦怠感，嘔吐，腹痛などから，また，種々の程度の意識障害から昏睡に至る．高血糖と脱水が強く，ケトーシスはみられない．２型糖尿病に多く認められる．薬物，感染，高カロリー輸液，手術などが誘因となり，高齢者に多い．
a-3　低血糖昏睡
薬物の過量投与，不規則な食事摂取，過度の運動などで低血糖が誘発される．症状として，初期には空腹感，精神機能の低下，さらには交感神経系の刺激症状と続き昏睡に至る．
Ⅱ．慢性合併症
a．糖尿病細小血管障害
a-1　糖尿病網膜症
単純型，前増殖型，増殖型網膜症に分類される．血管新生とその破綻により硝子体出血，網膜前出血などを惹起する．網膜剥離や硝子体大出血が起こると視力は著しく低下する．成人失明原因の第一位である．
a-2　糖尿病性腎症
腎主要病変は糸球体にあり，糸球体硬化症と呼ばれる．尿細管障害も起こる．腎障害は，腎症前期，早期腎症（微量アルブミン尿），確定期腎症（顕性蛋白尿）と進行し，さらに進展すると腎不全に陥る．しばしば，著明な蛋白尿を呈し，低アルブミン血症，浮腫などネフローゼ型をとる．
a-3　糖尿病性神経障害
早期から出現し，頻度も高い．末梢神経障害の知覚異常，腱反射低下・消失，足底の潰瘍形成など，脳神経系に起こる場合もあり，外眼筋麻痺や顔面神経麻痺などが起こる．自律神経障害もまれではなく，発汗異常，起立性低血圧，インポテンツ，胃腸障害など，また，心臓の自律神経障害により，安静時などに心拍変動の異常をきたし，重症化すると突然死を招く．
b．糖尿病大血管障害（動脈硬化症）
高血糖による種々の異常に加え，脂質異常症や高血圧症などの合併により，狭心症，心筋梗塞，脳血管障害などの動脈硬化性疾患が進展しやすく，死因の大きな部分を占めている．
c．その他
糖尿病では免疫力が低下し，重症感染症に陥りやすい．動脈硬化症や神経障害から下肢の壊疽・潰瘍を起こすことがある．

スクリーニング検査・診断のための検査

- ▶血糖値（☞p.35）：糖尿病型の判定は随時血糖値，早朝空腹時血糖値，または75ｇ経口グルコース負荷試験（OGTT）の測定による．
- ▶C-ペプチド（☞p.94）：内因性インスリン分泌を評価．
- ▶HbA1c（☞p.37）：ヘモグロビンにグルコースが結合したもので，過去1〜2ヵ月の平均血糖値を反映．
- ▶グリコアルブミン（☞p.38）：血清アルブミンにグルコースが結合したもので，過去2週間〜1ヵ月の平均血糖値を反映．

- ▶ 1,5-アンヒドロ-D-グルシトール（1,5-AG）：再吸収がグルコースによる競合を受け，尿糖量が増えると血中1,5-AGは低下する．約1週間の平均血糖値を反映．
- ▶ 自己抗体（1型糖尿病）
- ・抗グルタミン酸デカルボキシラーゼ（GAD）抗体：発症前，発症早期の診断で感度が高い．
- ・抗膵島細胞質抗体（ICA）：測定法が煩雑で，広範な臨床応用困難．
- ・インスリン自己抗体（IAA）：インスリン治療中の患者では自己免疫機序の証明には適さない．
- ・抗インスリノーマ関連蛋白2（IA-2）抗体：若年発症患者で陽性率が高い．抗GAD抗体との組み合わせで診断感度が上がる．

疾患のフォローアップ

血糖値の測定とともに，前述のHbA1c，1,5-AG，グリコアルブミンなどがフォローアップの検査に用いられる．

薬物治療

インスリン以外の糖尿病治療薬：ビグアナイド系薬，チアゾリジン薬，スルホニル尿素薬，速効型インスリン分泌促進薬，インクレチン関連薬（DPP-4阻害薬，GLP-1受容体作動薬），α-グルコシダーゼ阻害薬，SGLT2阻害薬，ミトコンドリア機能改善薬などが用いられる．

G-5 脂質異常症

病態・検査マップ

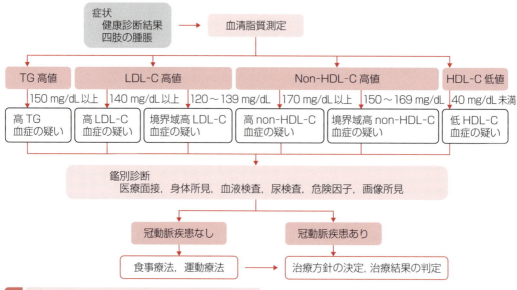

病因

　コレステロールや中性脂肪などの脂質は，リポ蛋白粒子中に取込まれて血液中を移動するが，主にこれらリポ蛋白の質的および量的な変動によって脂質異常症を発症する．脂質異常症は，内分泌疾患や腎疾患をはじめとする多様な疾患や薬物投与により発症する続発性脂質異常症と，遺伝的要因など原因疾病が明らかでない原発性脂質異常症に大別される．表3G-6に国際的に広く受け入れられているフレドリクソンによる原発性脂質異常症の分類を示す．

　脂質異常状態が長期間続くと，動脈硬化やそれに伴う重篤な疾病（心筋梗塞や脳梗塞など）の罹患につながる恐れがある．わが国では，人口の高齢化，食生活の欧米化による高脂肪食摂取習慣，生活利便性の向上による運動時間の減少や多種のストレスなど，脂質異常症の危険因子は増加する一方である．このような状況を改善するため，日本動脈硬化学会では「動脈硬化性疾患予防ガイドライン2022年版」を策定し，各カテゴリー別の脂質異常症の管理目標値を定めた（表3G-7）．

臨床症状

　脂質異常症は，通常臨床的な理学所見や自覚症状もほとんどないまま進行するため，自覚症状がみられるときには病態が大変進行していることが多い．高濃度の血中脂質を含むリポ蛋白が長時間循環することにより，脂肪肝，黄色腫，心筋梗塞や脳梗塞を起こすと臨床症状が現れるようになる．脂質異常症において最も一般的にみられる臨床症状は，眼瞼や手掌にできる黄色腫（脂質を多量に取込んだ泡沫化細胞が皮膚組織に移行してできる）であり，それ以外には角膜混濁や角膜輪などがみられる．

表3G-6 フレドリクソンによる原発性脂質異常症の分類

分類型	TC (mg/dL)	TG (mg/dL)	リポ蛋白の主な変動（増加）
I	→ (<220)	↑ (>1,000)	キロミクロン
IIa	↑ (>220)	→ (<150)	LDL
IIb	↑ (>220)	↑ (150〜500)	VLDL, LDL
III	↑ (>220)	↑ (>150)	IDL
IV	→ (<220)	↑ (150〜1,000)	VLDL
V	↑ (>220)	↑ (>1,000)	キロミクロン, VLDL

↑：増加，↓：減少，→：変化なし．太さは変動の大きさを意味する．

表3G-7 リスク区分別脂質管理目標値

治療方針の原則	管理区分	脂質管理目標値 (mg/dL)			
		LDL-C	HDL-C	Non-HDL-C	TG
一次予防 (生活習慣の改善 →薬物治療)	カテゴリーI (低リスク)	<160	≧40	<190	<150
	カテゴリーII (中リスク)	<140		<170	
	カテゴリーIII (高リスク)	<120		<150	
二次予防 (生活習慣の是正 ＋薬物治療)	冠動脈疾患の既往	<100 (<70)*		<130 (<100)*	

*急性冠症候群，家族性高コレステロール血症，糖尿病や冠動脈疾患のいずれかの合併時に考慮する．
(日本動脈硬化学会(編)：動脈硬化性疾患予防ガイドライン2022年版，p.71，表3-2，日本動脈硬化学会，2022を参考に著者作成)

スクリーニング検査・診断のための検査

血液検査において脂質代謝に関わる項目が主に変動するため，主にTC (☞p.39), TG (☞p.44), HDL-C (☞p.40), LDL-C (☞p.42), non-HDL-Cやリポ蛋白分画 (☞p.46) などの結果により評価する．また，さらに詳細な情報を得るためには，LCATやCETP (☞p.40) 活性や個々のアポ蛋白などリポ蛋白関連項目の測定をする必要がある．動脈硬化形成の有無は，酸化LDLや小粒子LDL量の増減に加えて，血管超音波検査や眼底検査などによって視覚的に判定される．

疾患のフォローアップ

第一選択とされる生活改善と運動療法や，薬物治療により，TC，TG，HDL-C，LDL-C，non-HDL-Cなどの血清脂質検査において異常がみられた項目が有意に回復していれば効果ありと判定して継続治療する．これらの値の改善がみられない場合には，他の機序に起因して発症していることが考えられるため，別の治療薬に変更することを考慮する．

薬物治療

スタチン系薬，フィブラート系薬，ニコチン酸系薬，プロブコール，陰イオン交換樹脂製剤などが広く使用されている．

G-6 高尿酸血症・痛風

病態・検査マップ

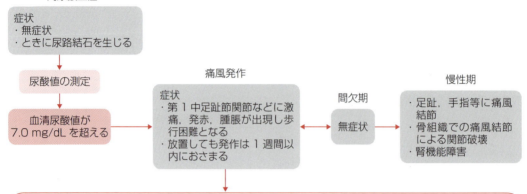

痛風関節炎の診断
1. 尿酸塩結晶が関節液中に存在すること
2. 痛風結節の証明
3. 以下のa)〜k)の項目のうち6項目以上を満たすこと
   a) 2回以上の急性関節炎の既往がある，b) 24時間以内に炎症がピークに達する，c) 単関節炎である，d) 関節の発赤がある，e) 第1中足趾節関節の疼痛または腫脹がある，f) 片側の第1中足趾節関節の病変である，g) 片側の足関節の病変である，h) 痛風結節（確診または疑診）がある，i) 血清尿酸値の上昇がある，j) X線上の非対称性腫脹がある，k) 発作の完全な寛解がある

注意点
1. 痛風発作中の血清尿酸値は低値を示すことがあり，診断的価値は高くない
2. 関節液が得られたら迅速に検鏡し，尿酸塩結晶の有無を同定する
3. 痛風結節は診断上価値があるが頻度は低い

病因

性別，年齢を問わず，血清中の尿酸*溶解濃度が7.0 mg/dLを超えるものを高尿酸血症と定義する．高尿酸血症は，核酸を構成するプリン体の産生過剰あるいは排泄低下がその原因であり，「尿酸産生過剰型」「尿酸排泄低下型」「混合型」に大別される．高尿酸血症のほとんどは基礎疾患をもたない原発性（90％以上）であるが，基礎疾患に続発するものもある．アルコールは，肝臓での代謝系の亢進に伴い，内因性のプリン体分解を促進して尿酸を増加させ，さらにはアルコール分解により産生される乳酸が尿酸の排泄を妨げる．

痛風は，高尿酸血症が原因となり尿酸塩結晶が関節内に析出することにより起こる．痛風と高尿酸血症は同義ではない．尿酸は，温度低下やpH低下により溶解度が急速に低下するため，高尿酸血症の血液が，温度の低い足先や耳介では結晶として析出しやすくなる．そのため痛風発作の初発の多くは，第1中足趾節関節に生じる．30〜50歳代の男性に多い．

NOTE *体内には約1,200 mgの尿酸がプールを形成している．1日に約700 mgの尿酸が産生され，同量が尿中へ排出される．尿酸は約2/3が尿中(腎排泄)に約1/3が糞便中(消化管排泄)に排泄される．腎排泄において近位尿細管では，再吸収・分泌を経て糸球体で濾過されたうち6〜10%が尿中に排泄される．糸球体で濾過された尿酸の再吸収には尿酸輸送体のURAT1が，分泌にはABC輸送体のABCG2が関与する．ABCG2遺伝子は痛風の病因遺伝子であり，ABCG2機能が1/4以下になる変異では痛風の発症リスクが約26倍上昇する．

臨床症状

高尿酸血症は無症状である．痛風は，激烈な痛みを伴う急性関節炎発作を主症状とした症候群である．尿酸塩結晶の析出する部位により症状は異なる．最も多いのは関節液中に析出する急性関節炎(特に第1中足趾節関節)である．急性関節炎以外は，痛風の慢性症状(痛風結節，痛風腎)である．

スクリーニング検査・診断のための検査

▶ 血清尿酸値(☞p.54)：普通食を摂っている健常者の日内変動は，0.5 mg/dL程度で，明け方が高く夕方に低下する．恒常的に高尿酸血症状態が持続するかどうかは複数回測定した結果で判断する．

▶ 尿酸クリアランス(C_{UA})，尿中尿酸排泄量：「腎負荷型(尿酸産生過剰型・腎外排泄低下型)」「尿酸排泄低下型」「混合型」の分類に必要な検査である．

▶ Ccr(☞p.52)：尿酸排泄能の指標として，尿酸クリアランスと尿酸分画比(C_{UA}/Ccr)が用いられる．

疾患のフォローアップ

高尿酸血症の発症は，環境因子を是正することで抑えられるため生活指導が重要となる．内臓脂肪の蓄積は，尿酸産生過剰を介して尿酸値を上げるため，生活改善(食事・運動療法)により肥満が解消されると血清尿酸値も低下することが多い．十分な水分摂取や尿をアルカリ化する食品の摂取は，尿中に尿酸が溶けやすくなり，尿路結石の発生を予防する．痛風発作がない場合でも，高尿酸血症で腎障害や心血管障害のリスクとなる合併症が存在すれば，血清尿酸値8.0 mg/dL以上で薬物治療を考える．

薬物治療

痛風の治療には，痛風発作の治療(前兆期にコルヒチン，極期にNSAIDsの大量投与，回復期にNSAIDsの少量〜常用量投与)と発作のない時期(間欠期)の高尿酸血症(尿酸生合成抑制薬，尿酸排泄促進薬)の治療とがある．痛風発作の急性期は発作に対する治療を優先する．尿路結石誘発防止のためアルカリ化薬を併用する．

G-7　骨粗鬆症

病態・検査マップ

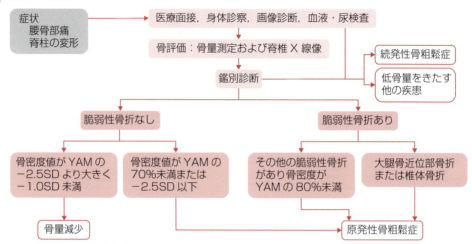

YAM：若年者（20～44歳）骨密度平均値

病因

骨量の低下と骨の微細構造の異常により骨強度が低下し，骨脆弱化により骨折の危険性が増大する疾患である（図3G-2）．

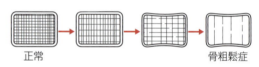

図3G-2　骨病変の変化：骨の断面模式

高齢者の寝たきりの原因のうち約20％が骨折で，なかでも大腿骨近位部（脚の付け根）の骨折が問題となっている．骨折により日常生活動作能力の低下，寝たきりや介護負担の増大を招くため，今日では骨粗鬆症が重要な課題である．

骨粗鬆症は，副腎皮質ステロイドの使用や甲状腺機能亢進症などが原因となる続発性骨粗鬆症と，明らかな原因のない原発性骨粗鬆症とに大別される．

急速な高齢化に伴い患者数は年々増加しており，男女比は1：3で女性が圧倒的に多い．これは骨代謝に密接に関与している女性ホルモンであるエストロゲンが閉経後欠乏することで急激な骨量低下を引き起こすためである．

臨床症状

- ▶疼痛：骨折（圧迫骨折）による痛みと，骨折によって生じた骨形成変化に伴う慢性の痛み．
- ▶姿勢異常：骨折により脊柱変化をきたす，いわゆる「背中（腰）が曲がり」の姿勢．
- ▶身長低下：圧迫骨折により椎体が上下方向につぶれて生じる．
- ▶消化器異常：背中が丸くなり内臓が圧迫されるため消化不良や便秘になり，食べたものが食道に逆流しやすくなり胸焼けなどの症状を引き起こす．
- ▶心肺機能の低下：胸郭変形により肺機能の低下や心機能の低下をきたす場合もある．

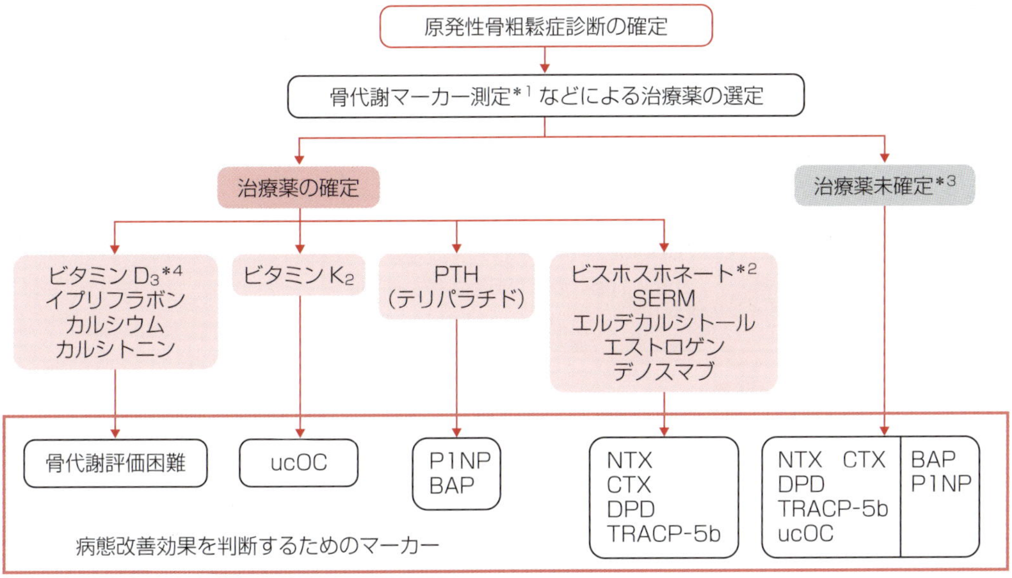

図3G-3　骨粗鬆症の薬物治療における骨代謝マーカー測定

*¹ビスホスホネート服用者は少なくとも6ヵ月，その他の骨粗鬆症治療薬は1ヵ月間休薬してから測定する．テリパラチドによる治療については未確立．骨折発生時に時間は24時間以内の測定．*²長期ビスホスホネート治療予定者は，骨吸収マーカーとBAPあるいはP1NPを測定．*³吸収マーカーと形成マーカーを各1種類測定する．*⁴エルデカルシトールを除く．
(Nishizawa Y. et al：*J. Bone. Miner. Metab.*, 31：1-15, 2013を参考に著者作成)

スクリーニング検査・診断のための検査

- **一般検査所見**：血液・尿検査［血清Ca（☞p.30），P，ALP（☞p.62）および尿中Ca測定］，および骨代謝マーカーの測定（☞p.69）を行う．
- **骨塩定量（DIP）**：第2中手骨のX線撮影像をコンピュータ処理して骨量を測定する．
- **X線検査**：脊椎X線撮影を行い圧迫骨折や変形の有無，骨粗鬆症の程度を判定する．
- **骨密度測定**：骨折の危険性を予知するのに有用．大腿骨近位部や腰椎（L1〜L4またはL2〜L4を基準値とする）の二重X線吸収法（DEXAまたはDXA：デキサ）が最適とされている．
- **骨代謝マーカー**（☞p.69）：BAP，P1NP，DPD，NTX，TRACP-5b，ucOC．

疾患のフォローアップ

- **骨密度測定**：治療後の骨密度の有意な上昇を認めれば効果ありと判定される．
- **骨代謝マーカー**：薬物治療開始後3〜6ヵ月後に骨吸収マーカーを測定し，有意に骨吸収が抑制されていれば治療を継続する．6〜12ヵ月後に骨形成マーカーを測定し，基礎値の下限値以下に抑制されている場合は，休薬や治療の中止を考慮する．

薬物治療

ビスホスホネート製剤，SERM，活性型ビタミンD₃製剤，ビタミンK₂製剤，PTH製剤，抗RANKL抗体製剤，抗スクレロスチン抗体製剤，PTHrP製剤などが広く使用されている．

H-1 脳血管障害

病態・検査マップ

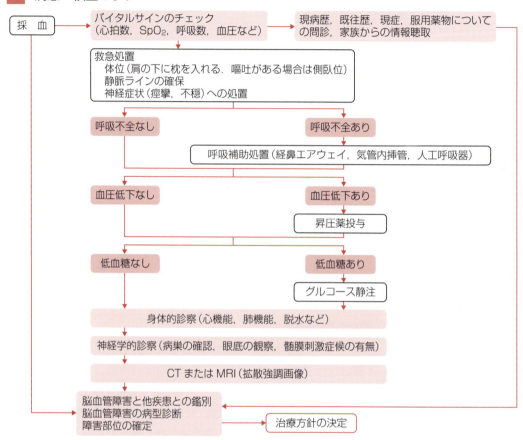

病因

脳血管障害(CVD)とは，脳の一部ないし全部が血液循環障害(虚血)または出血などによって一過性ないし持続性に障害された状態をいう．

表3H-1に脳血管障害の分類を示す．脳血栓とは動脈硬化などにより脳動脈が次第に狭小化

表3H-1 CVDの分類

A. 明らかな血管性の器質的脳病変を有するもの	
1. 虚血群＝脳梗塞	脳血栓，脳塞栓，分類不能の脳梗塞
2. 出血群＝頭蓋内出血	脳出血，くも膜下出血，その他の頭蓋内出血
3. その他	鑑別困難なもの
B. その他	
1. 一過性脳虚血発作　3. 高血圧性脳症	
2. 慢性脳循環不全症　4. その他	

し，血液の供給が十分でなくなった病態である．脳塞栓とは遠隔由来物質（ほとんどは脳塞栓病巣の他所にできた血栓が剥離した栓子）が血流に乗って移動し脳血管を閉塞する病態である．脳出血は脳実質内の出血で，一方，くも膜下出血はくも膜と軟膜の間のくも膜下腔に動脈から出血した病態で，脳動脈瘤，脳動静脈奇形が原因となる．

加齢と高血圧は虚血性，出血性すべての脳血管障害の危険因子である．これら以外に脳梗塞の危険因子には，脂質異常症，糖尿病，血液粘度上昇，抗リン脂質抗体，高尿酸血症，喫煙，過度の飲酒，凝固能の亢進，経口避妊薬などがある．脳出血の危険因子としては，寒冷，飲酒，出血傾向などが挙がる．その他，家族性に脳血管障害を起こす遺伝子もいくつか報告されている．

臨床症状

症状の発現速度は病型によって大きく異なる．脳血栓は緩徐，段階的に症状が形成されるが，脳塞栓，脳出血，くも膜下出血では急激に症状が生ずる．

障害が起こった血管ごとに異なった症状が生ずるので，脳血管障害の臨床症状はきわめて多彩である．ここでは動脈系を大きく内頸動脈系と椎骨脳底動脈系に分けて紹介する．

▶ 内頸動脈系の障害：一側性の運動・感覚障害，一眼の視力障害，失語など．
▶ 椎骨脳底動脈系の障害：両側の運動・感覚障害，悪心，嘔吐，回転性めまい，運動失調など．
▶ くも膜下出血：突然の激しい頭痛で発症し，項部硬直などの髄膜刺激症候を認める．

スクリーニング検査・診断のための検査

▶ CT，MRI：脳血管障害において最も重要な検査である．急性期の脳梗塞において最も鋭敏な検査法はMRIの拡散強調画像で急性期脳梗塞は高信号域として描出される．CTにおいて，脳梗塞は低吸収域，脳出血は高吸収域として描出される（図3H-1）．
▶ 心拍数，血圧，動脈血酸素飽和度：患者のバイタルサインを確認するために必須である．脳梗塞，脳出血に限らず血圧は反応性に200/100 mmHg程度に上昇していることが多い．
▶ 心電図（☞p.132），心臓・血管超音波検査，胸部X線検査：心電図にて心房細動を認めれば，それによって形成された心内血栓による脳塞栓症の可能性が高くなる．また超音波検査にて塞栓源を検索する．

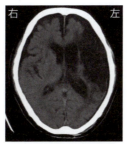

図3H-1　左中大動脈領域の脳梗塞のCT像
脳梗塞領域が低吸収領域として描出されている．

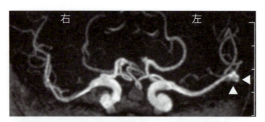

図3H-2 左中大脳動脈に生じた脳動脈瘤のMRA像
白矢頭で示した部分が脳動脈瘤である．

▶ **血液検査**：脳血管障害に特異的な血液検査項目はないが，脂質異常症，高血糖を合併していることは少なくない．また脱水により赤血球数（☞p.12），Hb，Ht値（☞p.13）が上昇し，これが脳梗塞の原因になっていることがある．
▶ **脳脊髄液**：脳出血，くも膜下出血では血性髄液を認める．
▶ **脳血管造影またはMRA**：特にくも膜下出血の場合，出血部位（動脈瘤，動静脈奇形）の同定のために必要である（図3H-2）．
▶ **核医学検査**：脳血流SPECT（脳血流シンチグラフィー），FDG-PETにより脳循環，脳代謝の測定が行われる．

疾患のフォローアップ

CT，MRIを定期的に撮影し，脳血管障害の状態を把握する．近年は早期のリハビリテーションの導入が推奨されている．

薬物および外科的治療

脳梗塞，脳出血いずれにおいても，脳浮腫が生じ頭蓋内圧亢進を認めるので，浸透圧利尿薬の静注を行う．脳梗塞の場合には急性期，慢性期ともに抗凝固薬，抗血小板薬の投与を行う．近年は脳梗塞の超急性期に血栓溶解薬［組織プラスミノゲンアクチベーター（t-PA）］が使用されている．脳出血の急性期には止血の目的で血管強化薬，抗プラスミン薬の静注が行われる．

脳動脈瘤破裂によるくも膜下出血に対しては動脈瘤クリッピングまたはカテーテルによる血管内治療が施行される．

H-2 パーキンソン病

病態・検査マップ

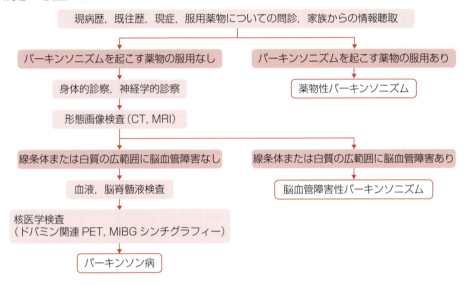

病因

パーキンソン病(PD)とは振戦，固縮などを主症状とする神経変性疾患である．その症状は以下に述べるパーキンソニズムと呼ばれる．L-ドーパの治療により症状の改善を認めることが特徴である．

パーキンソニズムをきたす原因疾患は表3H-2に示すとおりさまざまなものがある．これらの疾患のなかで最も多いのはやはりPDである．PDの病因はいまだ明らかになっていないが，その病態生理は，黒質緻密層と青斑核のドパミン作動性ニューロンが変性，脱落し，そのニューロンが投射している線条体のドパミンが著明に低下する．またドパミンは血中から取込まれたチロシンを基質としてL-ドーパを経て合成が行われる．

一方，症候性パーキンソニズム（特発性PDではなく，なんらかの要因があってパーキンソニズムをきたす疾患）において重要なのは，脳血管障害性パーキンソニズムと薬物性パーキンソニズムである．前者は線条体にラクナ梗塞が多発するか，大脳白質の広範囲に脳梗塞が起こった場合に発症し，上肢より下肢に症状が強く，安静時振戦が生じることは少ない．L-ドーパ製剤などの抗パーキンソン病薬の効果が乏しいのも特徴である．後者は抗精神病薬，制吐薬などの薬物が原因になることが多く，原因薬物を中止すれば可逆的に症状が改善する．

臨床症状

PDに認める臨床症状を「パーキンソニズム」と呼び，パーキンソニズムを起こす疾患は前述のとおり各種存在する．特にa～dの四症状を四大症候と呼ぶ．表3H-3にPDの重症度分類（ホーエン&ヤール分類）を示す．

表3H-2 パーキンソニズムの原因疾患

I. 特発性パーキンソニズム		
A.	神経変性疾患	パーキンソン病，レヴィ小体型認知症，線条体黒質変性症，進行性核上性麻痺，多系統萎縮症，脊髄小脳変性症，ハンチントン病，大脳皮質基底核変性症
II. 症候性パーキンソニズム		
A.	脳血管障害	脳血管障害性パーキンソニズム，ビンスワンガー病，低酸素脳症
B.	薬物性	フェノチアジン系抗精神病薬，ブチロフェノン系抗精神病薬，ベンザミド系抗精神病薬，レセルピン（交感神経遮断降圧薬），ドパミン受容体拮抗性制吐薬（メトクロプラミド，ドンペリドン）
C.	感染性疾患	脳炎後パーキンソニズム（日本脳炎など），スピロヘータ感染症（神経梅毒），プリオン感染症（クロイツフェルト・ヤコブ病）
D.	脳外科領域の疾患	正常圧水頭症，脳腫瘍，脳外傷
E.	中毒性	マンガン，二硫化炭素，一酸化炭素，MPTP

表3H-3 パーキンソニズムの重症度（ホーエン＆ヤール分類）

Stage I	症状は一側性で機能障害はないか，あっても軽度
Stage II	両側性の障害があるが，姿勢保持は保たれている 日常生活，社会活動はいくらかの障害はあるが，可能である
Stage III	歩行時の方向転換が不安定となる．姿勢反射障害を認めるが，自力での生活は可能
Stage IV	機能障害が高度で自力だけの生活は困難．介助なしでの起立，歩行がかろうじて可能
Stage V	介助がなければ，寝たきり，または車いすでの生活

a. **振戦**（安静時）：PDの初発症状として最も多いもので，安静時に手指に生じることが多い．人差し指と親指で丸薬を丸めるようにみえることから「丸薬丸め振戦」(pill-rolling tremor)と呼ばれる．

b. **固縮**：筋肉を受動的に動かした際の抵抗の増大を固縮と呼ぶ．動かす最初から最後まで一様な抵抗を感ずるのが特徴で，鉛管を曲げる感覚に似ていることから「鉛管様固縮」(lead-pipe rigidity)と呼ばれる．

c. **動作緩慢**および**無動**：顔面の表情が乏しくなり一点を凝視するような顔つき＝仮面様顔貌(masked face)を呈する．運動の開始が困難となり，歩行の第一歩が踏み出せないすくみ足歩行(frozen gait)を認め，歩行時も歩幅が狭い小刻み歩行が特徴的である．

d. **姿勢反射障害**：外力を受けた際に立て直す障害で，起立した体勢で軽く肩を押すと，その方向へ突進するように歩き出してしまう（突進現象）か，倒れてしまうことをいう．

これら四大症候以外にe.小声，f.小書症（書く字が小さくなる），g.前屈姿勢，f.便秘，などを認めることが多い．

■ スクリーニング検査・診断のための検査

現在のところPDの診断のためにコンセンサスを得られた尿，血液，脳脊髄液の検査項目はない．CT，MRIで脳血管障害性パーキンソニズムにおいては線条体などに脳虚血，または脳出血の病巣を認めるが，PDにおいては年齢相応の脳萎縮を認める程度である．PDにおいてはSPECT

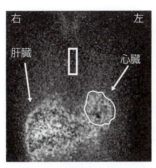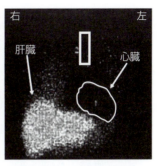

図3H-3 健常者とパーキンソン病患者のMIBG心筋シンチグラフィー（☞口絵）
健常者（左），パーキンソン病患者（右）．
健常者と比較し，心筋への核種の取込みが低下している．

にて線条体のドパミン終末を画像化する検査が行われており，被殻でのドパミン終末の減少が認められる（DAT-scan）．また，MIBG心筋シンチグラフィーは心筋の交感神経分布および交感神経末端でのカテコラミンの貯蔵の状態を描出する核医学検査法であり，心臓での交感神経機能を鋭敏に評価する．健常者に比べPD症例では心臓への核種の取込みが著明に低下しており，PDにおける交感神経機能の低下が確認され，PD診断の有力なツールである（図3H-3）．

疾患のフォローアップ

臨床症状の変化，日常生活動作を注意深く観察しながら薬物治療，リハビリテーションを行う．薬物治療においては，幻覚，不随意運動，便秘などに注意する．

薬物治療

L-ドーパ製剤，ドパミン受容体作動薬，モノアミン酸化酵素阻害薬，抗コリン薬，ノルアドレナリン前駆物質などが使用されている．

H-3　アルツハイマー病

病態・検査マップ

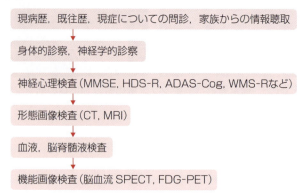

病因

　人口の高齢化に伴い認知症の患者数は年を追うごとに増加している．現在わが国には400万人を超える認知症患者が存在するといわれているが，認知症の定義は一般的に「一度獲得した知的機能が，感情障害，人格障害を伴い，成人後発症した疾病によって低下し，自立した日常生活機能を喪失した状態」と考えられている．以前はわが国では脳血管性認知症が最も多い認知症とされていたが，現在は総認知症患者数の半数以上をアルツハイマー病（AD）が占めると考えられている．表3H-4に認知症の原因疾患を，表3H-5にADの診断基準を示す（NIA-AAより）．

　現在のところADのはっきりとした病因はわかっていない．しかし詳細な病理，生化学的検討より，ADの脳には神経原線維変化と老人斑という二つの大きな病理変化が確認されている．両病理変化の主要成分はそれぞれタウ（tau）蛋白とアミロイドβペプチド（Aβ）である．これらの物質がADの発症に強く関与していると考えられている．

臨床症状

▶ **記銘力障害**：短期記憶の障害が主であり，古い記憶は末期まで保たれる．
▶ **見当識障害**：時間の失見当（日付，時間がわからない）と場所の失見当（自分がいる場所がわからない）がある．

病気が進行すると，妄想，言語障害，感情障害，昼夜逆転などの精神症状が顕著になる．
末期には歩行障害，尿便失禁が加わり，寝たきりとなる．

スクリーニング検査・診断のための検査

▶ **神経心理検査**：認知機能を評価するために神経心理検査が施行される．現在汎用されているのはMMSE，改訂長谷川式簡易認知症スケール（HDS-R），ADAS-Cog，ウェクスラー記憶スケール（WMS-R）などである．

表3H-4 認知症の原因疾患

I. 中枢神経疾患		
A. 神経変性疾患	アルツハイマー病，レヴィ小体型認知症，前頭側頭型認知症（ピック病を含む），進行性核上性麻痺，大脳皮質基底核変性症，ハンチントン病，多系統萎縮症，脊髄小脳変性症，運動ニューロン病に伴う認知症
B. 脳血管障害	脳血管性認知症（脳梗塞，脳出血），ビンスワンガー病，低酸素脳症
C. 感染性疾患	ウイルス感染（単純ヘルペス脳炎，AIDS脳症，亜急性硬化性全脳炎，進行性多巣性白質脳症），細菌感染（細菌性脳炎，脳膿瘍），真菌感染，プリオン感染症（クロイツフェルト・ヤコブ病），スピロヘータ感染症（神経梅毒）
D. 脳外科領域の疾患	正常圧水頭症，慢性硬膜下血腫，脳腫瘍，脳外傷
II. 全身疾患	
A. 内分泌・代謝疾患	甲状腺機能異常，副腎機能異常（クッシング症候群），糖尿病（低血糖も含む），遺伝性代謝疾患（脂質，糖蛋白，アミノ酸など）
B. 肝疾患	ウィルソン病，高アンモニア血症
C. 腎疾患	尿毒症
D. 欠乏性疾患	ウェルニッケ・コルサコフ症候群（ビタミンB_1欠乏症），ペラグラ（ニコチン酸欠乏症），ビタミンB_{12}欠乏症
E. 中毒性疾患	エタノール（アルコール性脳症），薬物（抗がん薬，免疫抑制薬，抗精神病薬など），金属（アルミニウム，マンガン，水銀など），その他（一酸化炭素，トルエン，ヒ素など）
F. 非感染性炎症，膠原病	SLE，ベーチェット病，サルコイドーシス
E. その他	貧血，電解質異常など

表3H-5 NIA-AAのアルツハイマー病（AD）による認知症の診断基準

診断区分		バイオマーカーによるADの可能性	Aβ（PETあるいは脳脊髄液）	神経細胞障害（脳脊髄液タウ，FDG-PET，MRI）
Probable AD dementia				
	臨床診断基準による	情報なし	入手できない/疑わしい/不確定	入手できない/疑わしい/不確定
	ADの病態生理学的過程の3段階の根拠による	中間	入手できない/不確定	陽性
		中間	陽性	入手できない/不確定
		最高	陽性	陽性
Possible AD dementia（非典型的な臨床像）				
	臨床診断基準における	情報なし	入手できない/疑わしい/不確定	入手できない/疑わしい/不確定
	ADの病態生理学的エビデンスによる	高い*	陽性	陽性
ADでなさそうな認知症		最低	陰性	陰性

*ただし，他の原因を除外するものではない

▶**放射線学的画像検査**：CTまたはMRIといった「形態画像」の撮影を行い，脳萎縮の状態を評価し，同時に脳血管障害，脳腫瘍，硬膜下血腫といった器質性病変の有無を確認する．ADにおいては主として頭頂葉・側頭葉の萎縮が顕著である（図3H-4）．脳血流 SPECT，FDG-PETといった脳血流，糖代謝を測定し脳機能を評価する「機能画像」検査も行う．ADにおいては後部帯状回・楔前部での血流・糖代謝の低下を認める．

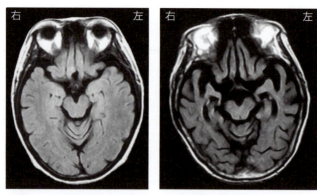

図3H-4　健常者とアルツハイマー病患者の脳MRI
健常者（左），アルツハイマー病患者（右）．
アルツハイマー病において大脳のびまん性萎縮を認める．

▶**体液バイオマーカー**：現在，最も感度，特異度が高いバイオマーカーは脳脊髄液中のタウ蛋白とAβである．リン酸化タウ蛋白*がADにおいて有意に上昇する．一方AβはADの脳脊髄液において低値を示す．

> **NOTE** *認知症の診断を目的に，リン酸化タウ蛋白が保険適用となった．
>
> | 項目 | 基準値 | 測定法 | 材料 |
> |---|---|---|---|
> | リン酸化タウ蛋白 | 陰性：50 pg/mL 未満 | EIA | 脳脊髄液 |

薬物治療

アセチルコリンエステラーゼ阻害薬（ドネペジル，ガランタミン，リバスチグミン）とNMDA受容体拮抗薬（メマンチン）がADの治療薬として使用されている．

H-4 髄膜炎・脳炎

病態・検査マップ

現病歴，既往歴，現症，服用薬物についての問診，家族からの情報聴取
↓
身体的診察，神経学的診察
↓
CT または MRI（単純および造影）
↓
血液・脳脊髄液（腰椎穿刺）検査
↓
脳脊髄液所見

- 好中球増多
- 蛋白上昇
- 糖低下
→ 細菌性

- リンパ球増多
- 蛋白正常または上昇
- 糖正常または軽度低下
- ウイルス抗原 PCR 法（+）
→ ウイルス性

- アデノシンデアミナーゼ上昇
- トリプトファン反応（+）
- 結核菌 PCR 法（+）
→ 結核性

- リンパ球・単球増多
- 蛋白上昇
- 糖低下

- 墨汁染色（+）
- クリプトコッカス抗原（+）
→ 真菌性

- 腫瘍細胞増多
- 蛋白上昇
- 糖正常
- 細胞診（+）
→ がん性

病因

髄膜炎とはくも膜と脳実質の間に生じる炎症であり，主として軟膜を病巣とする．多くの場合は感染性である．また脳炎とは髄膜炎に比し脳実質が炎症の主体である病態である．

髄膜炎・脳炎の病因は感染性，非感染性に分けられる．感染性のなかで頻度が高く治療上重要なものは細菌性，ウイルス性，結核性，真菌性，の四つである．

細菌性髄膜炎・脳炎の起因菌の頻度は年齢によって異なる．①新生児は大腸菌，グラム陽性菌，②乳幼児はインフルエンザ菌，髄膜炎菌，③成人は肺炎球菌，髄膜炎菌，④高齢者ではグラム陰性桿菌，の頻度が高い．

感染経路は①中耳炎，副鼻腔炎などの隣接組織からの病原体の直接侵入，②敗血症からの血行感染，③心臓，肺などの循環系組織からの血行感染，④脳外科手術からの直接感染，などがある．一方非感染性のものはがん性，自己免疫性などがある．

臨床症状

①激しい頭痛，②持続する高熱，③髄膜刺激症候，が髄膜炎，脳炎の三大症候である．髄膜刺激症候とは，a.項部硬直（他動的に頭部を前後に動かすと抵抗があり痛みを訴える），b.ケルニッヒ症候（仰臥位で片足の股関節と膝関節を90°に曲げた状態から下腿を他動的に進展させる．大腿と下腿との角度を150°以上に伸展できないのをケルニッヒ症候陽性という）などをいう．

上記の症状に加え意識障害，せん妄，痙攣，頭蓋内圧亢進症状（悪心，嘔吐），脳神経症状などが出現することもまれではない．

スクリーニング検査・診断のための検査

- ▶ 眼底検査：頭蓋内圧亢進のためうっ血乳頭を認めることがある．
- ▶ 胸部X線検査：細菌性髄膜炎の約半数に肺，気管支感染症による異常陰影を認めるとの報告がある．
- ▶ 頭部CT，MRI：まず第一に脳膿瘍などの脳実質内の占拠性病変の有無を確認する．占拠性病変がない場合でも脳浮腫のため脳室の狭小化，脳溝の消失などがみられる．造影CT，造影MRIでは炎症が生じている髄膜などに造影の増強効果を認める（図3H-5）．
- ▶ 血液検査：赤沈の亢進（☞p.16），白血球の増多（☞p.10），CRPの上昇（☞p.97），といった炎症所見を認める．
- ▶ 脳脊髄液：髄膜炎・脳炎において最も重要な検査である．多くの場合，<u>髄液圧の上昇，脳脊髄液中の細胞数の増多，蛋白の上昇，糖の低下</u>を認める．表3H-6に提示した検査法にて病原体を検索し，かつ表3H-7に提示した髄液検査結果の鑑別表に基づき診断を行い，治療を行う．

疾患のフォローアップ

臨床症状を注意深く観察しながら，血液検査，脳脊髄液検査，頭部CT，MRIを随時施行していく．

薬物治療

それぞれの起因病原体に対する治療を行う．細菌性には抗菌薬，ウイルス性には抗ウイルス薬，結核性には抗結核薬，真菌性には抗真菌薬の投与を行う．多くの場合，経静脈投与を行うが，治療抵抗性が高い場合には髄腔内投与も行う．てんかん，痙攣合併時には抗てんかん薬を投与する．

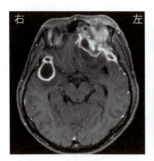
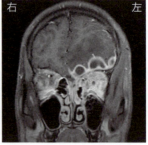

図3H-5　右側頭葉，左頭蓋底に生じた多発性脳膿瘍のGd造影MRI像
冠状断（左），前額断（右）．
（写真提供：東北大学　神経内科　鈴木 直輝 先生による）

表3H-6 病原体検査

a. 一般細菌染色	グラム染色，抗酸菌染色など
b. 真菌染色	墨汁染色など
c. 培養	一般細菌，抗酸菌，真菌，ウイルスなど
d. ラテックス凝集反応	クリプトコッカス抗原検出
e. PCR	ウイルス，細菌，抗酸菌のゲノム検出
f. 抗体価	病原体に対する抗体の測定

表3H-7 髄液検査

疾患	外観	髄液圧 (mmH$_2$O)	細胞数 (/mm^3)	蛋白 (mg/dL)	糖 (mg/dL)
正常	水様透明	50〜180	5以下	15〜45	50〜80
ウイルス性髄膜炎	透明（ときに日光微塵）	上昇 (150〜300)	増多 10〜1,000 リンパ球	正常ないし上昇 40〜100	正常 50〜80
細菌性髄膜炎	混濁，膿性	上昇 (200〜800)	増多 500〜10,000 多核白血球	上昇 50〜1,500	低下 0〜30
結核性髄膜炎	水様〜混濁，日光微塵	上昇 (200〜800)	増多 20〜1,000 リンパ球，単球，ときに多核白血球	上昇 50〜500	低下 0〜40
真菌性髄膜炎	水様〜混濁	上昇 (200〜800)	増多 20〜1,000 リンパ球，単球，ときに多核白血球	上昇 50〜500	低下 0〜40
日本脳炎	透明（ときに日光微塵）	上昇 (180〜300)	増多 30〜500 リンパ球，単球，ときに多核白血球	上昇 50〜100	正常または微増
単純ヘルペス脳炎	透明（ときにキサントクロミー）	上昇	増多 100〜1,000 リンパ球，単球，赤血球	上昇 50〜200	正常 50〜80
神経梅毒	水様透明	正常	50〜300 リンパ球，単球	上昇 40〜300	正常 50〜80
脳膿瘍（被包時）	水様透明	上昇	正常または増多 40〜800，多核白血球	上昇 45〜200	正常 50〜80
脳膿瘍（破裂時）	混濁，膿性	上昇	増多 10〜5,000 多核白血球	上昇 100〜400	正常または低下

H-5 ギラン・バレー症候群

病態・検査マップ

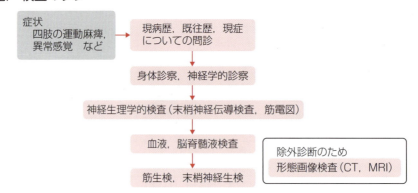

病因

ギラン・バレー症候群（Guillain-Barré syndrome：GBS）は，急性で多くは単相性の経過をとる末梢神経障害で，四肢の運動麻痺が主症状である．GBSは末梢神経の成分を標的とした自己抗体の産生による自己免疫疾患と考えれられており，本症例の約60％で神経系の細胞表面の糖脂質であるガングリオシドの糖鎖に対するIgG抗体が上昇する．また，GBSでは消化器や呼吸器の感染症が神経症状に先行することが多いが，消化器感染の原因菌の多くは *Campylobacter jejuni* である．

臨床症状

四肢の運動麻痺がその主症状であるが，脳神経領域や体幹の筋力低下もしばしば認める．感覚も障害され，特に異常感覚（ピリピリ感）を訴えることが多い．脈拍や血圧の異常といった自律神経症状をきたすこともある．重症例では呼吸器麻痺をきたし，人工呼吸器装着が必要になることもある．

スクリーニング検査・診断のための検査

- ▶末梢神経伝導検査：伝導ブロック，複合筋活動電位の低下，神経伝導速度の低下を認める（図3H-6）．
- ▶脳脊髄液検査：蛋白が高値で細胞数が正常という「蛋白細胞乖離」を認める．
- ▶血液検査：約60％の症例で血清抗ガングリオシドIgG抗体の上昇を認める．

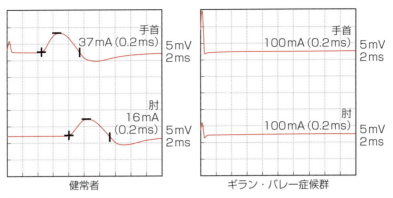

図3H-6　末梢神経伝導検査
短拇指外転筋に記録電極を置き，正中神経の2ヵ所（手首と肘）を刺激しての結果．健常者では2ヵ所の刺激でそれぞれ筋肉の誘発電位が記録されているが，ギラン・バレー症候群患者では末梢神経障害のためいずれの刺激においても誘発電位が記録されていない．

薬物治療

血液浄化療法，経静脈的免疫グロブリン療法（intravenous immunoglobulin：IVIg）が用いられる．呼吸筋障害を伴う重症例では人工呼吸器管理を行うこともある．また，回復期のリハビリテーションも重要である．

I-1　関節リウマチ

病態・検査マップ

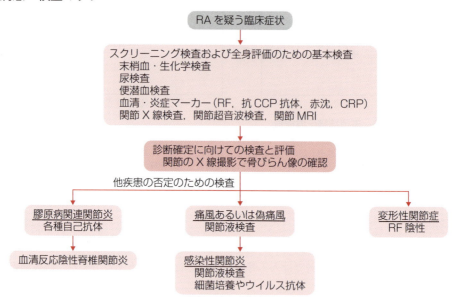

病因

慢性多発性関節炎を主体とした全身性の炎症性疾患である．関節滑膜の炎症（滑膜炎）と増殖が病態の中心であるが，関節リウマチ（RA）の原因は依然として不明である．T細胞，B細胞，マクロファージ，樹状細胞の活性化とともに，炎症性のサイトカイン，プロテアーゼの産生により炎症は増幅し，軟骨や骨の破壊の結果，関節の変形を引き起こす．

> **NOTE**　関節以外の臓器病変（間質性肺炎，血管炎など）を伴うこともあり全身性疾患と認識することは重要である．

臨床症状

RAの活動期には関節の炎症所見（関節痛・腫脹・発赤・熱感・圧痛）が，手指（特にPIP関節，MP関節）や手関節をはじめ，肘，肩，膝，足指，足関節など大小の関節に認められる．典型例では，起床時の「朝のこわばり」や対称性関節炎，リウマトイド結節などがしばしば認められる．しかしながら，早期には必ずしも典型的な症状がそろうわけではない．

1）関節症状

滑膜炎は，腫脹（滑液の貯留＋関節滑膜の増殖＋関節包の肥厚），圧痛，運動制限をもたらす．
- ▶ 早期症状：①朝の手指のこわばり，②多発性関節炎．
- ▶ 晩期症状：関節の変形→ボタン穴変形・スワンネック変形・中手指節関節の尺側偏位，外反母趾，頸椎環軸関節脱臼．

2) 関節外症状

RAはさまざまな関節外症状を伴う，全身性の疾患である．

- ▶ リウマトイド結節：RAの20〜30％に生じる．組織学的には，中心層（コラーゲン線維，非コラーゲン性のフィラメント，細胞の壊死成分）＋中間層（マクロファージ）＋外層（肉芽組織）→臨床的に問題となることは少ない．
- ▶ リウマチ性血管炎：多発性神経炎，多発性単神経炎，皮膚潰瘍，内臓梗塞を起こし得る．
- ▶ 肺病変：胸膜疾患，肺線維症，リウマトイド結節，肺炎の合併．
- ▶ 眼病変：①上強膜炎，②強膜炎．
- ▶ 心病変：心膜炎．
- ▶ 末梢神経障害：①手根管症候群，②多発性単神経炎（血管炎の併発による）．
- ▶ 皮膚病変：壊疽性膿皮症．
- ▶ 骨粗鬆症．
- ▶ 動脈硬化性病変．

スクリーニング検査・診断のための検査

罹患関節の超音波検査，MRI検査は滑膜炎診断の参考になる．

- ▶ RF（☞p.109）：RAで陽性率が高い（2/3以上）が特異性は低く，RAの10〜20％は全経過を通じてRFが陰性である．スクリーニング検査には適さない．
- ▶ 抗CCP抗体（☞p.110）：RA患者の血清中に出現する自己抗体の対応抗原の一つとして同定された蛋白（フィラグリン）の対応抗原部位の合成ペプチド（環状シトルリン化ペプチド）に対する抗体．特異度が高く，診断的意義も大きい．
- ▶ MMP-3（☞p.110）：細胞外基質を分解する蛋白分解酵素であるが，増殖する滑膜細胞からの分泌が亢進するため関節破壊を反映する．RAの早期診断においても有用である．
- ▶ 抗Gal欠損IgG抗体（☞p.110）：RA患者血清中のIgGは，健常者のIgGと比較し，ガラクトース（Gal）が顕著に欠損していることを根拠としている．

> **NOTE** 診断には，2010年に米国と欧州のリウマチ学会（ACR/EULAR）が公表したRA新分類基準が汎用される．

薬物治療

治療の中心となる薬（アンカードラッグ）はメトトレキサート（MTX）である．疾患修飾性抗リウマチ薬（DMARDs）は，MTXを代表とする合成DMARDs，インフリキシマブ（キメラ型抗TNF抗体製剤）やトシリズマブ（抗IL-6受容体抗体製剤）などの生物学的DMARDsに分類される．合成DMARDsはさらに，従来型（csDMARDs）と分子標的型（tsDMARDs）に分類され，生物学的DMARDsもオリジナルのもの（boDMARDs）とバイオシミラー（bsDMARDs）に分類され，合計4種類の分類がある．消炎鎮痛薬や副腎皮質ステロイドは対症療法として原則として一時的に投与する．

> **NOTE** 病態の経過における関節破壊は早期に進行し，早期の治療機会（window of opportunity）を逃さずMTXや生物学的製剤を用いた積極的な治療を行い，薬剤の効果を最大限に活用して「寛解または低疾患活動性」を実現することが治療目標とされる．

I-2 アレルギー性疾患

病態・検査マップ

症状
　各種アレルギー反応
　発熱，皮膚症状，粘膜症状
　血清反応，腎機能異常　など
→ 問診・病歴聴取
　身体所見
　血液検査
→ アレルゲン検索
　血清学的検査
　病理検査

病因

アレルギーとは生体に有害な免疫反応をいう．外来抗原に対して過剰な免疫反応が宿主にとって好ましくない過敏性反応を生ずることを意味する．また，生体の自己組織に対して生じる免疫反応を自己免疫反応と呼び，それによって生じる疾患を自己免疫疾患と呼ぶが，広義では自己免疫もアレルギーに含まれる．狭義ではI型（即時型反応）を指す場合が多いが，広義のアレルギーの分類としてはクームスとゲルによる四つの分類が頻用されている（表3I-1）．

表3I-1　アレルギーの分類（クームス・ゲル分類）

アレルギーの型	I型（即時型）	II型（細胞傷害型）	III型（免疫複合体型）	IV型（T細胞依存型）
関与する主な因子	IgE[*1]	血清補体[*2]，IgG[*1]，IgM[*1]	IgG，IgA，IgM 免疫複合体[*4]	CD4陽性Tリンパ球[*5]（遅延型過敏反応）CD8陽性Tリンパ球[*5]（T細胞による細胞融解）
作用機序	肥満細胞・好塩基球に結合したIgE抗体に抗原が結合するとヒスタミンが放出される	組織中や細胞に発現した表面抗原に対し補体や抗体が結合し，そこへ白血球や補体が作用して細胞融解や組織傷害を起こす	循環血液中に生じた免疫複合体が組織や血管に沈着した後に，補体や白血球により組織傷害が起こる	マクロファージ活性化 サイトカインによる炎症 直接型標的細胞傷害
アレルゲン検索法	即時型皮膚反応 眼・鼻粘膜試験 気管支吸入試験 ヒスタミン遊離試験 血清IgE測定（RAST法，RIST法）	クームス試験[*3]	アルサス反応 補体・免疫複合体測定 感作赤血球凝集反応	貼付試験（パッチテスト）DNCB試験（2,4-ジニトロクロロベンゼンを使用）リンパ球刺激試験
代表的疾患	気管支喘息 アレルギー性鼻炎 蕁麻疹 アナフィラキシーショック 食物アレルギー アトピー性皮膚炎	特発性血小板減少性紫斑病 リウマチ熱 グッドパスチャー症候群 自己免疫性溶血性貧血 慢性甲状腺炎 輸血反応	急性糸球体腎炎 SLE 関節リウマチ 多発性動脈炎 シェーグレン症候群	ツベルクリン反応 シェーグレン症候群 アレルギー性接触性皮膚炎 移植反応 ギラン・バレー症候群

[*1] 免疫グロブリンとは抗体のことであり，抗原に特異的に結合して抗原抗体複合体を形成することにより免疫反応を担う糖蛋白質である．形質細胞により産生され，IgG，IgA，IgM，IgD，IgEの5種類がある．
[*2] 補体は抗体の反応を補って殺菌反応あるいは溶血反応を起こす．
[*3] 赤血球に対する抗体を検出する方法．
[*4] 免疫複合体とは抗原と抗体の複合体をいう．抗原と抗体の反応が起こると補体反応も引き続いて起こる．
[*5] 細胞傷害性T細胞はCD4陽性Tリンパ球とCD8陽性Tリンパ球に大別されるが，ほぼCD8陽性Tリンパ球と同義と考えてよい．一方，CD4陽性Tリンパ球はヘルパーT細胞とも呼ばれる．

臨床症状

ここではⅠ型(即時型)アレルギー反応によくみられる症状について述べる．
主としてヒスタミンの過剰遊離によって引き起こされる反応と思われる．
- ▶ 皮膚：瘙痒，発赤．
- ▶ 眼瞼結膜：ゴロゴロ感，充血，瘙痒．
- ▶ 上気道：口蓋瘙痒症，鼻汁，くしゃみ，鼻閉．
- ▶ 下気道：喘鳴，咳嗽，呼吸困難．
- ▶ 消化器：悪心，嘔吐，痙攣性疼痛．

スクリーニング検査・診断のための検査

- ▶ 皮膚試験：
    - ・スクラッチテスト*
    - ・プリックテスト*
    - ・皮内テスト
- ▶ 誘発試験：眼結膜誘発試験・鼻粘膜誘発試験・抗原吸入誘発試験・食物除去試験など．
- ▶ 総 IgE の定量(RIST)．
- ▶ 特異的 IgE 抗体の測定(CAP RAST)．
- ▶ ヒスタミン遊離試験．

> **NOTE**　*プリックテスト・スクラッチテスト：抗原液を皮膚に滴下した後，針で軽度皮膚に傷をつけ，その反応によってアレルゲンを知るためのテスト．

薬物治療

アレルギー反応は免疫系の過剰反応により惹起されるものであるから，免疫抑制薬，あるいは遊離サイトカインを阻害する薬物が使用される．主に抗ヒスタミン薬，抗ロイコトリエン薬，副腎皮質ステロイドなどが使用される．

I-3 膠原病および関連疾患

病態・検査マップ

```
症状                  身体的所見         検査                                              診断
  発熱(不明熱), 易疲     皮膚, 粘膜, 関節,    一般検査      末梢血, 生化学, 赤沈, 尿        (診断基準)
  労感, 体重減少, 関     筋肉, 血管, 眼,     免疫血清検査  RF, 抗核抗体, 自己抗体,
  節痛, 筋肉痛, 皮膚     精神, 神経, 内臓                補体CH50, 免疫複合体
  症状, レイノー現象     (心臓, 肺, 腎臓)    その他の検査  関節液検査, 骨関節X線
                                                        検査, CT, MRI, 筋電図,
                                                        生検(皮膚, 筋肉, 腎臓)
```

病因

膠原病は結合組織を病変の主座とし，臨床症状として筋・関節症状をきたす疾患である．その病態は自己免疫が関与する慢性の炎症である．膠原病では各疾患に特徴的な抗核抗体などの<u>自己抗体</u>が検出され，その発症に免疫機序の関与が推定されることから，自己免疫疾患と考えられている（図3I-1）．

膠原病は女性に多くみられ，特に比較的若い女性の不明熱として発見されることがある．また風邪などのウイルス感染や紫外線を受けて発病することがある．

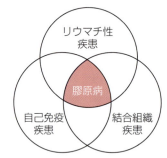

図3I-1 膠原病の概念
リウマチ性疾患とは，運動器（骨，筋肉，関節）の炎症・変性・代謝異常などに由来する疼痛，こわばり，運動制限を症状の主体とする疾患の総称である．

臨床症状

膠原病は全身性の多臓器疾患であるため多彩な症状を呈する．共通の症状として発熱，関節痛，筋肉痛，皮疹がある．また<u>レイノー現象</u>も膠原病患者でよくみられる症状である．その他，内臓病変（SLEの腎炎，SScの肺線維症など）を認め予後を左右する（表3I-2）．

スクリーニング検査・診断のための検査

自己免疫疾患が疑われる場合には，まず一次スクリーニング検査として<u>リウマトイド因子</u>（RF，☞p.109）と，蛍光抗体法による<u>抗核抗体</u>検査（☞p.108）を行う（表3I-3）．

抗核抗体検査が陽性であれば二次スクリーニング検査として，臨床症状と抗核抗体の染色パターンから疾患特異的自己抗体の検査をすすめていく．膠原病では一つの膠原病に複数の自己抗体が出現することが普通であるため，種々の臨床症状とその他の検査所見を総合的に判断し診断を行う．

疾患のフォローアップ

膠原病は，寛解（症状のまったくない状態）と再燃（病気がわるくなって症状が出てくる状態）を繰り返す慢性疾患である．したがって外来におけるフォローアップは再燃（<u>疾患活動期</u>）の早期発見または予知を目的として，炎症マーカー・全身的マーカー（末梢血，生化学検査，尿）・免疫マーカー（自己抗体やCH50など）測定や臓器障害の有無・程度を評価する検査を行っていく．

I-3 膠原病および関連疾患

表31-2 古典的膠原病（RA，SLE，SSc，PM/DM，PN，RF）とその類縁疾患

	概念	症状	自己抗体
関節リウマチ（RA，☞p.238）	全身の関節を主体とした慢性炎症性疾患	朝のこわばり，多発性関節炎，関節変形（スワンネック変形，尺側偏位），リウマトイド結節，間質性肺炎	リウマトイド因子（RF）抗CCP抗体 抗Gal欠損IgG抗体
全身性エリテマトーデス（SLE）	遺伝素因と環境因子による自己抗体や免疫複合体の出現に基づく多臓器障害を特徴とする	顔面蝶形紅斑，口腔内潰瘍，光線過敏症，多発性関節炎，ループス腎炎，CNSループス*1，心膜炎，胸膜炎，レイノー現象*2	抗核抗体　抗Sm抗体 抗dsDNA抗体 LE細胞陽性
全身性強皮症（SSc）	皮膚硬化を主症状とし，血管障害と全身の結合組織（内臓諸臓器）に炎症性・線維性変化を認める疾患	レイノー現象，四肢末端の浮腫，皮膚硬化，肺線維症，強皮症腎，消化管蠕動運動低下，吸収不良症候群，線維性心筋症	抗Scl-70抗体 抗セントロメア抗体
多発性筋炎・皮膚筋炎（PM/DM）	横紋筋の炎症性疾患で対称性の筋力低下を特徴とする．皮膚症状を合併する場合には皮膚筋炎と呼ぶ	筋力低下，ヘリオトロープ疹*3，ゴットロン徴候*4，レイノー現象，間質性肺炎，嚥下障害，心筋炎，胃がんなどの悪性腫瘍を合併	抗Jo-1抗体
結節性多発動脈炎（PN）	全身の中小動脈の壊死性血管炎である．細動脈以下に起こるものを顕微鏡的多発血管炎（MPA）と呼ぶ	（PNの症状）発熱，腎不全，脳出血・脳梗塞，高血圧，心筋梗塞，多発性単神経炎，皮下結節，多関節痛・筋痛	MPAでP-ANCA（PNでは陰性）
リウマチ熱（RF）	A群溶連菌感染に基づく免疫異常	心炎，多発関節炎，小舞踏病，輪状紅斑，皮下結節	
混合性結合組織病（MCTD）	SLE，SSc，PMの症状が混在し抗U1-RNP抗体を認める疾患	レイノー現象と指・手背の腫脹を特徴とし，SLE，SSc，PMの症状が混在する	抗U1-RNP抗体
シェーグレン症候群（SjS）	涙腺・唾液腺などの外分泌腺の慢性炎症で眼・口腔の乾燥症状を呈す	ドライアイ，ドライマウス，虫歯，耳下腺腫脹．他の膠原病を合併することが多い	抗SS-A抗体 抗SS-B抗体
ウェゲナー肉芽腫症	上気道と肺，腎臓に壊死性血管炎と肉芽腫病変を認める疾患	膿性鼻漏，鞍鼻，眼球突出，血痰，咳嗽，腎不全	C-ANCA
ベーチェット病	遺伝的素因（HLA-B51）に環境因子（感染）が加わり，全身性の小血管炎による多彩な病像を呈する	口腔粘膜の再発性アフタ性潰瘍，結節性紅斑，ブドウ膜炎，外陰部潰瘍，中枢神経症状	
リウマチ性多発筋痛症（PMR）	60歳以上の高齢女性に好発する，四肢近位部の多発性筋痛が特徴	朝のこわばり，発熱，多発性筋肉痛	RF（−）抗核抗体（−）
抗リン脂質抗体症候群（APS）	細胞膜のリン脂質に対する自己抗体により，凝固・血栓形成が促進される病態	動静脈血栓症，習慣性流産，血小板減少 APSはSLEの20〜40％に合併	抗カルジオリピン抗体 ループスアンチコアグラント

*1CNSループス：SLEによる中枢神経症状，*2レイノー現象：寒冷刺激やストレスで手指が蒼白〜紫色になる現象，*3ヘリオトロープ疹：眼瞼部の紫紅色浮腫性紅斑，*4ゴットロン徴候：手指関節背面の紫紅色紅斑

表31-3 抗核抗体陽性を示す疾患

陽性疾患	頻度	陽性疾患	頻度	陽性疾患	頻度
SLE	100%	PM/DM	50〜70%	自己免疫性肝炎	30〜80%
MCTD	100%	SjS	60〜70%	慢性甲状腺炎	20〜30%
SSc	80〜90%	RA	40〜60%	重症筋無力症	20〜30%

薬物治療

NSAIDs，副腎皮質ステロイドと免疫抑制薬がよく使用される．近年では，炎症性サイトカインを標的とした生物学的製剤が使用されることもある．膠原病ではこれらの治療をできるだけ早くしかも確実に行うことが，苦痛を除去し各臓器へのダメージを軽減し，生活の質（QOL）を向上させる上で重要である．

I-4 後天性免疫不全症候群（AIDS）

病因

HIV感染症は，ヒト免疫不全ウイルス（HIV）がリンパ球（主としてCD4陽性Tリンパ球）とマクロファージ系の細胞に感染し，免疫系が徐々に破壊されていく進行性の疾患である．無治療例では，①感染初期（急性期），②無症候期，③AIDS発症期の経過をたどる（図3I-2）．

臨床症状

▶ **感染初期（急性期）**：初感染したHIVは，急激に増殖する．患者には発熱，倦怠感，筋肉痛，リンパ節腫脹，発疹といったインフルエンザ様の症状がみられることがあるが，数週間で消失する．

▶ **無症候期**：急性症状消失後もウイルスは増殖を繰り返しているが，宿主の免疫応答により症状のない平衡状態が長期間続くことが多い．この無症候期でもHIVは著しい速度（毎日100億個前後）で増殖しており，CD4陽性Tリンパ球は次々とHIVに感染して，平均2.2日で死滅する．

▶ **AIDS発症期**：ウイルスの増殖と宿主の免疫応答による平衡状態もやがて破綻し，血中ウイルス量（HIV-RNA量）が増加し，CD4陽性Tリンパ球数も減少し，免疫不全状態となって，後天性免疫不全症候群（AIDS）を発症する．

スクリーニング検査・診断のための検査

HIV感染が確認され（☞p.102），AIDS指標疾患*の一つ以上が明らかに認められる場合にAIDSと診断する．

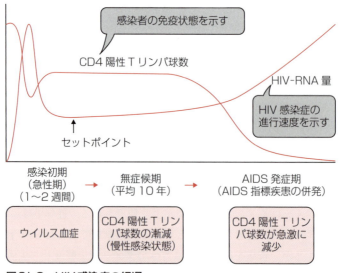

図3I-2 HIV感染症の経過

> **NOTE** *AIDS指標疾患（表3I-4）

表3I-4　AIDS指標疾患

A. 真菌症	1. カンジダ症（食道，気管，気管支，肺）
	2. クリプトコッカス症（肺以外）
	3. コクシジオイデス症[*1]
	4. ヒストプラズマ症[*1]
	5. ニューモシスチス肺炎
B. 原虫感染症	6. トキソプラズマ脳症（生後1ヵ月以後）
	7. クリプトスポリジウム症（1ヵ月以上続く下痢を伴ったもの）
	8. イソスポラ症（1ヵ月以上続く下痢を伴ったもの）
C. 細菌感染症	9. 化膿性細菌感染症[*2]
	10. サルモネラ菌血症（再発を繰り返すもので，チフス菌によるものを除く）
	11. 活動性結核（肺結核または肺外結核）[*1, *3]
	12. 非結核菌性抗酸菌症[*1]
D. ウイルス感染症	13. サイトメガロウイルス感染症（生後1ヵ月以後で，肝臓，脾臓，リンパ節以外）
	14. 単純ヘルペスウイルス感染症[*4]
	15. 進行性多巣性白質脳症
E. 腫瘍	16. カポジ肉腫
	17. 原発性脳リンパ腫
	18. 非ホジキンリンパ腫（a. 大細胞型・免疫芽球型，b. バーキット型）
	19. 浸潤性子宮頸がん[*3]
F. その他	20. 反復性肺炎
	21. リンパ性間質性肺炎/肺リンパ過形成：LIP/PLH complex（13歳未満）
	22. HIV脳症（認知症または亜急性脳炎）
	23. HIV消耗性症候群（全身衰弱またはスリム病）

[*1] a：全身に播種したもの，b：肺，頸部，肺門リンパ節以外の部位に起こったもの
[*2] 13歳未満で，ヘモフィルス，連鎖球菌などの化膿性細菌により以下のいずれかが2年以内に，二つ以上多発あるいは繰り返して起こったもの
　a. 敗血症，b. 肺炎，c. 髄膜炎，d. 骨関節炎，e. 中耳・皮膚粘膜以外の部位や深在臓器の膿瘍
[*3] C11活動性結核のうち肺結核，およびE19浸潤性子宮頸がんについては，HIVによる免疫不全を示唆する症状または所見がみられる場合に限る
[*4] a. 1ヵ月以上持続する粘膜，皮膚の潰瘍を呈するもの，b. 生後1ヵ月以後で気管支炎，肺炎，食道炎を併発するもの

薬物治療

HIV感染症治療には，核酸系逆転写酵素阻害薬，非核酸系逆転写酵素阻害薬，プロテアーゼ阻害薬，侵入阻害薬，インテグラーゼ阻害薬が使用される．

> **NOTE** **HIV感染症治療の原則**（日本エイズ学会HIV感染症治療委員会：HIV感染症「治療の手引き」，第26版より）
> ・治療目標は血中ウイルス量（HIV RNA量）を検出限界値以下に抑え続けることである
> ・治療は2剤あるいは3剤以上からなるART（抗レトロウイルス療法）で開始すべきである
> ・治療により免疫能のいくつかの指標が改善しても治療を中止してはならない

第4章 病態検査の意義をみる症例

心臓・血管疾患

血液疾患

消化器疾患

肝臓疾患

内分泌・栄養・代謝疾患

脳神経・筋疾患

免疫疾患

症例1　心臓・血管疾患

急性心筋梗塞

　80歳代女性．認知症にて外来通院中であった．「朝から様子がいつもと違う．元気がなく苦しそうである」とのことで家族に連れられて来院．

血液検査：白血球数 9,980/μL，AST 38 U/L，ALT 13 U/L，γ-GT 22 U/L，LD 349 U/L，CK 347 U/L，CK-MB 26 U/L，尿素窒素 26.6 mg/dL，クレアチニン 1.55 mg/dL，トロポニンT 1.5 ng/mL【0～0.05】，BNP 362.39 pg/mL　　　　　【　】は基準範囲

心電図：Ⅲ，aVF誘導にて異常Q波を認める．

症例2　心臓・血管疾患

発作性心房細動

　50歳代男性．大学生の時，試験の準備期間中に最初の心房細動を発症．抗不整脈薬の注射にて洞調律に戻る．その後も年に2～3回の頻度で発作性の発症を繰り返し，その度に病院を受診して抗不整脈薬の注射を受ける．仕事の疲れや精神的な緊張が持続した時に発症することが多かった．最近は，発症時に抗不整脈薬を内服することで洞調律に戻っていたが，内服してから洞調律に戻るまでの期間が1～2ヵ月間と次第に延長してきたため，カテーテルアブレーション治療を受ける．現在，抗血栓薬および抗不整脈薬の内服を継続しているが，カテーテルアブレーション治療後は発症していない．

血液検査（心房細動時）：白血球数 6,680/μL，PT 14秒，PT-INR 1.12，APTT 37.0秒，尿素窒素 13.1 mg/dL，クレアチニン 0.90 mg/dL，BNP 53.4 pg/mL，D-ダイマー 0.5 μg/mL

心電図：

> **症例 3**　心臓・血管疾患

高血圧症（17α-ヒドロキシラーゼ欠損症）

　20歳代女性．生来健康．高血圧を指摘され内科受診．身長158 cm，体重58 kg，脂肪組織発達不良．血圧172/100 mmHg，脈拍96回/分．眼底：軽度の動脈硬化像あり．胸部：乳房は男性様．呼吸音，心音に異常認めず．皮膚に色素沈着あり．外陰部：陰毛なし．月経を経験したことはない．

血液検査：赤血球数 406×10^4/μL，白血球数 5,600/μL，Hb 11.9 g/dL，血小板数 29.7×10^4/μL．尿素窒素 12.4 mg/dL，クレアチニン 0.7 mg/dL，空腹時血糖 87 mg/dL，Na 147 mEq/L，Cl 97 mEq/L，K 1.7 mEq/L．

婦人科受診：膣 4 cm 盲端，子宮・卵巣欠如．染色体検査：46XY

> **症例 4**　血液疾患

敗血症，播種性血管内凝固症候群（DIC）

　60歳代女性．昼過ぎに悪寒，左鼠径部痛，左背部痛が出現．20時頃には，嘔吐と39℃台の発熱も認め，21時頃にA病院を受診．診察時の収縮期血圧は60 mmHg台と，低値を認め，補液と制吐剤を投与されたのち，23時頃にB病院を紹介受診．

　最初に受診したA病院での検査所見は，白血球数 4,200/μL，血糖値 330 mg/dL，CRP 1.3 mg/dL，尿検査で尿潜血 3+，尿糖 1+，尿細菌 1+．5年ほど前から健診で2型糖尿病を指摘されていたが，治療せず放置していた．服薬中の薬はなし．

B病院での所見（入院初日）

身体所見：呼吸数 25回/分，血圧 90/56 mmHg（カテコラミン使用）

血液検査：白血球数 7,900/μL，血小板 9.3×10^4/μL，AST 33 U/L，ALT 22 U/L，総ビリルビン 1.0 mg/dL，LD 261 U/L，尿素窒素 23.1 mg/dL，クレアチニン 1.17 mg/dL，CRP 3.38 mg/dL，FDP 109.4 μg/mL，フィブリノゲン 149 mg/dL，プロトロンビン時間比 1.09，アンチトロンビン 72.8%

血液培養：*Escherichia coli* 検出

画像所見：腹部CTにて左気腫性腎盂腎炎疑い．

B病院での所見（入院翌日）

血液検査：白血球数 18,700/μL，血小板 2.2×10^4/μL，AST 46 U/L，ALT 30 U/L，総ビリルビン 1.4 mg/dL，LD 368 U/L，尿素窒素 26.1 mg/dL，クレアチニン 1.79 mg/dL，CRP 27.69 mg/dL，FDP 41.3 μg/mL，フィブリノゲン 384 mg/dL，プロトロンビン時間比 1.53，アンチトロンビン 68.1%

症例 5　消化器疾患

食道がん

　70歳代男性，喫煙者．2週間ほど前より食べた物が喉につかえる感覚が出現，徐々に増強するため来院した．とくに固形物の飲み込みがよくないという．上部消化管内視鏡にて，食道上部に出血を伴う潰瘍性病変を認め，生検が行われた結果，病理診断は食道がんであった．

血液検査：WBC 5,410/μL 分画異常なし，RBC 388×10^4/μL，Hb 12.4 g/dL，Ht 36.0%，血小板数 14.4×10^4/μL，TP 6.4 g/L，アルブミン 3.9 g/L，BUN 23.6 mg/dL，Cr 0.89 mg/dL，AST 25 U/L，ALT 17 U/L，γ-GT 16 U/L，ALP 295 U/L，LD 203 U/L，ChE 272 U/L，AMY 65 U/L，Na 139 mEq/L，K 4.2 mEq/L，Cl 108 mEq/L，Fe 62 μg/dL，UIBC 171 μg/dL，CRP <0.04 mg/dL，CEA 1.7 ng/mL，SCC抗原 1.1 ng/mL【<1.5】

【　】は基準範囲

　すでにがんが粘膜下層に到達しており，手術適用はなく，化学療法と放射線療法が行われたが，遠隔転移はなく，何とか一命を取り留めることができた．

症例 6　消化器疾患

大腸がん

　70歳代男性．もともと便秘体質で，下剤を常用しており，ほぼ3年おきに下部消化管内視鏡検査を受けていた．半年ほど前より徐々に食が細くなり，体重が1年前の60 kgから55 kgに減っていた．ある日，排便時に便に血液が付着していることに気づき受診．痔疾はないため，消化管出血の疑いで上部消化管内視鏡を施行するも慢性萎縮性胃炎のみで出血性病変認めず．下部消化管内視鏡検査を施行したところ，上行結腸の表面に潰瘍を有する直径およそ2 cmの隆起性病変を認めた．生検が行われ，病理診断の結果，大腸がんと診断された．

血液検査：WBC 6,280/μL 分画異常なし，RBC 443×10^4/μL，Hb 12.8 g/dL，Ht 38.0%，MCV 86 fL，血小板数 20.8×10^4/μL，TP 7.0 g/L，アルブミン 4.5 g/L，BUN 13.2 mg/dL，Cr 0.72 mg/dL，AST 23 U/L，ALT 9 U/L，γ-GT 18 U/L，ALP 193 U/L，LD 215 U/L，AMY 56 U/L，Na 139 mEq/L，K 4.2 mEq/L，Cl 107 mEq/L，CRP 0.10 mg/dL，CEA 4.1 ng/mL，CA19-9 6.3 U/mL，p53抗体 <0.69【<1.3】

【　】は基準範囲

　精査の結果，遠隔転移は認められず，手術にて一命を取り留めることができた．

症例 7　肝臓疾患

肝硬変

50歳代女性．アルコール依存症で治療を受けていたが，コントロール不良で入退院を繰り返していた．某日夜，家人と会話中に話がかみ合わなくなり意識朦朧状態となったため救急搬送された．来院時，自分の名前は言えるが発語がはっきりしない状態だった．両手に羽ばたき振戦，眼球結膜に黄染を認め，CTにて多量の腹水・胸水貯留と脾臓の腫大，肝臓の萎縮が認められた．

血液・尿検査：WBC 7,310/μL，RBC 180×10^4/μL，Ht 20.3％，Hb 6.6 g/dL，MCV 113 fL，血小板数 7.3×10^4/μL，TP 5.8 g/L，Alb 1.8 g/L，BUN 27.2 mg/dL，Cr 0.73 mg/dL，総ビリルビン 10.9 mg/dL，直接ビリルビン 5.2 mg/dL，AST 48 U/L，ALT 31 U/L，γ-GT 21 U/L，LD 327 U/L，ALP 405 U/L，AMY 118 U/L，CK 78 U/L，アンモニア窒素（NH$_3$）131 mg/dL，血糖 72 mg/dL，Na 135 mEq/L，K 4.5 mEq/L，Cl 104 mEq/L．尿蛋白（−），尿糖（−），尿ウロビリノゲン 3+

症例 8　肝臓疾患

ウイルス性肝炎

60歳代男性．半月ほど前より，腰背部痛出現．右の季肋部に自発痛があり，徐々に増強してきた．痛みは内臓が腫れるような感覚で，右季肋部（肝臓のある部位）を圧迫すると痛みが増強した．38℃台の発熱と食思不振，悪心，下痢，さらに今まで経験したことにないような強い全身倦怠感が生じてきたため受診．診察で眼球結膜の黄染が指摘され，採血の結果，緊急入院となった．

血液検査：WBC 5,390/μL　異型リンパ球 4％，RBC 481×10^4/μL，Hb 15.6 g/dL，Ht 45.3％，血小板数 29.0×10^4/μL，血糖値 139 mg/dL，TP 7.1 g/L，アルブミン 3.5 g/L，総ビリルビン 4.4 mg/dL，直接ビリルビン 2.8 mg/dL，BUN 18.1 mg/dL，Cr 1.0 mg/dL，AST 6,652 U/L，ALT 5,063 U/L，γ-GT 620 U/L，ALP 1,029 U/L，CK 71 U/L，Na 132 mEq/L，K 4.0 mEq/L，Cl 96 mEq/L，PT-INR 2.56，FDP 21 μg/mL，IgG 2,024 mg/dL【820〜1740】，IgA 299 mg/dL【90〜400】，IgM 150 mg/dL【31〜200】，抗核抗体（−），抗サイトメガロウイルス IgM（−）IgG（+），EBウイルス 抗EA-DR IgM＜10 抗EA-DR IgA＜10，EBNA抗体 80倍，HA-IgM抗体（+）(cut off index以上)，HBs抗原（−），HBs抗体（+），HBc-IgM抗体（−），HCV抗体（−）

【　】は基準範囲

症例9　肝臓疾患

原発性肝細胞がん

　50歳代男性．1ヵ月半ほど前から体が重い感覚が出現，徐々に食事がとれなくなってきたため来院．少量の食事ですぐ満腹となり，排尿・排便の回数が増加している．浮遊性めまいの自覚あり．10年前にB型肝炎ウイルスへの感染を指摘されていたが，自覚症なく放置していた．アルコールは毎日缶ビール1個程度．診察で眼球結膜の軽度黄染と腹水徴候，下腿浮腫を認めた．

血液検査：WBC 5,720/μL うち好中球 67.4%，RBC 432×10⁴/μL，Hb 13.7 g/dL，Ht 42.5%，血小板数 12.0×10⁴/μL，血糖値 101 mg/dL，TP 5.9 g/L，アルブミン 3.2 g/L，総ビリルビン 1.1 mg/dL，直接ビリルビン 0.5 mg/dL，BUN 15.7 mg/dL，Cr 0.9 mg/dL，AST 107 U/L，ALT 95 U/L，γ-GT 333 U/L，ALP 721 U/L，CK 121 U/L，Na 142 mEq/L，K 4.5 mEq/L，Cl 106 mEq/L，PT-INR 1.24，CRP 3.29 mg/dL，尿定性・沈渣 異常なし，HBs抗原（＋）index 280.7【<2.0】，HBV-DNA定量 6.0 log コピー/mL，HCV抗体（＋）index 2.64【<1.0】，HCV-RNA定性 検出限界未満，AFP 7,592.5 ng/mL【<10】，AFP-L3分画 49.3%【<10】，PIVKA-Ⅱ 3,491 mAU/mL【<40】，CEA 1.6 ng/mL，CA19-9 22.9 U/mL，IgG 1,239 mg/dL【820～1740】，IgA 456 mg/dL【90～400】，IgM 84 mg/dL【31～200】
【　】は基準範囲

症例10　内分泌・栄養・代謝疾患

糖尿病

　50歳代男性．独身．10年ほど前に健診で糖尿病を指摘されたが，海外赴任のため十分な治療を受けることなく放置．食事に気をつけるのみであった．その実情は，朝食は抜き，昼食に大盛りのパスタとジュース，夕食にコンビニ弁当2個とデザートを砂糖たっぷりのコーヒーとともに食すという生活であった．ここ1～2ヵ月で視力低下が明らかとなり，眼科を受診したところ糖尿病に起因する病変を指摘され内科を受診した．最近，足先のしびれを自覚．トイレ（排尿）が近く，口渇があったため，コーラやスポーツドリンクを毎日飲んでいたという．父親に糖尿病の病歴あり．身長 162 cm，体重 55 kg（半年前より8 kg減）．

血液検査：WBC 5,740/μL 分画異常なし，RBC 458×10⁴/μL，Hb 13.7 g/dL，Ht 40.2%，血小板数 26.1×10⁴/μL，血糖値 467 mg/dL，HbA1c 15.0%，TP 6.9 g/L，アルブミン 4.1 g/L，BUN 15.2 mg/dL，Cr 0.7 mg/dL，AST 10 U/L，ALT 10 U/L，γ-GT 17 U/L，ALP 211 U/L，LD 127 U/L，Na 135 mEq/L，K 4.1 mEq/L，Cl 98 mEq/L，尿比重 1.029，尿蛋白定性（－），尿糖定性（4＋），尿潜血定性（－），尿ケトン体定性（－），尿中C-ペプチド 79.8 μg/日【23～155】
【　】内は基準範囲

　2型糖尿病の診断で入院．標準体重に合わせ1日 1,400 kcal の食事制限を実施．3週間の入院で改善を認めたため退院．外来にて経口糖尿病薬内服の上，経過観察となった．

症例 11 脳神経・筋疾患

脳梗塞（脳塞栓）

70歳代男性．以前より，本態性高血圧症（160/96 mmHg），2型糖尿病（空腹時血糖値178 mg/dL，HbA1c 8.9%），脂質代謝異常症（TC 320 mg/dL，LDL-C 198 mg/dL），心房細動を指摘されていた．1日20本の喫煙を50年間続けている．ワルファリン2 mg/日をかかりつけ医師から処方されていたが，最近は飲み忘れが多かった．X月Y日朝，起床後，自宅でトイレに歩いて行く際に，突然右半身に力が入らなくなり，崩れ落ちる．妻が救急車を呼び，A病院救命救急センターを受診する．受診時，JCS 10，右上下肢の不全片麻痺，右の顔面神経麻痺，右半身の感覚障害，全失語を認める．

血液検査：赤血球数 $6.2 \times 10^6/\mu L$，Hb 18.2 g/dL，Ht 52.3%，PT-INR 1.1．
頭部MRI：拡散強調画像において，左大脳側頭葉から後頭葉にかけて広範に高信号域を認める．
脳血管MRA：左中大脳動脈が描出されず，同血管の閉塞が示唆される．
脳血流^{123}I-IMP-SPECT：左大脳側頭葉から後頭葉にて，著明な集積低下を認める．

症例 12 脳神経・筋疾患

アルツハイマー病

80歳代女性．約3年前から記銘力障害（新しいことを覚えられない），時間の見当識障害（今日が何月何日かわからない），場所の見当識障害（比較的慣れた場所でも道に迷う）といった症状が生じ，次第に増悪している．また，約1年前からもの盗られ妄想（自分で財布をタンスの奥にしまい込み，それをみつけられないと，長男の嫁が盗んだという），易怒性（少しでも間違いを指摘されると，すぐに怒りだす）といった精神症状も進行している．調理，掃除といった家事は次第にしなくなってきている．しばしば尿便失禁を認める．

神経心理検査：MMSE 19，HDS-R 17，CDR 1，ADAS-Cog 23.0，NPI 24.8
脳脊髄液検査：
　脳脊髄液中：総タウ 2,210 pg/mL，リン酸化タウ 118 pg/mL，アミロイドβ（1-42）82 pg/mL．
　頭部MRI：びまん性の大脳萎縮を認める．また側脳室下角の開大（海馬ならびに海馬傍回の萎縮）が著明である．
　脳血流^{123}I-IMP-SPECT：両側の楔前部ならびに後部帯状回でのプローブの集積低下を認める．

症例 13　脳神経・筋疾患

統合失調症

　30歳代男性．父親は市会議員で厳格な家庭に育った．4年制大学を卒業し，現在は電気関係の会社に勤務．3年前より出勤せず，家に閉じこもっていることが月に2～3日ある．同時期より以下の幻覚（hallucination）が生ずる．「職場の同僚が私のことを『バカだ』といっている．」「服を着て道を歩いていると，『変な服を着ているな』と通りすがりの人がいう．」「自分の体臭は人よりきつい．」「周りの人達が私の体臭を気にして鼻をクンクンしている．」「電気が頭に流れている．」．また，2年半前より以下の妄想（delusion）も生ずる．「私は何も悪いことをしていないのに今年中に死刑になるのだ．」など．表情は，固く，空虚で，しばしば表面的で感情が感じられない「空笑」を浮かべる．異性に対して「愛している」といいながら殴り掛かる，といった両価性の行動をとる．3ヵ月前より「ごはん食べたり，泳いだり，ありゃけんのぴんぴん，こーらこら」といった意味をなさない発言も目立っている．周囲からは，人から挨拶をしても返事をしない等の事象より，冷たく，固く，不可解な人柄だといわれている．

神経心理検査：BACS-J Z スコア−1，SCSQ 26，BPRS 82，PANSS 121．
　CT, MRI：異常を認めず．

症例 14　脳神経・筋疾患

うつ病

　60歳代男性．コンビニエンスストアの店長をしている．2～3年前よりなんとなく体調がすぐれず，気持ちがおっくうで，仕事場に行くことができないことがしばしばある．一日中悲しくてしようがない．気分が沈みがちで，テレビをつけても，わずらわしく感じるだけで，すぐ消してしまう．経営しているコンビニエンスストアの経営はそこそこ順調なのだが，マスコミで報道される中小企業の倒産や，不景気のニュースを気にして，自分の店はつぶれてしまうのではないだろうか，という不安にかられる．昨年，業務取引の際に起こした失敗をいまでも毎日，毎晩のように後悔している．食欲はなく，夜もよく眠れない．胃腸の調子がすぐれないため，各種の胃腸薬を多く飲む．また，不眠のため睡眠導入剤も多種類服用する．「生きていてもよいことは何もない」「はやく死にたい」としばしば発言している．

神経心理検査：心の健康度自己評価票 12，HAM-D 17，GDS15 8，SDS 61，BDI 27，PRIME-MD-PHQ9 18
放射線学的画像検査：CT, MRI：脳に器質的変化を認めず．脳血流 SPECT：前頭葉にびまん性に集積低下（血流低下）を認める．光トポグラフィーにて前頭葉における賦活反応性の低下を認める．

症例 15　免疫疾患

抗リン脂質抗体症候群

　20 歳代女性．右下肢の疼痛による間欠性跛行が出現し，血管造影にて右下肢深部静脈血栓症が判明．月に 2～3 回の Uhthoff 徴候*（入浴時の視野障害），ときどき 37℃台の発熱，軽度の蝶形紅斑，軽度の全身倦怠感，軽度関節痛，脱毛傾向，手指の皮疹（皮膚科にて SLE 関連と診断）の間欠的出現．血栓性疾患の家族歴なし．

血液検査：白血球数 4,800/μL，PT 34%，PT-INR 1.94（ワルファリン内服下），APTT 97.1 秒，血清補体価 18.6 U/mL【29.0～48.0】，抗 ds-DNA 抗体 36.2 IU/mL【≦20.0】，抗 Sm 抗体 122 index【<7.0】，抗 CL-β_2GPI 複合体抗体 125 U/mL 以上【≦3.5】，ループスアンチコアグラント陽性，APTT の交差混合試験により上に凸のインヒビターパターン

【　】は基準範囲

症例 16　免疫疾患

後天性免疫不全症候群

　40 歳代男性．今年 4 月頃より微熱，全身倦怠感が出現．11 月頃より起立・歩行障害，自発性低下，物忘れが出現．12 月中旬 臥床状態となる．昨年 2 月 口腔カンジダ症，ニューモシスチス肺炎の発症，ADL の低下・高次機能障害の悪化（HDS-R[*1] 2 点）を契機に HIV 抗体陽性を指摘され入院．

血液検査（ART 施行前）：白血球数 7,930/μL（リンパ球 7.3%，CD4 陽性 T リンパ球数 11 個/μL），赤血球数 317×10^4/μL，Hb 10.4 g/dL，血小板数 3×10^4/μL．HIV-1/2 特異抗体（イムノクロマト法）[*2] HIV-1 陽性．血漿 HIV-1 RNA 定量 94 万コピー/mL．

血液検査（ART 施行 10 ヵ月後）：HDS-R 28 点，CD4 陽性 T リンパ球数 116 個/μL，血漿 HIV-1 RNA 定量 測定感度未満

第5章 病態検査に関する演習問題

演習問題

問1 血液検査，血液凝固機能に関する以下の記述の○×について，答えなさい．
1. 敗血症などの重篤な細菌性感染症では，好中球は高値を示す．
2. ヘモグロビン濃度は，血液 $1\,\mu L$ 中に含まれるヘモグロビンの量で表し，赤血球を溶血させて測定する．
3. ヘマトクリットとは，全血に対する赤血球の占める容積率のことである．
4. 網状赤血球は，骨髄から末梢血液に放出された幼若な赤血球であり，溶血性貧血で高値を示す．
5. 赤沈とは，赤血球が沈降する速さを測定するもので，基準値を超えた場合，赤血球増加症や低フィブリノゲン血症などが疑われる．
6. 血小板数 $25 \times 10^4/\mu L$ は，血小板減少症であり出血傾向を示す．
7. プロトロンビン時間（PT）が延長し，活性化部分トロンボプラスチン時間（APTT）が正常である場合，血液凝固第Ⅶ因子の異常が疑われる．
8. 播種性血管内凝固症候群（DIC）では，凝固系が活性化するため，血小板数が増加する．

問2 肝疾患，腎泌尿器疾患に関する以下の記述の○×について，答えなさい．
1. アラニンアミノトランスフェラーゼ（ALT）とアスパラギン酸アミノトランスフェラーゼ（AST）は，肝臓，心筋，骨などの臓器や組織に炎症や壊死などの障害が生じたとき，細胞内から血液中に逸脱する酵素である．
2. ALT と比較して，AST は，肝疾患に対する特異性が高い．
3. AST の基準値は，$5\,U/L$ 以下である．
4. 肝機能検査の指標として血中尿素窒素（BUN）がある．
5. γ-グルタミルトランスペプチダーゼ（γ-GT）は，アルコール性肝障害で高値を示す．
6. 脂肪肝では，血中の偽性コリンエステラーゼが低値を示す．
7. 肝硬変では，AST>ALT となる．
8. 脳性ナトリウム利尿ペプチド（BNP）は，慢性 C 型肝炎の診断に有用である．
9. 劇症肝炎では，ALT に比べ AST が優位に増加する．
10. 原発性胆汁性肝硬変では，抗ミトコンドリア抗体が高頻度で陽性を示す．
11. α-フェトプロテイン（AFP）は，肝細胞がんの腫瘍マーカーとして用いられる．
12. ロイシンアミノペプチダーゼ（LAP）は，薬物性肝障害で高値を示す．
13. トロポニン T は，肝細胞に多く存在するため，肝障害で高値を示す．
14. 急性膵炎では，アミラーゼなどの膵酵素が増加する．
15. BUN は，ウイルス性肝障害で高値を示す．
16. BUN とは，血中の尿素に含まれる窒素原子の量のことである．
17. BUN の基準値は，$8 \sim 20\,mg/dL$ である．

18. 血清クレアチニンは，腎機能の低下に伴い低値を示す．
19. $β_2$-マイクログロブリンは，尿細管機能の指標である．
20. 血清アルブミンは，糖尿病性腎症の早期診断指標として用いられる．
21. 血清クレアチニンは，腎機能を鋭敏に反映する．
22. クレアチニンは，筋肉活動により生成するため，激しい運動後には高値になることがある．
23. 血清クレアチニンは，男性よりも女性で高値を示す．
24. ネフローゼ症候群では，すべての場合に，低アルブミン血症を認める．
25. クレアチニンクリアランスは，Cockcroft & Gault の式を用いて血清クレアチニン値から推定することができる．
26. 腎不全では，血清 K 値の低下がみられる．
27. クレアチンキナーゼは，急性腎不全で高値を示し，診断に用いられる．
28. ネフローゼ症候群では，総蛋白やアルブミン量の低下が原因で，浮腫が起こりやすい．
29. ネフローゼ症候群において，総コレステロールやトリグリセリド値は変動しない．
30. PSA は，膵がんあるいは胆管がんで高値を示す腫瘍マーカーである．

問 3 心疾患（心臓・血管系疾患）に関する以下の記述の○×について，答えなさい．
1. 本態性高血圧では，血漿アルドステロン濃度/レニン活性比は高値を示す．
2. 収縮期血圧 140 mmHg 以上または拡張期血圧 90 mmHg 以上の，両方に該当する場合にのみ，成人の高血圧とされる．
3. LVEF の低下がみられる慢性心不全では，重症化に伴い BNP の血中濃度は低下する．
4. ANP および BNP は，cAMP をセカンドメッセンジャーとして利尿作用と降圧作用を発揮する．
5. BNP と比較して ANP のほうが，心室のストレスを反映する鋭敏な心機能マーカーである．
6. 狭心症による胸痛時は，血中への CK-MB の逸脱がみられる．
7. 心筋梗塞による心筋細胞膜の障害後は，血中へのトロポニン T の逸脱がみられる．
8. 心筋梗塞による組織の障害により，ALT の血中濃度は上昇する．
9. 心筋梗塞による組織の障害により，LD_1 および LD_2 の血中濃度は上昇する．
10. トルサード・デ・ポワンツ（TdP）は，QT 延長に伴って発生する悪性の心室性不整脈である．
11. 心電図から ST 低下が認められる場合は，心筋梗塞が示唆される．
12. 心筋梗塞のマーカーとして，CRP は特異度が高く有用である．

問 4 代謝性疾患（糖尿病，脂質異常症，高尿酸血症，骨粗鬆症）に関する以下の記述の○×について，答えなさい．
1. 空腹時血糖値が 120 mg/dL 以上であれば，糖尿病型と判定される．
2. 随時血糖値が 160 mg/dL 以上であれば，糖尿病型と判定される．
3. 75 g 経口ショ糖負荷試験後の 2 時間値が 200 mg/dL 以上であれば，糖尿病型と判定される．
4. HbA1c の値が 6.1% 以上であれば，糖尿病型と判定される．
5. HbA1c の値は，最近 2 週間の血糖値の急激な変化を反映する指標として使用される．
6. グリコアルブミンの血中濃度は，HbA1c より近い過去の血糖値の調節状態を反映する．
7. 膵臓からのインスリン分泌能が廃絶している場合では，C-ペプチドの尿中排泄量は上昇する．
8. 脂質を含む食事の直後には，キロミクロンの血中濃度が上昇する．
9. HDL は，コレステロールエステルを肝臓から末梢組織の細胞に輸送する．
10. TG は VLDL に含まれて血中を移動し，リポ蛋白リパーゼによって脂肪酸を生成する．

11. 脂質異常症のスクリーニングのための診断基準は，空腹時採血において血中のTC値が150 mg/dL以上である．
12. 脂質異常症のスクリーニングのための診断基準は，空腹時採血において血中のLDL-C値が140 mg/dL以上である．
13. 脂質異常症のスクリーニングのための診断基準は，空腹時採血において血中のHDL-C値が40 mg/dL未満である．
14. 高尿酸血症は，核酸ピリミジン塩基の分解物である尿酸の血清中濃度が7.0 mg/mLを超える場合と定義されている．
15. 骨吸収マーカーであるDPDの尿中濃度は，骨粗鬆症の病態改善効果を判断するために用いられる．
16. 骨形成マーカーであるP1NPの血中濃度は，骨粗鬆症の病態改善効果を判断するために用いられる．
17. 若年者の骨密度の平均値が50%未満の場合を骨粗鬆症として診断する．

問5 内分泌疾患（ホルモン異常による疾患）に関する以下の記述の○×について，答えなさい．
1. コルチゾールは副腎皮質の束状層から分泌され，血糖値を上昇させる．
2. 未治療のバセドウ病では，FT_4およびTSHの血中濃度はともに上昇する．
3. クッシング症候群は，ACTH依存または非依存的にコルチゾールが慢性的に分泌される病態の総称である．
4. 尿中の17-OHCSは，鉱質コルチコイドの分泌量の指標である．
5. クッシング病では，メチラポンの投与によりACTHの血中濃度および17-OHCSの尿中濃度の増加がみられる．
6. アジソン病では，鉱質コルチコイド低下による高血糖，低K血症および高Na血症を伴う．
7. レニンは，循環血漿量の減少あるいは糸球体血圧の低下に反応して副腎皮質から分泌される．
8. 原発性アルドステロン症では，低レニン性の高血圧がみられる．
9. 続発性アルドステロン症では，高レニン性の高血圧がみられる．
10. SIADHでは抗利尿ホルモンが高値を示し，高Na血症が持続する．

問6 悪性腫瘍（がん）に関する以下の記述の○×について，答えなさい．
1. 小細胞肺がんの腫瘍マーカーとして，SCC抗原およびCYFRA（シフラ）が使用される．
2. 非小細胞肺がんの腫瘍マーカーとして，NSEが使用される．
3. 大腸がんの腫瘍マーカーとして，AFPおよびPIVKA-Ⅱが使用される．
4. 悪性腫瘍由来のPTH関連蛋白（PTHrP）は，高Ca血症をもたらす．
5. PSAは，前立腺がんの特異度が高い腫瘍マーカーである．
6. 乳がんの腫瘍マーカーとして，CA19-9が使用される．
7. CEAは，胃がんの特異度が極めて高い腫瘍マーカーである．
8. HER2の過剰発現がみられる場合は，抗HER2抗体薬によるがん治療が有効である．
9. *KRAS*遺伝子の変異がみられる場合は，セツキシマブによるがん治療が有効である．

問7 感染症・炎症性疾患に関する以下の記述の○×について，答えなさい．
1. C反応性蛋白（CRP）は，炎症時に陽性を示し，炎症マーカーとして用いられる．
2. 抗dsDNA抗体や抗Sm抗体は，全身性エリテマトーデスで認められ，特異的である．
3. 抗ストレプトリジンO抗体（ASO）は，黄色ブドウ球菌の産生する毒素に対する抗体である．
4. 抗核抗体は，関節リウマチに特異性を示す．

5. リウマトイド因子は，自己または他種の変性 IgM の Fc 部分に対する自己抗体である．
6. インフルエンザの診断には，インフルエンザウイルス抗原検出キットが用いられ，A 型・B 型インフルエンザを一度に検出できるワンデバイス型が主流である．
7. 抗ミトコンドリア抗体（AMA）は，ミトコンドリア内膜蛋白を抗原とする自己抗体である．

問 8 生理機能検査に関する以下の記述の○×について，答えなさい．
1. 心筋梗塞の心電図所見では，発症後数時間で ST 波の上昇がみられる．
2. 気管支喘息では，1 秒量，1 秒率がともに低下する．
3. バイタルサインには腱反射が含まれる．

問 9 微生物感染症検査に関する以下の記述の○×について，答えなさい．
1. 迅速ウレアーゼ試験は，抗酸菌の検出を目的に測定する．
2. ツベルクリン反応は，結核発病の確定診断に用いられる．
3. 黄色ブドウ球菌を検出には，喀痰塗抹標本を用いたチール・ネールゼン染色が有用である．
4. HCV-RNA 検査は，HCV 抗体よりも，感染後早期に上昇するため急性肝炎の診断に役立つ．
5. クラミジア・トラコマチスは，宿主細胞内に寄生するため，培養での検出は困難である．

問 10 フィジカルアセスメントに関する以下の記述の○×について，答えなさい．
1. 薬剤師におけるフィジカルアセスメントの主要な目的は，聴診・視診・触診などを行い，患者の情報を収集することである．

問 11 尿検査・糞便検査に関する以下の記述の○×について，答えなさい．
1. 尿潜血反応は，アスコルビン酸の過剰摂取により偽陰性となる．
2. 試験紙法による尿糖検査は，糖尿病の診断基準に含まれる．
3. 閉塞性黄疸において，尿ウロビリノゲンは増加する．
4. 便中ヘモグロビンは，大腸がんのスクリーニング検査として有用である．
5. 上部消化管出血では，黒色便がみられる．

問 12 脳脊髄検査に関する以下の記述の○×について，答えなさい．
1. 髄膜炎・脳炎では多くの場合，髄液圧の低下，蛋白および糖の低下を認める．
2. 急性期のくも膜下出血における髄液所見では，血性髄液を認める．

略語一覧

AaDO$_2$	肺胞-動脈血酸素分圧較差	alveolar-arterial oxygen difference
ABC	ATP結合カセット	ATP-binding cassette
ABCG2		ABC subfamily G member 2
ACCR	アミラーゼ/クレアチニンクリアランス比	amylase-creatinine clearance ratio
ACE	アンジオテンシン変換酵素	angiotensin converting enzyme
ACP	酸性ホスファターゼ	acid phosphatase
ACTH	副腎皮質刺激ホルモン	adrenocorticotropic hormone
AD	アルツハイマー病	Alzheimer's disease
ADA	アデノシンデアミナーゼ	adenosine deaminase
ADAS-Cog		alzheimer's disease assessment scale-cognitive subscale
ADH	抗利尿ホルモン（バソプレシン）	antidiuretic hormone
ADP	アデノシン二リン酸	adenosine diphosphate
AF	心房細動	atrial fibrillation
AFP	$α$-フェトプロテイン	$α$-fetoprotein
AG	アニオンギャップ	anion gap
1,5-AG	1,5-アンヒドロ-D-グルシトール	1,5-anhydro-D-glucitol
AIDS	後天性免疫不全症候群	acquired immunodeficiency syndrome
ALP	アルカリホスファターゼ	alkaline phosphatase
ALT	アラニンアミノトランスフェラーゼ	alanine aminotransferase
AMA	抗ミトコンドリア抗体	anti-mitochondrial antibody
AMPPD		3-(2'-spiroadamantane)-4-methoxy-4-(3''-phosphoryloxy) phenyl-1,2-dioxetane
AMY	アミラーゼ	amylase
ANA	抗核抗体	anti-nuclear antibody
ANCA	抗好中球細胞質抗体	anti-neutrophil cytoplasmic antibody
ANP	心房性ナトリウム利尿ペプチド	atrial natriuretic peptide
APS	抗リン脂質抗体症候群	anti-phospholipid antibody syndrome
APTT	活性化部分トロンボプラスチン時間	activated partial thromboplastin time
AQP	アクアポリン	aquaporins
ARC	活性型レニン定量	active renin concentration
ARDS	急性呼吸窮迫症候群	acute respiratory distress syndrome
ARNI	アンギオテンシン受容体ネプリライシン阻害薬	angiotensin receptor neprilysin inhibitor
ART	抗レトロウイルス療法	anti-retroviral therapy
5-ASA	5-アミノサリチル酸	5-aminosalicylic acid
ASK	抗ストレプトキナーゼ抗体	anti-streptokinase antibody
ASO	抗ストレプトリジンO抗体	anti-streptolysin-O antibody
AST	アスパラギン酸アミノトランスフェラーゼ	aspartate aminotransferase
ATL	成人T細胞白血病	adult T-cell leukemia
ATP	アデノシン三リン酸	adenosine triphosphate
AVB	房室ブロック	atrioventricular block
AVNRT	房室結節回帰性頻拍	atrioventricular nodal reentrant tachycardia
AVP	アルギニンバソプレシン	arginine vasopressin
AVRT	房室回帰性頻拍	atrioventricular reentrant tachycardia
A$β$	アミロイド$β$ペプチド	amyloid $β$ peptide

BA	気管支喘息	bronchial asthma
BACS-J	統合失調症認知機能簡易評価尺度日本語版	the brief assessment of cognition in schizophrenia
BAP	骨型アルカリホスファターゼ	bone type alkaline phosphatase
BCA225	乳がん関連抗原	breast carcinoma-associated antigen 225
BCE	骨コラーゲン相当量	bone collagen equivalent
BCG	カルメット・ゲラン桿菌	Bacillus Calmette-Guérin
BDI	ベックうつ病自己評価尺度	Beck depression inventory
BE	塩基余剰	base excess
BFP	塩基性フェトプロテイン	basic fetoprotein
BNP	脳性（B型）ナトリウム利尿ペプチド	brain (B-type) natriuretic peptide
BPRS	簡易精神症状評価尺度	brief psychiatric rating scale
BT-PABA	N-ベンゾイル-L-チロシル-p-アミノ安息香酸（ベンチロミド）	N-benzoyl-L-tyrosyl-p-aminobenzoic acid
BUN	血中尿素窒素	blood urea nitrogen
CA	糖鎖抗原	carbohydrate antigen
CAP	シスチンアミノペプチダーゼ	cystine aminopeptidase
CAP RAST		capsulated hydrophilic carrier polymer radio-allergosorbent test
CAST		cardiac arrhythmia suppression trial
CCP	環状シトルリン化ペプチド	cyclic citrullinated peptide
Ccr	クレアチニンクリアランス	creatinine clearance
CCU	冠疾患集中治療室	coronary care unit
CDR	臨床的認知症尺度	clinical dementia rating
CEA	がん胎児性抗原	carcinoembryonic antigen
CETP	コレステロールエステル（コレステリルエステル）転送蛋白	cholesteryl ester transfer protein
cfDNA	セルフリーDNA	cell free DNA
CFP-10		culture filtrate protein 10-kDa
CH50	感作赤血球50％溶血補体量	50% hemolytic unit of complement
ChE	コリンエステラーゼ	cholinesterase
CK	クレアチンキナーゼ	creatine kinase
CKD	慢性腎臓病	chronic kidney disease
CKD-MBD	慢性腎臓病に伴う骨ミネラル代謝異常	CKD-mineral and bone disorder
CLEIA	化学発光酵素免疫測定法	chemiluminesence enzyme immunoassay
CLIA	化学発光免疫測定法	chemiluminesence immunoassay
CLSI	臨床・検査標準協会	Clinical and Laboratory Standards Institute
CNP	C型ナトリウム利尿ペプチド	C type natriuretic peptide
CNS	中枢神経系	central nervous system
COMT	カテコール-O-メチルトランスフェラーゼ	catechol-O-methyltransferase
COPD	慢性閉塞性肺疾患	chronic obstructive pulmonary disease
CPA	肋骨横隔膜角	costophrenic angle
Cr	クレアチニン	creatinine
CREST症候群	クレスト症候群（皮膚石灰化沈着，レイノー現象，食道病変，強指症，毛細血管拡張症）	calcinosis cutis, Raynaud's phenomenon, esophageal disturbance, sclerodactylia, telangiectasia syndrome
CRH	副腎皮質刺激ホルモン放出ホルモン	corticotropin releasing hormone

CRP	C反応性蛋白	C-reactive protein
CT	コンピューター断層撮影	computed tomography
ctDNA	血中循環腫瘍DNA	circulating tumor DNA
CTR	心胸郭比	cardiothoracic ratio
CTX	I型コラーゲン架橋C-テロペプチド	type I collagen cross-linked C-telopeptide
CVD	脳血管障害	cerebrovascular disorder
Cys-C	シスタチンC	cystatin C
DAA	直接型抗ウイルス薬	direct acting antiviral
DAT	ドパミン輸送体	dopamine transporter
DBP	拡張期血圧	diastolic blood pressure
DDH	DNA-DNA-ハイブリダイゼーション	DNA-DNA-hybridization
DEXA	二重X線吸収法	dual-energy X-ray absorptiomatry (DXA)
DHEA-S	デヒドロエピアンドロステロンサルフェート	dehydroepiandrosterone sulfate
DIC	播種性血管内凝固症候群	disseminated intravascular coagulation
DIP	デジタルイメージプロセッシング	digital image processing
DIT	ジヨードチロシン	diiodotyrosine
DKA		dual kinetic assay
DLCO	一酸化炭素拡散能	diffusing capacity of lung for carbon monoxide
DNCB	2,4-ジニトロクロロベンゼン	2,4-dinitrochlorobenzene
DOC	デオキシコルチコステロン	deoxycorticosterone
DOTS	短期化学療法による直接監視下治療	directly observed treatment, short course
DPD	デオキシピリジノリン	deoxypyridinolin
DPP-4	ジペプチジルペプチダーゼ-4	dipeptidyl peptidase-4
E_1	エストロン	estrone
E_2	エストラジオール	estradiol
E_3	エストリオール	estriol
EBNA	エプスタイン・バーウイルス特異的核内抗原	Epstein-Barr virus associated nuclear antigen
ECLIA	電気化学発光免疫測定法	electro chemiluminesence immunoassay
EDTA	エデト酸(エチレンジアミン四酢酸)	ethylenediaminetetraacetic acid
EGFR	上皮成長因子受容体	epidermal growth factor receptor
eGFR	推算糸球体濾過量	estimated glomerular filtration rate
EIA	酵素免疫測定法	enzyme immunoassay
ELISA	酵素結合免疫吸着測定法	enzyme-linked immunosorbent assay
ELISPOT		enzyme-linked immuno sorbent spot
ERCP	内視鏡的逆行性胆管膵管造影	endoscopic retrograde cholangiopancreatography
ESAT-6		early secretary antigenic target 6-kDa
ESBL	基質拡張型β-ラクタマーゼ	extended-spectrum β-lactamase
ESR	赤血球沈降速度(赤沈)	erythrocyte sedimentation rate
FA	蛍光抗体	fluorescence antibody
FACS		fluorescence-activated cell sorting
FDG-PET	フルオロデオキシグルコース-陽電子放射断層撮影	fluorodeoxyglucose-positoron emission tomography
FDP	フィブリン・フィブリノゲン分解産物	fibrin-fibrinogen degradation products
FEV_1	努力性呼気量の1秒量	forced expiratory volume in one second
$FEV_{1.0\%}$	努力性呼気量の1秒率	percentage of forced expiratory volume in one second

FISH		fluorescence *in situ* hybridization
FSH	卵胞刺激ホルモン	follicle-stimulating hormone
FT$_3$	遊離トリヨードサイロニン	free triiodothyronine
FT$_4$	遊離サイロキシン	free thyroxine
FTA-ABS	梅毒トレポネーマ蛍光抗体吸収試験	fluorescent treponemal antibody absorption-test
FVC	努力性肺活量	forced vital capacity
γ-GT	γ-グルタミルトランスペプチダーゼ	γ-glutamyltranspeptidase
GAD	グルタミン酸デカルボキシラーゼ	glutamic acid decarboxylase
Gal	ガラクトース	galactose
GBS	ギラン・バレー症候群	Guillain-Barré syndrome
GC/MS	ガスクロマトグラフィー質量分析法	gas chromatography-mass spectrometry
GCS	グラスゴー・コーマ・スケール	Glasgow Coma Scale
G-CSF	顆粒球コロニー刺激因子	granulocyte colony stimulating factor
GDS15	老年期うつ病評価尺度	geriatric depression scale 15
GFR	糸球体濾過量	glomerular filtration rate
GH	成長ホルモン	growth hormone
GHRH	成長ホルモン放出ホルモン	growth hormone releasing hormone
GIP	グルコース依存性インスリン分泌刺激ポリペプチド	glucose-dependent insulinotropic polypeptide
GLP-1	グルカゴン様ペプチド-1	glucagon-like peptide-1
GnRH	ゴナドトロピン放出ホルモン	gonadotropin releasing hormone
HAM-D	ハミルトンうつ病評価尺度	Hamilton rating scale for depression
HAV	A型肝炎ウイルス	hepatitis A virus
Hb	ヘモグロビン	hemoglobin
HBc	B型肝炎コア	hepatitis B core
HBe	B型肝炎 e	hepatitis B early
HBs	B型肝炎表面	hepatitis B surface
HBV	B型肝炎ウイルス	hepatitis B virus
HCG	ヒト絨毛性ゴナドトロピン	human chorionic gonadotropin
HCV	C型肝炎ウイルス	hepatitis C virus
HDL-C	高比重リポ蛋白コレステロール	high density lipoprotein cholesterol
HDS-R	改訂長谷川式簡易認知症スケール	Hasegawa dementia scale-revised
HEV	E型肝炎ウイルス	hepatitis E virus
HFmrEF		heart failure with mid-range ejection fraction
HFpEF	拡張不全型心不全	heart failure with preserved ejection fraction
HFrEF	収縮不全型心不全	heart failure with reduced ejection fraction
HIV	ヒト免疫不全ウイルス	human immunodeficiency virus
HLA	ヒト白血球抗原	human leukocyte antigen
HPA		hybridization protection assey
HPLC	高速液体クロマトグラフィー	high performance liquid chromatography
HR	心拍数	heart rate
Ht	ヘマトクリット	hematocrit
HTGL	肝性トリグリセリドリパーゼ	hepatic triglyceride lipase
HTLV-1	ヒトT細胞白血病I型ウイルス	human T-cell leukemia virus type 1
IA-2	インスリノーマ関連蛋白2	insulinoma-associated protein-2
IAA	インスリン自己抗体	insulin autoantibody

ICA	抗膵島細胞質抗体	anti-cytoplasmic islet cell antibody
ICG	インドシアニングリーン	indocyanine green
ICM	植込み型心電図記録計	insertable cardiac monitor
ICSH	間質細胞刺激ホルモン	interstitial cell-stimulating hormone
ICU	集中治療室	intensive care unit
IDL	中間比重リポ蛋白	intermediate density lipoprotein
IFA	間接蛍光抗体	indirect fluorescent antibody
IFCC	国際臨床化学連合	The International Federation of Clinical Chemistry and Laboratory Medicine
IFN	インターフェロン	interferon
Ig(A, E, G, M)	免疫グロブリン(A, E, G, M)	immunoglobulin(A, E, G, M)
IGF	インスリン様成長因子	insulin-like growth factor
IGRA	インターフェロン-γ遊離試験	interferon-gamma release assay
IL	インターロイキン	interleukin
IR	赤外吸収スペクトロメトリー	infrared absorption spectrometry
IRMA	免疫放射定量測定法	immunoradiometric assay
IVC	下大静脈	inferior vena cava
IVIg療法	経静脈的免疫グロブリン	intravenous immunoglobulin療法
JCS	ジャパン・コーマ・スケール	Japan Coma Scale
JG	傍糸球体	juxtaglomerular
JSCC	日本臨床化学会	Japan society of clinical chemistry
KL-6		krebs von den lungen-6
17-KS	17-ケトステロイド	17-ketosteroid
LA	ラテックス凝集免疫比濁法	latex agglutination immunoturbidimetry
LAMP		loop-mediated isothermal amplification
LAP	ロイシンアミノペプチダーゼ	leucine aminopeptidase
LCAT	レシチンコレステロールアシルトランスフェラーゼ	lecithin-cholesterol acyltransferase
LCR	リガーゼ連鎖反応	ligase chain reaction
LD	乳酸脱水素酵素	lactate dehydrogenase
LDL-C	低比重リポ蛋白コレステロール	low density lipoprotein cholesterol
LE	紅斑性狼瘡	lupus erythematosus
LGE		log genome equivalent
LH	黄体形成ホルモン	luteinizing hormone
LHRH	黄体形成ホルモン放出ホルモン	luteinizing hormone releasing hormone
LIP	リンパ性間質性肺炎	lymphocytic interstitial pneumonia
LKM	肝腎マイクロゾーム	liver kidney microsome
LPIA	ラテックス近赤外免疫比濁法	latex photometric immunoassay
LTRA	ロイコトリエン受容体拮抗薬	leukotriene receptor antagonist
LVEF	左室駆出率	left ventricular ejection fraction
M2BPGi	Mac-2 結合蛋白糖鎖修飾異性体	Mac-2 binding protein glycan isomer
MAC	マイコバクテリウム・アビウムコンプレックス	*Mycobacterium avium* complex
MCH	平均赤血球血色素(ヘモグロビン)量	mean corpuscular hemoglobin
MCHC	平均赤血球血色素(ヘモグロビン)濃度	mean corpuscular hemoglobin concentration
MCTD	混合性結合組織病	mixed connective tissue disease
MCV	平均赤血球容積	mean corpuscular volume
MDRP	多剤耐性緑膿菌	multidrug-resistant *Pseudomonas aeruginosa*

MGIT		Mycobacteria growth indicator tube
MIBG	メタヨードベンジルグアニジン	metaiodobenzyl guanidine
MIC	最小発育阻止濃度	minimum inhibitory concentration
MIT	モノヨードチロシン	monoiodotyrosine
MMP-3	マトリックスメタロプロテアーゼ-3	matrix metalloprotease-3
MMSE	ミニメンタルステート検査	mini-mental state examination
MOF	多臓器不全	multiple organ failure
MPA	顕微鏡的多発血管炎	microscopic polyangiitis
MPB64		Mycobacterial protein fraction from BCG of Rm 0.64 in electrophoresis
MPO	ミエロペルオキシダーゼ	myeloperoxidase
MPTP	メチルフェニルテトラヒドロピリジン	methyl-phenyl-tetrahydropyridine
MRA	核磁気共鳴血管造影	magnetic resonance angiography
MRCP	核磁気共鳴胆管膵管造影	magnetic resonance cholangiopancreatography
MRI	核磁気共鳴撮像	magnetic resonance imaging
MRSA	メチシリン耐性黄色ブドウ球菌	methicillin-resistant *Staphylococcus aureus*
MTX	メトトレキサート	methotrexate
NAFLD	非アルコール性脂肪性肝疾患	non-alcoholic fatty liver disease
NAG	N-アセチル-β-D-グルコサミニダーゼ	N-acetyl-β-D-glucosaminidase
NASH	非アルコール性脂肪肝炎	non-alcoholic steatohepatitis
NGS	次世代シークエンサー	next generation sequencer
NHCAP	医療・介護関連肺炎	nursing and healthcare-associated pneumonia
NIA-AA		National Institute on Aging-Alzheimer's Association
NMDA	N-メチル-D-アスパラギン酸	N-methyl-D-aspartic acid
NPN	非蛋白窒素	non-protein nitrogen
NSAIDs	非ステロイド性消炎鎮痛薬	nonsteroidal anti-inflammatory drugs
NSE	神経特異性γ-エノラーゼ	neuron specific γ-enolase
NT-proBNP	ヒト脳性ナトリウム利尿ペプチド前駆体N端フラグメント	N-terminal pro-brain natriuretic peptide
NTX	I型コラーゲン架橋N-テロペプチド	type I collagen cross-linked N-telopeptide
OC	オステオカルシン	osteocalcin
OCPC	o-クレソフタレインコンプレクソン	o-cresophthalein complexone
OGTT	経口グルコース負荷試験	oral glucose tolerance test
17-OHCS	17-ヒドロキシコルチコステロイド	17-hydroxycorticosteroid
P1NP	I型プロコラーゲン-N-プロペプチド	type I procollagen N-propeptide
P-III-P	プロコラーゲンIIIペプチド	procollagen III peptide
PA	受身(粒子)凝集反応	passive (particle) agglutination
$PaCO_2$	動脈血二酸化炭素分圧	arterial carbon dioxide tension
P-ANCA	核周辺型好中球細胞質ミエロペルオキシダーゼ抗体	perinuclear anti-neutorophil cytoplasmic antibody
PANSS	陽性・陰性症状評価尺度	positive and negative syndrome scale
PaO_2	動脈血酸素分圧	arterial oxygen tension
PBC	原発性胆汁性肝硬変	primary biliary cirrhosis
PBP-2'	ペニシリン結合蛋白2'	penicillin binding protein-2'
PCR	ポリメラーゼ連鎖反応	polymerase chain reaction
PCT	プロカルシトニン	procalcitonin
PD	パーキンソン病	Parkinson's disease

PEFR	最大呼気速度	peak expiratory flow rate
PET	陽電子放射断層撮影	positron emission tomography
PFD	膵機能診断薬	pancreatic function diagnostant
PGx		pharmacogenomics
PHA	受身赤血球凝集反応	passive hemagglutination
PI	プラスミンインヒビター	plasmin inhibitor
PIC	プラスミン・プラスミンインヒビター複合体	plasmin-plasmin inhibitor complex
PIVKA	ビタミンK依存性蛋白	protein induced by vitamin-K absence
PLH	肺リンパ過形成	pulmonary lymphoid hyperplasia
PM/DM	多発性筋炎・皮膚筋炎	polymyositis/dermatomyositis complex
PMR	リウマチ性多発性筋痛症	polymyalgia rheumatica
PN	結節性多発性動脈炎	periarteritis nodosa
POCT	ポイント・オブ・ケア・テスティング	point-of-care testing
PRA	血漿レニン活性	plasma renin activity
PRC	血漿レニン濃度	plasma renin concentration
PRH	プロラクチン放出ホルモン	prolactin releasing hormone
PRIH	プロラクチン放出抑制ホルモン	prolactin release inhibiting hormone
PRIME-MD-PHQ 9	こころとからだの質問票	primary care evaluation of mental disorders-patient health questionnaire 9
PRL	プロラクチン	prolactin
ProGRP	ガストリン放出ペプチド前駆体	pro-gastrin releasing peptide
PSA	前立腺特異抗原	prostate specific antigen
PSVT	発作性上室性頻拍	paroxysmal supraventricular tachycardia
PT	プロトロンビン時間	prothrombin time
PTH	副甲状腺ホルモン（パラトルモン）	parathyroid hormone
PTHrP	副甲状腺ホルモン関連ペプチド	parathyroid hormone-related peptide
PT-INR	プロトロンビン時間国際標準比	prothrombin time-international normalized ratio
PVC	心室性期外収縮	premature ventricular contraction
QFT	クォンティフェロン®	QuantiFERON®
QOL	生活の質	quality of life
RA	関節リウマチ	rheumatoid arthritis
RAA系	レニン・アンジオテンシン・アルドステロン系	renin-angiotensin-aldosterone system
RANKL		receptor activator of NF-κB
RAST	放射性アレルゲン吸着試験	radio-allergosorbent test
RBC	赤血球数	red blood cell count
RF	リウマトイド因子	rheumatoid factor
RFLP	制限酵素断片長多型	restriction fragment length polymorphism
RI	放射性同位元素	radioisotope
RIA	ラジオイムノアッセイ（放射性免疫測定法）	radioimmunoassay
RIST	放射性免疫吸着試験	radio-immunosorbent test
RNP	リボ核蛋白	ribonucleoprotein
RPHA	逆受身赤血球凝集反応	reversed passive hemagglutination
RPR	迅速血漿レアギン試験	rapid plasma reagin test
RT-PCR	逆転写酵素-ポリメラーゼ連鎖反応	reverse transcription-polymerase chain reaction
SaO$_2$	動脈血酸素飽和度	saturation of arterial blood oxygen
SARS-CoV-2	SARSコロナウイルス	severe acute respiratory syndrome coronavirus 2

SBP	収縮期血圧	systolic blood pressure
SCC抗原	扁平上皮がん関連抗原	squamous cell carcinoma antigen
SCSQ	心の状態推論質問紙	social cognition screening questionnaire
SDS	ツァンうつ病自己評価尺度	Zung's self-rating depression scale
SERM	選択的エストロゲン受容体モジュレーター	selective estrogen receptor modulator
SGLT	グルコース共輸送体	sodium glucose co-transporter
SIADH	抗利尿ホルモン不適合分泌症候群	syndrome of inappropriate secretion of antidiuretic hormone
SIRS	全身性炎症反応症候群	systemic inflammatory response syndrome
SjS	シェーグレン症候群	Sjögren syndrome
SLE	全身性エリテマトーデス	systemic lupus erythematosus
SLS-Hb	ラウリル硫酸ナトリウム-ヘモグロビン法	sodium lauryl sulfate-hemoglobin
SLX	シアリル Le^X-i 抗原	sialyl Lewis X-i antigen
SOL	占拠性病変	space occupying lesion
SP-A/D	サーファクタント蛋白	surfactant protein A/D
SPECT	単一光子放射断層撮影	single photon emission computed tomography
SpO_2	経皮的酸素飽和度	saturation of percutaneous oxygen
SRIF	成長ホルモン分泌抑制因子	somatotropin release-inhibiting factor
SSc	全身性強皮症	systemic sclerosis
SSS	洞不全症候群	sick sinus syndrome
STN	シアリル Tn 抗原	sialyl Tn antigen
STS	梅毒血清反応	serologic tests for syphilis
T_3	トリヨードサイロニン	triiodothyronine
T_4	サイロキシン	thyroxine
TAT	トロンビン・アンチトロンビン複合体	thrombin-antithronbin complex
TBG	サイロキシン結合グロブリン	thyroxine-binding globulin
TBLB	経気管支的肺生検	transbronchial lung biopsy
TC	総コレステロール	total cholesterol
TdP	トルサード・デ・ポワンツ	Torsades de Pointes
Tg	サイログロブリン	thyroglobulin
TG	トリグリセリド	triglyceride
TgAb	抗サイログロブリン抗体	thyroglobulin antibody
TIA	免疫比濁法	turbidimetric immunoassay
TIBC	総鉄結合能	total iron binding capacity
TMA	転写媒介性増幅法	transcription mediated amplification
TNF-α	腫瘍壊死因子-α	tumor necrosis factor-α
TP	総蛋白	total protein
TP	トレポネーマ・パリダム	*Treponema pallidum*
t-PA	組織プラスミノゲンアクチベーター	tissue plasminogen activator
TPHA	梅毒トレポネーマ赤血球凝集試験	*Treponema pallidum* hemagglutination test
TPO	甲状腺ペルオキシダーゼ	thyroid peroxidase
TPOAb	抗甲状腺ペルオキシダーゼ抗体	thyroid peroxidase antibody
TRAb	TSH受容体抗体	TSH receptor antibody
TRACP	酒石酸抵抗性酸性ホスファターゼ	tartrate-resistant acid phosphatase
TRFIA	時間分解蛍光免疫測定法	time-resolved fluoroimmunoassay
TRH	甲状腺刺激ホルモン放出ホルモン	thyroid stimulating hormone releasing hormone

略語	日本語	英語
TSAb	甲状腺刺激型抗体	thyroid stimulating antibody
TSBAb	甲状腺刺激阻害型抗体	thyroid stimulation blocking antibody
TSH	甲状腺刺激ホルモン	thyroid stimulating hormone
TV	1回換気量	tidal volume
ucOC	低カルボキシル化オステオカルシン	undercarboxylated osteocalcin
UIBC	不飽和鉄結合能	unsaturated iron binding capacity
URAT1	尿酸トランスポーター1	urate transporter 1
UV	紫外部吸光光度分析	ultraviolet absorption spectophotometry
VA	肺胞換気量	alveolar ventilation
VAP	人工呼吸器関連肺炎	ventilator-associated pneumonia
VC	肺活量	vital capacity
VCA	ウイルスカプシド抗原	viral capsid antigen
VD_3	ビタミン D_3	vitamin D_3
VF	心室細動	ventricular fibrillation
VLDL	超低比重リポ蛋白	very low density lipoprotein
VRE	バンコマイシン耐性腸球菌	vancomycin-resistant enterococci
VRSA	バンコマイシン耐性黄色ブドウ球菌	vancomycin-resistant *Staphylococcus aureus*
VT	心室頻拍	ventricular tachycardia
WBC	白血球数	white blood cell count
WMS-R	ウェクスラー記憶スケール	Wechsler memory scale-revised
WPW症候群		Wolff-Parkinson-White syndrome
YAM	若年者平均値	young adult mean
ZTT	血清膠質反応	zinc sulfate turbidity test

参考文献

第1章　病態検査を理解する上での基礎と検査データの見方
- 日本臨床検査医学会ガイドライン作成委員会（編）：臨床検査のガイドライン JSLM2021 検査値アプローチ/症候/疾患．宇宙堂八木書店，2021
- Haglund C, Roberts PJ, Kuusela P, Scheinin TM, Mäkelä O, Jalanko H：Evaluation of CA 19-9 as a serum tumour marker in pancreatic cancer. *Br J Cancer* 53(2)：197-202, 1986

第2章　病態検査を行うにあたり必要な検査項目
- 矢冨　裕，山田俊幸（監修）：今日の臨床検査　2023-2024．南江堂，2023
- 高久史麿（監修）：臨床検査データブック　2023-2024．医学書院，2023
- 下　正宗（編）：エビデンスに基づく検査データ活用マニュアル．学研メディカル秀潤社，第2版，2013
- 木村　聡（監修・編），三浦雅一（編）：薬の影響を考える　臨床検査値ハンドブック．じほう，第4版，2022
- 三浦雅一（監修）：知っているようで知らない医療用語小辞典．ライフサイエンス出版，2011
- 日本骨粗鬆症学会骨代謝マーカー検討委員会（編）：骨代謝マーカーハンドブック．メディカルレビュー社，2022
- 渭原　博（編著）：医療関係職種のための臨床検査概論．ヘルス・システム研究所，2007
- シスメックス：プライマリケア　https://primary-care.sysmex.co.jp/index.html
- 金井正光（監修）：臨床検査提要．金原出版，第35版，2020
- 太田英彦，島　幸夫（訳）：カラー図解　臨床生化学．メディカル・サイエンス・インターナショナル，1998
- 河合　忠ほか（編）：異常値の出るメカニズム．医学書院，第7版，2018
- 病気と薬パーフェクト BOOK 2017．薬局2017年増刊号 68(4)，南山堂，2017
- 村上純子・西崎　統（編）：看護に活かす検査値の読み方・考え方．総合医学社，第3版，2021
- de Jonge E et al.：Lancet 362：1011, 2003
- 舘田一博：*The LUNG perspectives* 13：261-265, 2005
- Sprigings DC, Chambers JB（編），森脇龍太郎，上原　淳（訳）：内科救急プロトコール．メディカル・サイエンス・インターナショナル，2004
- 熊本大学医学部臨床実習入門コースワーキンググループ編集委員会（編）：クリクラナビ．金原出版，第2版，2009
- 奈良信雄（編）：身体所見のとり方．羊土社，2001
- 日本臨床検査医学会ガイドライン作成委員会（編）：臨床検査のガイドライン JSLM2021 検査値アプローチ/症候/疾患．宇宙堂八木書店，2021

- 渡邉　淳（著）：診療・研究にダイレクトにつながる　遺伝医学．羊土社，2017
- 日本集中治療医学会：日本版敗血症ガイドライン The Japanese Clinical Practice Guidelines for Management of Sepsis and Septic Shock 2020（J-SSCG 2020）
- 日本結核・非結核性抗酸菌症学会教育・用語委員会：結核症の基礎知識（改訂第5版）Ⅱ．結核の診断．結核 96（3）：98-103，2021
- LSIメディエンス：WEB総合検査案内 http://data.medience.co.jp/compendium/top.asp6
- SRL：総合検査案内 https://test-guide.srl.info/hachioji/

第3章　主要疾患での病態検査の役割

- 福井次矢，黒川　清（日本語版監修）：ハリソン内科学．メディカル・サイエンス・インターナショナル，第5版，2017
- 医療情報科学研究所（編）：病気がみえる vol.2 循環器．メディックメディア，第4版，2017
- 福井　博：肝硬変．日本医師会雑誌 141 特別号（2）：S254-257，2012
- 荒川泰行ほか：肝硬変．日本医師会雑誌 122 特別号（8）：S220-229，1999
- 医療情報科学研究所（編）：病気がみえる vol.3 糖尿病・代謝・内分泌．メディックメディア，第4版，2014
- 日本骨粗鬆症学会骨粗鬆症の予防と治療ガイドライン作成委員会（編）：骨粗鬆症の予防と治療ガイドライン　2015年版．ライフサイエンス出版，2015
- 日本骨粗鬆症学会骨代謝マーカー検討委員会（編）：骨粗鬆症診療における骨代謝マーカーの適正使用ガイド　2018年版．ライフサイエンス出版，2018
- 日本神経学会（監修）：ギラン・バレー症候群，フィッシャー症候群診療ガイドライン2013．南江堂，2013
- 太田嗣人：肥満・インスリン抵抗性がもたらす肝の炎症．日内会誌109：19-26，2020
- 日本消化器病学会，日本肝臓学会（編）：肝硬変診療ガイドライン2020（改訂第3版）．南江堂，2020
- 小笠原定久ほか：進行肝細胞癌に対する薬物治療；2次治療，3次治療の薬剤選択．日消誌 118：418-427，2021
- 日本膵臓学会膵癌診療ガイドライン改訂委員会（編）：膵癌診療ガイドライン2022年版．金原出版，2022
- 谷合麻紀子：NAFLD/NASHの疫学．日内会誌109：11-18，2020
- 平山敦大：炎症性腸疾患　内科治療の最前線．信州医誌59（5）：233-243，2021

第2章　復習問題　解答・解説

A-1　血球
1　正
2　誤　貧血では，ヘモグロビンの値は低下する．
3　正
4　誤　エリスロポエチン投与後に，網状赤血球の数は増加する．
5　正

A-2　凝固・線溶系
1　誤　血小板数が減少すると，出血時間は延長する．
2　正
3　誤　線溶系が亢進すると，a_2-プラスミンインヒビターは減少する．
4　正
5　誤　第Ⅷ因子の欠損によって延長するのは部分活性化トロンボプラスチン時間である．

B-1　電解質・鉄代謝物
1　誤　慢性腎不全では，低Na血症，高K血症がみられる．
2　誤　Kの細胞内取込み促進，Na^+/K^+-ATPaseの活性化により，低K血症がみられる．
3　誤　血清Cl濃度は，相補的陰イオンであるNa濃度と並行して増減する他，体内で酸を中和する塩基である血清HCO_3^-濃度と逆方向に変動する．
4　誤　アシドーシスは，酸塩基平衡の障害で，pHの恒常性を維持できなくなり，pHが低下していく状態をいう．血液pH 7.35以下は，アシデミアである．
5　誤　アニオン・ギャップ（AG）は，代謝性アシドーシスで，酸が生成しているか（AG：正常），HCO_3^-が供給されていないか（AG：増加）を鑑別する．
6　誤　低蛋白血症では，Ca^{2+}が結合する血清アルブミンが減少するので，低値となる．
7　誤　総鉄結合能は，アポトランスフェリンの総量により血清中の鉄を結合するキャパシティーを表したものである．貯蔵鉄の量は，血清フェリチンで評価される．

B-2　糖質・糖質代謝物
1　誤　血液中D-グルコース濃度である．
2　誤　随時血糖値が200 mg/dL以上，または空腹時血糖値が126 mg/dL以上であれば，糖尿病型と判定される．
3　誤　HbA1c 6.5%以上は，糖尿病型である．
4　誤　グリコアルブミンは，過去1～2週間の平均血糖値を反映する．HbA1cが過去1～2ヵ月間の平均血糖値を反映する．
5　誤　貧血では，成熟ヘモグロビンが減少するため，HbA1c値は見かけ上の低値となる．

B-3　脂質・脂質代謝物
1　誤　血清コレステロールの3分の2はLDL中に含まれるため，TC値はHDL-C値ではなくLDL-C値と良好な相関性を示す．
2　正　血中LDLが過剰になると，血管壁でのコレステロールの異常沈着が起こり，動脈硬化の引き金となる．
3　誤　HDLは狭心症や脂質異常症などの動脈硬化関連疾患の発症抑制に関わると考えられている．HDL-C値の増減はHDL$_2$-C値に起因するため，これら患者の血中HDL$_2$-C値は一般的に低い．
4　正　脂質の過剰摂取により血中TG値が高値の状態が続くと脂肪肝となり，動脈硬化症や肝がんに進行することがある．
5　誤　ポリアニオン法によるリポ蛋白分画は，血清成分やイオン強度などにより影響を受けやすいため，今日ではあまり利用されていない．日常的な検査では簡便な電気泳動法が利用され，リポ蛋白成分の詳細検討では超遠心分離法が汎用されている．

B-4　蛋白・蛋白代謝物
1　正　血液中の主要蛋白であるアルブミンは，血液中の水分保持に関わっており，アルブミンの低値は全身の浮腫，腹水や胸水などの症状を引き起こす．
2　正　アミノ酸代謝によって生じるアンモニアは，肝臓の尿素サイクルを介して毒性の

少ない尿酸に変換される．それゆえ，肝機能の低下は血中アンモニア濃度の増加につながる．
3　誤　BUNは腎機能の指標として一般的な臨床検査において測定されているが，腎糸球体濾過機能が半減しても正常域であることが多く，鋭敏な検査項目とはいえない．
4　誤　推算Ccr値はCockcroftとGaultの計算式によって算出できる．フリードワルドの計算式はLDL-C，HDL-CやTGからTC値を算出する計算式である．

B-5　核酸代謝産物・ビリルビン
1　正　プリン体の過剰摂取は血中尿酸値の増加に関与するため食事制限も重要である．
2　正　尿酸は，プリン体の代謝物である．
3　誤　腎不全によって尿酸の排泄障害が引き起こされ，血中の尿酸値が上昇する．
4　誤　血液中の赤血球ヘモグロビンのヘムからビリルビンが生成する．
5　誤　肝臓においてグルクロン酸抱合されて抱合型ビリルビンが合成される．
6　正　ビリルビンの濃度が上昇すると黄疸が引き起こされる．

B-6　酵　素
1　正
2　誤　胆道系疾患ではALPは高値を示す．
3　誤　膵臓由来であるP型AMYが増加する．
4　誤　アルコール性肝障害では，γ-GTは上昇する．
5　誤　慢性肝炎や肝硬変では低値，ネフローゼ症候群や脂肪肝では高値となる．

B-7　骨代謝マーカー
1　誤　NTXは骨吸収マーカー，ucOCは骨マトリックス関連マーカーである．
2　誤　BAPは骨形成マーカーである．

B-8　内分泌検査
1　誤　クッシング症候群はコルチコイドの過剰分泌を呈する病態の総称である（☞p.73，209）．クッシング症候群のうち，下垂体腺腫（ACTH産生腫瘍）によるものがクッシング病である．
2　正　コルチゾールの鉱質コルチコイド様作用により，Na^+の再吸収が促進する（☞p.73，209）．
3　誤　TSAbが甲状腺のTSH受容体を刺激すると甲状腺ホルモンが分泌される．バセドウ病で認められる（☞p.80，207）．
4　誤　腎性尿崩症ではADHに対する反応性が低下する（☞p.85，212）．
5　正　アルドステロンは腎集合管でのNa^+，水の再吸収を促進する（☞p.75）．
6　誤　ドパミンやドパミン受容体作動薬（ブロモクリプチンなど）は低下させる（☞p.93）．

C-1　免疫血清検査
1　誤　関節リウマチではCRP高値，赤沈亢進を示す．
2　正
3　正

C-2　自己免疫疾患検査
1　正
2　誤　特発性間質性肺炎では，SP-A，SP-Dは増加する．

C-3　感染症POCT
1　正　目視において，バンドの有無をみることで判定を行う．
2　正　A型およびB型の両方を測定するキットが販売されており，コントロールライン，A型，B型の3本のラインが認められる．
3　誤　リファレンスラインには必ずバンドが現れるため，陰性の場合は1本のバンドが現れる．バンドが1本も認められない場合は，再測定する必要がある．

C-4　腫瘍マーカー
a，d　aのCEAは消化器系のみならず非小細胞性の肺がんでも高率に上昇するマーカーである．bは肝胆道系，cは婦人科系，eは前立腺がんのマーカーである（☞表2C-1）．

D　遺伝子検査
1　誤　外から侵入したウイルスや細菌などの核酸を，各種の臨床検体から検出する病原体遺伝子検査も行う．
2　誤　コンパニオン診断は遺伝子検査に限らず，病理組織を免疫染色によって蛋白レベル

で検出する方法も用いられる．
3　正　表2D-2（☞ p.121）で示すように，オラパリブのコンパニオン診断に*BRCA1*または*BRCA2*の遺伝子変異が調べられる．これは遺伝学的検査にあたる．

E-1　ヘリコバクター・ピロリ（ピロリ菌）
1　誤　迅速ウレアーゼ試験（1〜2時間）は偽陽性の可能性もあり，感度・特異性がともに高く迅速・簡便な検査法は^{13}C-尿素呼気試験（約30分）である．

E-2　耐性菌
1　誤　メチシリン耐性黄色ブドウ球菌の産生するPBP-2′は，β-ラクタム系抗菌薬との親和性を低下させることで抗菌薬に対する耐性を獲得する．

E-3　結核菌
1　誤　結核菌は抗酸菌でありグラム染色では染色されにくい．そのため特殊な染色法であるチール・ネールゼン染色を用いて検査する．

E-4　敗血症
1　正　β-D-グルカンは，真菌の細胞壁の構成成分であり，真菌全般の検出に利用される．

E-5　病原体遺伝子検査
1　誤　死菌であっても核酸は検出され，陽性を示す．このため遺伝子検査では治癒の指標には使いにくい．
2　誤　「検出せず」は検出感度未満の量で病原体が存在する可能性が残されており，感染の完全な否定はできない
3　正　HCVはRNAウイルスであり，PCR検査時はRNAをいったんDNAに変換してからPCRにかける．このためRT-PCR法と呼ばれる．

F-1　心機能検査
1　正　電極の位置は観測点に相当するため，誘導が変わると波形は変化する．
2　誤　虚血性心疾患ではST変化が重要である．
3　誤　拡張不全を主体とするLVEFが保持された心不全（HFpEF）もある．
4　正　貯留した胸水が立位により胸腔下部にたまり，境界面がCPA鈍角像として映し出される．

F-2　肺機能検査
1　正　気道狭窄のため1秒率が低下する．

F-3　動脈血ガス分析
1　正　呼吸不全の定義である．
2　誤　Ⅱ型呼吸不全であり，高濃度酸素の投与により自発呼吸が減弱する可能性を考慮して対応する．
3　正　呼吸状態のみでなく，酸塩基平衡状態も把握できる．

F-4　バイタルサインを含むフィジカルアセスメント
1　正　救急領域ではABCDE法が汎用される．
2　誤　見た目の重症感とともに，必要に応じてバイタルサインも評価する．
3　誤　深昏睡患者はJCSでⅢ-300，GCSではE1V1M1＝3と評価される．

G-1　尿検査
1　誤　1日尿量が400 mL以下を乏尿，100 mL以下を無尿という．
2　正
3　正　生理的蛋白尿に分類される．
4　正

G-2　便検査
1　誤　便潜血検査において，ペルオキシダーゼ活性を用いるものを化学的方法，ヒトヘモグロビンの特異的抗体を用いるものを免疫学的方法という．

第5章 演習問題 解答・解説

問1

1. ◯ (☞ p.12)
2. × 血液1 dL中に含まれるヘモグロビンの量で表し,赤血球を溶血させて測定する (☞ p.13).
3. ◯ (☞ p.14)
4. ◯ (☞ p.16)
5. × 感染症や炎症などで亢進し,赤血球増加症や低フィブリノゲン血症では遅延する (☞ p.16).
6. × $25×10^4/\mu L$ は,基準範囲内である (☞ p.18).
7. ◯ (☞ p.21)
8. × 血小板は消費されて減少する (☞ p.18, 166).

問2

1. ◯ (☞ p.58)
2. × ALTはASTと比較して,他臓器への分布量が少ないため,肝臓に特異性が高い (☞ p.58).
3. × ASTの基準値は,13〜30 U/Lである (☞ p.58).
4. × BUNは,腎機能の指標である (☞ p.51).
5. ◯ (☞ p.66)
6. × 偽性コリンエステラーゼは肝臓で合成されるため,肝硬変など肝実質細胞の機能障害で低値を示す.栄養過多による脂肪肝などでは産生過剰となり,値は高値を示す (☞ p.68).
7. ◯ (☞ p.59)
8. × 心不全の状態を反映するため,診断および重症度の分類などに用いられる (☞ p.95, 137).
9. ◯ 劇症肝炎など肝細胞が急激に破壊される場合には,肝含有量を反映してAST優位となる (☞ p.59).
10. ◯ (☞ p.179)
11. ◯ (☞ p.114, 181)
12. ◯ (☞ p.67)
13. × 急性心筋梗塞等の心筋壊死が生じる疾患で高値を示す (☞ p.161).
14. ◯ (☞ p.185)
15. × 腎機能が低下すると尿中排泄が低下するため,BUNは腎機能低下時に高値を示し,腎機能検査に用いられる (☞ p.51).
16. ◯ (☞ p.51)
17. ◯ (☞ p.51)
18. × 腎機能が低下すると,排泄が低下するため,血清クレアチニンは高値を示す (☞ p.52).
19. ◯ (☞ p.148)
20. × 微量アルブミン尿が早期診断指標となっている (☞ p.216).
21. × 鋭敏な検査法ではなく,腎機能が半分以下に低下してはじめて上昇がみられる (☞ p.52).
22. ◯ (☞ p.52)
23. × 筋肉量に比例するため,男性で高値を示す (☞ p.52).
24. ◯ (☞ p.193)

25. ○ クレアチニンクリアランスの測定は 24 時間蓄尿で行うのが望ましいが，困難な場合，血清クレアチニン値から次の式を用いて推定することができる（☞ p.52）．

クレアチニンクリアランス推算式（Cockcroft & Gault の式）
男性：(140 − 年齢) × 体重/(72 × 血清クレアチニン値)
女性：0.85 × (140 − 年齢) × 体重/(72 × 血清クレアチニン値)

26. × 腎不全では，K^+ の腎臓からの排泄が低下し，高 K 血症となる（☞ p.29, 188）．
27. × クレアチンキナーゼは，骨格筋，心筋，脳などに多く含まれ，それらの部位が損傷を受けると血中に逸脱する（☞ p.65）．
28. ○ （☞ p.192）
29. × 低蛋白血症を代償するため，肝臓でのリポ蛋白の合成が亢進し，総コレステロール値は増加が認められる（☞ p.39, 44, 192）．
30. × PSA は，前立腺特異抗原のことで，前立腺がんのスクリーニングに用いられる（☞ p.117）．

問3

1. × 本態性高血圧は，二次性高血圧以外の高血圧である．二次性高血圧であるアルドステロン症のスクリーニングを目的として血漿アルドステロン濃度/レニン活性比を測定する．原発性アルドステロン症では高値を，続発性アルドステロン症では低値を示す（☞ p.77, 158）．
2. × 成人の高血圧は，収縮期血圧 140 mmHg 以上，かつ/または拡張期血圧 90 mmHg 以上，または降圧治療を受けている状態とされる（☞ p.158）．
3. × 左室収縮不全型の慢性心不全では，重症化に伴い LVEF の低下と BNP 血中濃度の上昇がみられる（☞ p.95, 137, 157）．
4. × ANP および BNP の受容体はグアニル酸シクラーゼを効果器とすることから，cGMP をセカンドメッセンジャーとして利尿作用と降圧作用を発揮する（☞ p.95）．
5. × BNP は，心房性ナトリウム利尿ペプチド（ANP）よりも鋭敏な心機能マーカーである（☞ p.95）．
6. × 狭心症では一過性の冠動脈虚血による胸痛を伴うが，心筋細胞膜の障害による酵素の逸脱はみられない．心筋梗塞後は，細胞質可溶性分画マーカー CK-MB などが血中に逸脱し，血中濃度が上昇する（☞ p.65, 160）．
7. ○ 虚血が高度な場合は，筋原線維分解物であるトロポニン T やミオシン短鎖が血中に逸脱し，血中濃度が上昇する（☞ p.160）．
8. × ALT は肝臓に含まれる酵素であるが，AST は心筋や骨格筋や肝臓に多く含まれている．心筋梗塞による組織障害後には AST が血中に逸脱し，血中濃度は上昇する（☞ p.58, 160）．
9. ○ LD は多くの臓器に分布するが，LD_1，LD_2 は，心筋梗塞時の逸脱酵素として有用である（☞ p.60）．
10. ○ TdP は QT 延長に伴って発生し，心室細動に移行して突然死をきたすこともある悪性の心室性不整脈である（☞ p.154）．
11. × 心電図から ST 低下が認められる場合は狭心症が示唆され，ST 上昇が認められる場合は心筋梗塞または冠攣縮性狭心症が示唆される（☞ p.134, 161）．
12. × CRP は，感染症，膠原病，悪性腫瘍を含め多くの急性炎症や組織崩壊性病変で増加し，特異度は低い炎症マーカーである．高感度 CRP は，動脈硬化および冠動脈疾患の危険因子の評価に有用である（☞ p.97）．

問4

1. × 空腹時血糖値が126 mg/dL以上の場合に糖尿病型と判定する（☞ p.214）．
2. × 随時血糖値が200 mg/dL以上および75 g経口グルコース負荷試験後2時間値が200 mg/dL以上のいずれかに該当する場合は，糖尿病型と判定される（☞ p.214）．
3. × ショ糖（スクロース）ではなくて，ブドウ糖（グルコース）負荷試験である（☞ p.214）．
4. × HbA1cの値が6.5％以上であれば糖尿病型と判定される．糖尿病の診断の際には，血糖値などとHbA1cを組み合わせて判断される（☞ p.214）．
5. × HbA1cは，短期間の急な変動を反映しにくく，赤血球の寿命（120日）の影響を受けることから，最近約2ヵ月間の血糖値の平均値を反映する（☞ p.37）．
6. ○ グリコアルブミンは不可逆的に糖化されて生成する安定な糖化蛋白である．アルブミンの変動や代謝の影響を受けるが，グリコアルブミンの血中濃度は最近2週間の平均血糖値を表す指標である（☞ p.38）．
7. × C-ペプチドはプロインスリンからインスリンとともに産生され，尿中排泄量は膵臓ランゲルハンス島β細胞の機能の指標である．インスリン分泌低下時には，C-ペプチドの排泄量は低下する（☞ p.94）．
8. ○ キロミクロンは，食事由来の外因性の脂質を遊離脂肪酸として末梢組織に供給する（☞ p.45）．
9. × HDLは，末梢組織の過剰なコレステロールを引き抜き，肝臓へ戻す作用がある（☞ p.40）．
10. ○ TGは貯蔵脂質であり，必要に応じて血中を移動し，エネルギー源である脂肪酸を生成する（☞ p.44）．
11. × 空腹時採血において，血中TG≧150 mg/dLの場合は，高TG血症が疑われる（☞ p.218）．
12. ○ 血中LDL-C≧140 mg/dLの場合は，高LDL-C血症が疑われる（☞ p.218）．
13. ○ 血中HDL-C＜40 mg/dLの場合は，低HDL-C血症が疑われる（☞ p.218）．
14. × 高尿酸血症は，核酸プリン塩基由来の尿酸生成亢進と，腎臓での尿酸排泄低下から，血清尿酸値が7.0 mg/dLを超える場合と定義されている（☞ p.55，220）．
15. ○ 骨粗鬆症では，骨形成よりも骨吸収が優勢となり，骨吸収マーカーDPDの尿中濃度，NTXの尿中濃度や血清中濃度，破骨細胞由来のTRACP-5bの血中濃度の上昇などがみられ，骨粗鬆症の病態改善効果を判断するために用いられる（☞ p.70，223）．
16. ○ P1NPは，骨芽細胞で合成・分泌されたI型コラーゲンがペプチダーゼにより切断された際に放出される代謝産物であり，骨形成マーカーとして骨粗鬆症の病態改善効果を判断するために用いられる（☞ p.70）．
17. × 若年者の骨密度の平均値が70％未満の場合を骨粗鬆症として診断する（☞ p.222）．

問5

1. ○ コルチゾールはACTHの刺激によって分泌され，肝臓での糖新生を促進し，末梢組織でのグルコースの取込みを抑制する（☞ p.73）．
2. × 甲状腺機能亢進症であるバセドウ病が，未治療の場合には，FT_4の血中濃度は上昇，TSHの血中濃度は低下する（☞ p.206）．
3. ○ クッシング症候群のうちでACTH依存性であり，下垂体腺腫によるものをクッシング病という（☞ p.209）．
4. × 尿中の17-OHCSは，11-デオキシコルチゾール，コルチゾールやコルチゾンに由来し，糖質コルチコイドの分泌量の指標となる．（☞ p.211）

5. ○ メチラポンによりコルチゾール合成酵素を阻害すると，フィードバックによって ACTH 分泌が増え，コルチゾール前駆体の尿中代謝物である 17-OHCS が増加する（☞ p.211）．
6. × アジソン病では，コルチゾール産生低下から低血糖，鉱質コルチコイド低下による低血圧，低 Na 血症および高 K 血症を伴う（☞ p.74, 210）．
7. × レニンは，循環血漿量の減少あるいは糸球体血圧の低下に反応して腎臓の傍糸球体細胞から分泌される．副腎皮質球状層からはアルドステロンが分泌される（☞ p.75, 77）．
8. ○ 原発性アルドステロン症では，アルドステロン産生腫瘍や副腎皮質球状層過形成によるアルドステロン分泌過剰から昇圧をきたし，負のフィードバックからレニン活性は低下する（☞ p.76）．
9. ○ 続発性アルドステロン症では，レニン産生腫瘍や，肝硬変，腎血管狭窄による輸入細動脈圧低下からレニン活性は増加し，血圧が上昇する（p.76）．
10. × SIADH では，ADH の持続的分泌による体水分貯留をきたし，血液が希釈されて低 Na 血症などを呈する（☞ p.86）．

問 6

1. × SCC 抗原およびシフラは扁平上皮がんの腫瘍マーカーとして使用される．小細胞と非小細胞肺がんの鑑別は，治療方針に影響を与える（☞ p.116, 205）．
2. × NSE は小細胞肺がんや神経芽細胞腫の腫瘍マーカーとして使用される．小細胞と非小細胞肺がんの鑑別は，治療方針に影響を与える（☞ p.118, 205）．
3. × AFP および PIVKA-II は，肝がんの腫瘍マーカーとして有用である．AFP は PIVKA-II より感度は高いが，特異度は劣る（☞ p.114, 115, 181）．
4. ○ 肺の扁平上皮がんなどで，腫瘍由来の副甲状腺ホルモン（PTH）関連ペプチドである PTHrP が異常分泌されることにより，高 Ca 血症を合併する場合がある（☞ p.82）．
5. × PSA は前立腺上皮から特異的に分泌される蛋白融解酵素であり，前立腺がんのスクリーニングに使用されるが，加齢や前立腺肥大症でも上昇し，特異度は劣る（☞ p.117, 195）．
6. × CA19-9 は膵臓がん，胆嚢がんなどで使用される．乳がんでは CA15-3 などが使用される（☞ p.115, 118）．
7. × CEA は，胃がんのみならず，大腸がん，膵がん，肺がんなどで上昇することから，特異度は劣る．また，唾液の混入などによる偽陽性も報告されている（☞ p.114）．
8. ○ HER2 の過剰発現が認められる抗 HER2 抗体薬の治療効果がより期待される乳がんおよび胃がんの患者を特定するためのコンパニオン診断として実施される（☞ p.120）．
9. × *KRAS* 遺伝子変異がみられない野生型の場合には，大腸がんに対する抗ヒト上皮細胞成長因子受容体抗体薬であるセツキシマブなどの治療が有効であり，変異型では効果が期待されないことから，コンパニオン診断として実施される（☞ p.121）．

問 7

1. ○ （☞ p.97）
2. ○ （☞ p.108）
3. × ASO は，溶血性連鎖球菌の産生するストレプトリジン O に対する抗体であり，溶連菌の感染で高値を示す（☞ p.105）．
4. × 抗核抗体は，SLE では強陽性を示すが，関節リウマチに対する特異性は高くない（☞ p.108）．
5. × IgG の Fc 部分に対する抗体である．大部分は IgM 抗体に属する（☞ p.109）．
6. ○ （☞ p.111）

7. ○ (☞ p.109)

問 8
1. ○ (☞ p.161)
2. ○ (☞ p.139, 196)
3. × バイタルサインとは生命に危険が迫っているのかを判断する指標であり，腱反射は含まれない．バイタルサインには，呼吸，脈拍，血圧，意識，体温などがある (☞ p.142).

問 9
1. × ヘリコバクター・ピロリの検出に用いられる (☞ p.122).
2. × 結核菌の感染の有無を調べることができる (☞ p.126).
3. × チール・ネールゼン染色は，結核菌などの抗酸菌の染色に用いられる (☞ p.125).
4. ○ (☞ p.130)
5. ○ (☞ p.131)

問 10
1. × 主要な目標は，患者の情報を収集することではなく，症状の把握や異常の発見に努め，治療薬の妥当性，治療継続や変更等，医療者として治療に貢献することである (☞ p.142〜145).

問 11
1. ○ (☞ p.151)
2. × 尿糖は，糖尿病のスクリーニングに利用されるが，軽症の糖尿病患者では，陰性となることがあるため，診断基準には含まれない (☞ p.148).
3. × 尿ウロビリノゲンは，溶血などビリルビン産生が亢進した場合や肝疾患などで増加し，閉塞性黄疸など，ビリルビンが胆汁中に排泄されない疾患では減少する (☞ p.150).
4. ○ (☞ p.152)
5. ○ (☞ p.170)

問 12
1. × 髄液圧の上昇，蛋白の上昇，糖の低下を認める (☞ p.234).
2. ○ くも膜下出血の急性期には，血性髄液を認める．その後，時間の経過とともにキサントクロミーと呼ばれる赤血球破壊によって生じる間接ビリルビンの色調である黄色の髄液となる (☞ p.226).

索 引

和文索引

あ

アイソザイム　58
アガロースゲル　46
アキネシンⅡ　165
アクアポリン　85
悪性腫瘍　61
悪性貧血　61
悪性リンパ腫　164
アジソン病　29, 36, 73, 75, 93
アシドーシス　27, 30, 141
アスパラギン酸アミノトランスフェラーゼ　58
アスベスト　204
アニオンギャップ　30, 140
アノマリー　63
アポ蛋白A　40
アポ蛋白B　42
アポトランスフェリン　32
アミラーゼ　64
アミラーゼ・クレアチニンクリアランス比　65
アミロイドβペプチド　230
アメーバ赤痢　173
アラニンアミノトランスフェラーゼ　58
アルカリホスファターゼ　62
アルカローシス　27, 30, 141
アルギニンバソプレシン　85, 212
アルコール性肝障害　67, 174
アルツハイマー病　230, 253
アルドステロン　28, 75, 91
アルドステロン症　76, 96, 158
アルファ胎児蛋白(α-フェトプロテイン)　114
α_1-アンチトリプシン欠損症　199
アルブミン　17, 48, 80, 190
アレルギー性疾患　240
アンギオテンシンⅡ　75, 77
アンギオテンシン変換酵素　77
安静時狭心症　160
アンチトロンビン　23
安定化フィブリン　21
アンドロゲン　72, 74
アンモニア　50

い

イオン電極法　xxvi
胃潰瘍　168
胃がん　170
胃がんの分類(早期)　171
胃がんリスク層別化検査　122
意識レベル　143
一次止血　17
一次性ネフローゼ症候群　192
一次線溶　24
1秒量/1秒率　139, 199
1回換気量　138
一酸化炭素拡散能　140
遺伝子関連検査　119
イムノアッセイ　xxvi
イムノクロマト法　xxvii
イムノラジオメトリックアッセイ　xxvi
易罹患性検査　120
インスリノーマ　36, 95
インスリン　35, 94, 214
インスリン拮抗ホルモン　35
インスリン自己抗体　217
インスリン様成長因子　83
陰性尤度比　4
インターフェロンγ遊離試験　124, 125, 203
院内肺炎　200
インフルエンザ　111

う

ウイルス性肝炎　174, 251
ウイルス性髄膜炎　235
ウェゲナー肉芽腫　243
ウエスタンブロット法　xxviii
受身(粒子)凝集反応　xxvii
右心不全　199
うつ病　254
ウロビリノゲン　56, 182
ウロビリノゲン，尿　150
運動負荷心電図検査　136

え

液状培地　128
エストラジオール　90
エストロゲン　87, 90, 92
エラスターゼ1　118, 185, 187
エリスポット　203
エリスロポエチン　12
塩基余剰　140
嚥下性肺炎　200
炎症性腸疾患　172
炎症マーカー　97

お

黄色腫　218
黄色ブドウ球菌ペニシリン結合蛋白2′　124
黄体形成ホルモン　86, 88
黄体形成ホルモン放出ホルモン　86
黄体ホルモン　90
黄疸　57, 178, 182
小川培地　128, 203
オステオカルシン　70
オートタキシン　175, 177
音響陰影　183

か

外因性経路(血液凝固)　19
咳嗽　198
改訂長谷川式簡易認知症スケール　230
潰瘍　168
潰瘍性大腸炎　152, 172
化学発光酵素免疫測定法　xxvii
化学発光免疫測定法　xxvii
芽球　11
喀痰　198
拡張期血圧　143
確定診断　120
ガスクロマトグラフィー質量分析法　xxv
ガストリン放出ペプチド前駆体　117
下大静脈　136
褐色細胞腫　158
活性型レニン定量　77
活性化部分トロンボプラスチン時間　20
カットオフ値　2
カリウム　28
カリウム保持性利尿薬　29
顆粒球　11
顆粒球コロニー刺激因子　11
カルシウム　30
カルシトニン　30, 82
肝炎　174
肝炎ウイルス　99
肝炎ウイルスマーカー　99
肝がん　59, 67, 180
間欠熱　144
肝硬変　32, 36, 59, 61, 150, 178, 251
肝細胞がん　114, 180, 252
肝実質機能　68
間質性肺炎　106
肝性昏睡　50
肝性脳症　178
間接干渉　8

間接蛍光抗体法 xxvii, 108
間接ビリルビン 56, 150
関節リウマチ 238, 243
感染症 97
がん胎児性抗原 114
感度 3
肝内結石 182
γ-グルタミルトランスペプチダーゼ 66
乾酪壊死 203

き

偽陰性 3
気管支喘息 196
起坐呼吸 196
基質拡張型β-ラクタマーゼ産生菌 123
基準値（基準範囲） 2
気道過敏性試験 196
記銘力障害 230
逆受身赤血球凝集反応 xxvii
急性肝炎 34, 59, 61, 150, 174
急性心筋梗塞 65, 248
急性腎不全 188
急性膵炎 64, 184
急性前骨髄球性白血病 165
急性白血病 164
凝固系 166
狭心症 160
偽陽性 3
胸部X線検査 137, 157, 159
巨核球 18
虚血性心疾患 134, 160
巨赤芽球性貧血 12, 163
ギランバレー症候群 236
気流閉塞 198

く

クォンティフェロン® 125, 203
口すぼめ呼吸 199
クッシング症候群 28, 36, 72, 75, 84, 93, 93, 95, 149, 158, 209
クームス・ゲル分類 240
クモ状血管腫 178
くも膜下出血 225
クラインフェルター症候群 75
グラスゴー・コーマ・スケール 143
クラミジア・トラコマチス 131
クラミジア・トラコマチスDNA 131
クラミジア・トラコマチス抗原/抗体 99
グリコアルブミン 38, 216
グリコーゲン 35
グリコヘモグロビン 37
グルカゴノーマ 36

グルカゴン 35
グルカゴン様ペプチド-1 35
グルクロン酸抱合 56
グルコース 35, 148
グルコース依存性インスリン分泌刺激ポリペプチド 35
グルコースモニター 112
クレアチニン 52
クレアチニンクリアランス 52
クレアチンキナーゼ 65
クレチン病 206
グロブリン 48
クロライドシフト 29
クロール 29
クローン病 172

け

蛍光抗体法 xxvii
経口ブドウ糖負荷試験 36
蛍光法（結核菌塗抹検査） 125
経静脈的免疫グロブリン療法 237
経皮的動脈血酸素飽和度 140
稽留熱 144
劇症肝炎 59, 174
下血 170
ゲスタゲン 90
血圧 143
血液凝固因子 17
血液凝固系 18
結核 124, 202
結核菌 124
結核菌群 129
結核菌DNA 128
結核性髄膜炎 235
血管超音波検査 136
血管内皮細胞 17
血漿 6
血漿浸透圧 27, 29
血小板 17
血小板数 18, 181
血漿レニン活性 77
血清 6
血性髄液 226
血清鉄 31, 163
血清フェリチン 163
血清補体価 175
血清リポ蛋白 46
結石 182
結節性多発動脈炎 243
血栓 160
血中尿素窒素 51
血中ペプシノゲンI/II比 170
血糖（値） 35, 73, 214, 216
血糖降下薬 36
血友病 20
ケトアシドーシス 149
原器的標準物質 5
検体測定室 112

見当識障害 230
原発性アルドステロン症 28
原発性肝細胞がん 252
原発性骨粗鬆症 222
原発性脂質異常症 218
原発性胆汁性肝硬変 63, 109, 178

こ

抗CCP抗体 110, 239, 243
抗DNA抗体 175
抗dsDNA抗体 243
抗GAD（グルタミン酸デカルボキシラーゼ）抗体 217
抗Gal（ガラクトース）欠損IgG抗体 110, 239, 243
抗IA-2（インスリノーマ関連蛋白2）抗体 217
抗Jo-1抗体 243
抗LKM-1抗体 174
抗RNP抗体 175
抗Scl-70抗体 243
抗Sm抗体 175, 243
抗SS-A/SS-B抗体 243
抗TSH受容体抗体 79, 207
抗U1-RNP抗体 243
好塩基球 11
抗核抗体 108, 174, 243
抗核抗体検査 242
高カリウム血症 28
抗カルジオリピン抗体 243
高感度CRP 97
抗凝固剤 7
抗クラミジアIgG/IgA抗体 131
高血圧 158, 249
高血圧緊急症 159
高血糖 35
高血糖高浸透圧昏睡 215
膠原病 97, 242
膠原病性間質性肺炎 107
好酸球 11
抗酸菌同定検査 125
鉱質コルチコイド 72
甲状腺機能異常症 206
甲状腺機能亢進症 36, 38, 66, 79, 80, 149, 158, 206
甲状腺機能低下症 36, 66, 79, 84, 206
甲状腺刺激型抗体 79
甲状腺刺激阻害型抗体 79, 206
甲状腺刺激ホルモン 78
甲状腺刺激ホルモン放出ホルモン 78
甲状腺ペルオキシダーゼ 79, 207
甲状腺ホルモン 78, 79, 206
抗膵島細胞質抗体 217
抗ストレプトキナーゼ抗体 105
抗ストレプトリジンO抗体 105
抗セントロメア抗体 243

和文索引 283

高速液体クロマトグラフィー　xxv
拘束性換気障害　139
酵素法　xxviii
酵素免疫測定法　xxvi
好中球　11
高張食塩水負荷試験　86, 213
後天性免疫不全症候群　244, 255
高ナトリウム血症　28
高尿酸血症　54, 220
高拍出性心不全　156
高比重リポ蛋白　40, 46
抗平滑筋抗体　175
高マグネシウム血症　34
抗ミトコンドリア抗体　109
抗利尿ホルモン　27, 85, 212
抗利尿ホルモン不適合分泌症候群　86
抗リン脂質抗体症候群　243, 255
呼気時間延長　199
呼吸困難　196
呼吸数　142
呼吸性変動　136
呼吸不全　141
国際生物学的標準物質　5
国際単位　5
黒色石　182
黒色便　168, 170
固縮　228
個体間変動　6
個体内変動　6
骨塩定量　223
骨型アルカリホスファターゼ　69
骨吸収マーカー　69
コッククロフトとゴールトの式　52
骨形成マーカー　69
骨髄性白血病　164
骨折　222
骨粗鬆症　63, 71, 82, 222
骨代謝疾患　69
骨代謝マーカー　62, 69, 223
骨マトリックス関連マーカー　69
骨密度測定　223
ゴナドトロピン　86, 89
ゴナドトロピン放出ホルモン　86
個別化医療　120
コリンエステラーゼ　68
コルチゾール　73, 76, 91, 209
コレステロール　39, 192, 218
コレステロールエステル転送蛋白　40
コレステロール結石　182
コロトコフ音　143
混合性結合組織病　243
コンパニオン診断　120, 171

さ

細菌性髄膜炎　235
細菌性赤痢　173
最小発育阻止濃度　123
再生不良性貧血　12, 32, 34, 163
最大呼気流速　139
サイトケラチン19フラグメント　116
サイトメガロウイルス　174
サイロキシン　79
サイロキシン結合グロブリン　80
サイログロブリン　78, 207
左室駆出率　136
酸塩基平衡　27, 29
酸化LDL　43
酸性ホスファターゼ　62
酸素分圧　140
酸素飽和度　140

し

シアリルLe^a　115
シアリルLe^{X}-i　116
シアル化糖鎖抗原　105
シェーグレン症候群　243
敷石像　172
自己抗体　80, 207, 217, 242
自己免疫疾患　108
自己免疫性肝炎　174
脂質異常症　39, 218
シスタチンC　53
姿勢反射障害　228
市中肺炎　200
弛張熱　144
シフラ　116, 205
脂肪肝　59, 67, 68, 177
脂肪酸　44
ジャパン・コーマ・スケール　143
収縮期血圧　143
縦走潰瘍　172
重炭酸イオン　140
17α-ヒドロキシラーゼ欠損症　249
十二指腸潰瘍　168
12誘導心電図　132
絨毛がん　90
手掌紅斑　178
酒石酸抵抗性酸性ホスファターゼ-5b　70
出血時間　19
出生前診断　120
腫瘍マーカー　113
消化管内視鏡　170
症候性蛋白尿　148
症候性パーキンソニズム　227
小葉中心型肺気腫　198
食道がん　250
食道静脈瘤　178
徐呼吸　142
女性化乳房　178
女性ホルモン　86
腎盂腎炎　146

心音　143
新型コロナウイルス感染症　111
心胸郭比　137
心筋梗塞　59, 160, 218
真菌性髄膜炎　235
神経心理検査　230
神経特異性エノラーゼ　117
人工呼吸器関連肺炎　200
進行性筋ジストロフィー　59, 66
心室細動　154
心室性期外収縮　133
心室頻拍　134, 154
心腎連関　190
腎性高血圧　158
腎性蛋白尿　148
腎性糖尿　36
腎性尿崩症　85
腎性貧血　12
振戦　228
心臓超音波検査　136, 157, 159
迅速ウレアーゼ試験　168
診断閾値　4
心電図　132, 155, 157, 159, 161
浸透圧　27
心拍出量　156
心不全　146, 156
腎不全　28, 34, 188
深部体温　144
心房細動　154
心房性ナトリウム利尿ペプチド　27, 95

す

髄液圧　234
膵炎　184
膵がん　67, 115, 186
膵酵素　185
推算Ccr　53
推算糸球体濾過量　190
膵石　185
膵体尾部がん　186
膵頭部がん　186
髄膜炎　233
髄膜刺激症候　233
スクラッチテスト　241
スパイログラム　138
スパイロメトリー　199
スプーン状爪　162

せ

性器クラミジア　131
成人T細胞白血病　104
性腺刺激ホルモン　86
成長ホルモン　83
成長ホルモン放出ホルモン　83
生理的蛋白尿　148
生理的変動　6

赤外吸収スペクトロメトリー xxv
赤芽球 12
赤沈（赤血球沈降速度） 16
脊椎X線撮影 223
赤血球恒数 15, 162
赤血球数 12, 162
セルロースアセテート膜 46, 48
線維素溶解（線溶） 18
遷延性無呼吸 68
全血 6
全身性エリテマトーデス 243
全身性炎症反応症候群 184
全身性強皮症 243
喘息 196
先端巨大症 84, 95, 158
疝痛 182
線溶系 18, 166
前立腺炎 194
前立腺がん 117, 194
前立腺疾患 194
前立腺特異抗原 117, 195
前立腺肥大症 194

そ

造血幹細胞 10
総コレステロール 39, 207
総蛋白 48
総鉄結合能 32
総ビリルビン 57
測定前誤差 7
続発性骨粗鬆症 222
続発性脂質異常症 218
組織因子 17
組織プラスミノゲン活性化因子 25
ソマトスタチン 83
ソマトメジン 83

た

体温 144
耐性菌 123
大腿骨近位部 222
大腸がん 152, 170, 250
大腸がんの分類 171
体表面温度 144
タウ蛋白 230
多剤耐性緑膿菌 123
脱水症 28
ターナー症候群 75
多発性筋炎 243
多発性骨髄腫 31
タール便 168
胆管がん 62, 67
胆管結石 182
単球 11
胆汁うっ滞 62, 178
男性ホルモン 86

胆石 182
胆道系酵素 183
胆道疾患 67
胆囊結石 182
蛋白分画 48

ち

チアノーゼ 196
地図状潰瘍 172
チャイルド分類 179
中枢性尿崩症 85, 212
中性脂肪 218
腸肝循環 150, 182
超低比重リポ蛋白 43, 46
直接干渉 8
直接ビリルビン 56, 150
貯蔵鉄 31
治療閾値 4
チール・ネールゼン染色 125, 203

つ

痛風 54, 147, 220
ツベルクリン反応 124, 203

て

低カリウム血症 28
低血糖 35
ディスク拡散法 123
低体温 145
低ナトリウム血症 28
低比重リポ蛋白 42, 46
低ホスファターゼ症 63
低マグネシウム血症 34
デオキシピリジノリン 70
デキサメタゾン抑制試験 73, 75, 211
テストステロン 74, 86, 88
テタニー 30
鉄 13, 31
鉄芽球性貧血 163
鉄結合能 32
鉄欠乏性貧血 12, 32, 34, 163
デヒドロエピアンドロステロン 74
転移性肝がん 61, 180
電解質 27
電気泳動法 xxviii
電気化学発光免疫測定法 xxvii
電気軸 132
伝染性単核球症 174
テント状T波 28

と

糖化アルブミン 38
糖化ヘモグロビン 37
統合失調症 254

橈骨動脈 143
糖鎖 114
動作緩慢 228
糖質コルチコイド 72
糖新生 35
洞調律 133
糖尿病 36, 38, 147, 149, 214, 252
糖尿病ケトアシドーシス 215
糖尿病細小血管障害 216
糖尿病性昏睡 216
糖尿病大血管障害 216
動脈血ガス分析 140, 196, 199
動脈硬化症 216
動脈瘤 226
特異的IgE 197, 241
特異度 3
特発性間質性肺炎 106
吐血 168, 170
ドパミン 93, 227
ドライバー遺伝子 204, 205
トランスアミナーゼ 174
トランスフェリン 31, 32
トリグリセリド 44
トリプシン 185
努力性肺活量 139
トリヨードサイロニン 79
トルサード・デ・ポワンツ 134, 154
トロンビン 19
トロンビン・アンチトロンビン複合体 23, 167
トロンボポエチン 18

な

ナイアシン試験 125
内因性経路（血液凝固） 19
内視鏡検査 173
ナトリウム 27
ナトリウム利尿ペプチド 27, 95, 137
75g経口グルコース負荷試験 216

に

2型糖尿病 214
二酸化炭素分圧 140
二次止血 17
二次性高血圧 158
二次性ネフローゼ症候群 192
二次線溶 24
二重X線吸収法 223
乳酸脱水素酵素 60
尿pH 147
尿ウロビリノゲン 150
尿ケトン体 149
尿検査 146, 189
尿酸 54, 220
尿浸透圧 146

尿潜血反応　151
尿素呼気試験　122, 168
尿素サイクル　51
尿素窒素　51
尿蛋白　147, 190
尿糖　148
尿毒症　188
尿比重　146
尿ビリルビン　150
尿崩症　28, 85, 146, 212
尿量　146

ね

ネフローゼ症候群　17, 28, 38, 68, 192
粘液水腫　206
粘血便　172
粘膜橋　172
粘膜筋板　168
粘膜びらん　172

の

脳炎　233
脳血管障害　224
脳血管障害性パーキンソニズム　227
脳血管性認知症　230
脳血栓　224
脳血流 SPECT　231
脳梗塞　225, 253
脳出血　225
脳性ナトリウム利尿ペプチド　27, 95, 137
膿性白苔　172
脳脊髄液　226, 234
脳脊髄液検査　236
脳塞栓　225, 253

は

肺炎　200
肺拡散能力　140
肺活量　138
肺過膨張所見　199
肺がん　116, 204
肺気腫　198
肺機能検査　138
肺結核　202
敗血症　126, 249
肺高血圧症　199
肺サーファクタント蛋白-A　106
肺線維症　106
バイタルサイン　142
梅毒血清反応　98
梅毒トレポネーマ　98
肺胞呼吸音減弱　199
肺野透過性亢進　199

パーキンソニズム　227
パーキンソン病　227
橋本病　79, 81, 206
播種性血管内凝固症候群　166, 249
波状熱　144
バセドウ病　79, 80, 206
バソプレシン　27, 72, 85
バソプレシン負荷試験　86, 213
白血球数　10
白血球分画　11
白血病　164
発症前診断　120
パニック値　4
羽ばたき振戦　178
パラトルモン　81
パルスオキシメーター　140
汎血球減少　162
パンコースト症候群　204
バンコマイシン耐性腸球菌　123
汎小葉型肺気腫　198

ひ

非アルコール性脂肪性肝疾患　176
ピークフロー　139
非結核性抗酸菌 DNA　128
ヒスタミン遊離試験　241
ビタミン B_{12}　163
ビタミン D　30, 81
ビタミン D 欠乏症　63
非蛋白窒素　51
ヒト T 細胞白血病 I 型ウイルス　104
ヒト遺伝学的検査　4, 119
ヒト型結核菌　129
ヒト絨毛性ゴナドトロピン　89
ヒト体細胞遺伝子検査　119
ヒト免疫不全ウイルス　102, 244
皮内テスト　241
皮膚筋炎　243
非抱合型ビリルビン　56
非ホジキンリンパ腫　164
びまん性粗糙　173
病原体遺伝子検査　119, 125, 128, 203
病態識別値　4
びらん　168
ビリルビン　56, 175, 183
ビリルビン，尿　150
ビリルビン結石　182
貧血　162
頻呼吸　142

ふ

フィジカルアセスメント　142
フィブリノゲン　17, 21
フィブリン　17

フィブリン・フィブリノゲン分解産物　23
フェリチン　31, 32, 33, 163
フォン・ウィルブランド因子　17
副甲状腺機能亢進症　31, 63
副甲状腺機能低下症　31
副甲状腺ホルモン　30, 81
副雑音　142
副腎皮質機能不全　36
副腎皮質刺激ホルモン　72
副腎皮質刺激ホルモン放出ホルモン　72
副腎皮質ホルモン　28, 72
腹部超音波検査　181, 183
腹壁静脈怒張　178
腹膜播種　186
不整脈　154
不飽和鉄結合能　32
プラーク　160
プラスミノゲン　25
プラスミン　23
プラスミンインヒビター　25
プラスミンインヒビター・プラスミン複合体　25
プリックテスト　241
フリードワルドの計算式　44
プリン塩基　54
ブリンクマン指数　204
プリン体　220
フルクトサミン　38
プロカルシトニン　126
プロゲステロン　86, 88, 90, 92
プロコラーゲンIIIペプチド　175
フローサイトメトリー法　xxviii
プロトロンビン時間　19
プロトンポンプ阻害薬　169
フローボリューム曲線　139
プロラクチン　93
プロラクチン放出ホルモン　93
プロラクチン放出抑制ホルモン　93
分子標的薬　120

へ

平均赤血球血色素（ヘモグロビン）濃度　15
平均赤血球血色素（ヘモグロビン）量　15
平均赤血球容積　15
閉塞性黄疸　63
閉塞性換気障害　139, 198
β-D-グルカン　127
β-ラクタム系抗菌薬　124
ベーチェット病　243
ペニシリン結合蛋白2′　124
ヘマトクリット　14, 162
ヘム　13, 56
ヘム鉄　31

ヘモグロビン　12, 13, 31, 56, 151, 162
ヘモグロビン，便中　152, 170
ヘモクロマトーシス　32
ヘリコバクター・ピロリ　122, 168, 170
ヘリコバクター・ピロリの除菌　169
便潜血検査　152, 170
便中ヘモグロビン　152, 170
便中ヘリコバクター・ピロリ抗原　168

ほ

ポイントオブケアテスティング　111
抱合型ビリルビン　56
房室ブロック　155
ホジキンリンパ腫　164
発作性上室性頻拍　154
発作性心房細動　248
ポリアクリルアミドゲル電気泳動法　46
ポリメラーゼ連鎖反応　xxv
ホルター心電図　136
ボルマン分類　171
本態性高血圧　158

ま

マグネシウム　34
マクロアミラーゼ血症　64
末梢神経伝導検査　236
マトリックスメタロプロテアーゼ-3　239
慢性肝炎　59, 61, 174
慢性気管支炎　198
慢性甲状腺炎　206
慢性骨髄性白血病　165
慢性腎臓病　190
慢性腎不全　188
慢性膵炎　184
慢性白血病　164
慢性閉塞性肺疾患　198

み

ミオグロビン　31
水制限試験　86, 213

脈拍　143

む

無機リン　31
無動　228

め

メサラジン　173
メタボリックシンドローム　176
メチシリン耐性黄色ブドウ球菌　123
メチラポン試験　211
メデューサの頭　178
免疫チェックポイント阻害薬　205
免疫不全　12, 201, 244

も

網状赤血球　16, 163
モニター心電図　136

や

薬剤感受性試験　123
薬剤耐性菌　123
薬物性肝炎　174
薬物性肝障害　67
薬物性パーキンソニズム　227

ゆ

有機リン系農薬中毒　68
尤度比　4
誘発試験　241
遊離ビリルビン　56

よ

溶血　8
溶血性貧血　12, 61, 163
葉酸　163
陽性尤度比　4
予防医学的閾値　4

ら

ラジオイムノアッセイ　xxvi
ラッセル音（ラ音）　142

ラテックス凝集比濁法　xxvii
卵巣がん　115
ランバート・イートン症候群　204
卵胞刺激ホルモン　87
卵胞ホルモン　90

り

リアルタイム PCR　xxvi, 128
リアルタイム RT-PCR　xxvi
リウマチ性多発筋痛症　243
リウマトイド因子　109, 239, 242
リウマトイド結節　238
リキッドバイオプシー　119
リード・スタンバーグ細胞　164
リパーゼ　185
リポ蛋白　39, 218
リポ蛋白分画　46
リポ蛋白リパーゼ　44
臨床判断値　4
リンパ球　11
リンパ球サブセット　103
リンパ球幼若化試験　175
リンパ性白血病　164

る

ルイス式抗原　115
ループスアンチコアグラント　243

れ

レイノー現象　242
レシチンコレステロールアシルトランスフェラーゼ　40
レニン　77
レニン・アンギオテンシン・アルドステロン系　27, 75

ろ

ロイシンアミノペプチダーゼ　67
労作時呼吸困難　199
労作性狭心症　160
肋骨横隔膜角　137

わ

ワルファリン　21

欧文索引

A

α_1-アンチトリプシン欠損症　199
α-フェトプロテイン　114
α_2PIC　25
A型肝炎　174
A型肝炎ウイルス　101
A群β溶血性連鎖球菌　112
ABC分類　122
ACCR　65
ACE　77
ACP　62
ACTH　72
ACTH負荷試験　75
AD　230
ADH　27, 29, 72, 77, 85
ADH不適合分泌症候群　86
AF　154
AFP　114, 175
AFP-L3分画　179, 181
AG　30, 140
1,5-AG　37, 217
AIDS　244
AIDS指標疾患　245
ALP　62, 175
ALT　58, 174
AMA　109
AMY　64, 185
ANA　108
ANP　27, 95
APTT　20
AQP2　85
ARC　77
ART　245
ASK　105
ASO　105
AST　58, 174
AST/ALT比　58
ATL　104
AVP　85, 212

B

β-D-グルカン　127
β-ラクタム系抗菌薬　124
B型肝炎　174
B型肝炎ウイルス　101, 129
BAP　69
BCA225　118
BCG接種　203
BE　140
BNP　27, 95, 137, 157
BUN　51

C

C型肝炎　174
C型肝炎ウイルス　102, 130
C-ペプチド　94, 216
Ca　30
CA125　115
CA15-3　118
CA19-9　115, 186
CA72-4　118
C-ANCA　243
CAST study　155
Ccr　52, 189
CD4陽性Tリンパ球　244
CEA　114, 171, 205
CETP　40
CH50　175
ChE　68, 175
Chlamydia trachomatis　131
CK　65
CKD　190
CKD-MBD　71
CK-MB　65
Cl　29
CLEIA　xxvii
CLIA　xxvii
CO_2ナルコーシス　141
Cockcroft & Gaultの式　52
colic pain　182
COPD　198
CPA　137
Cr　52, 189
CRH　72
CRH試験　211
CRP（C反応性蛋白）　97
CT　225, 228, 231, 234
CTR　137
CTX　70
CVD　224
Cys-C　53

D

D型肝炎　174
D-ダイマー　24
D領域　21
DAT-scan　229
DBP　143
DEXA（DXA）　223
DHEA　74
DHEA-S　211
DIC　166, 249
DIP　223
DLCO　140
DPD　70
DUPAN-2　118, 186

E

E_2　90
E領域　21
EBウイルス　174
ECLIA　xxvii
eGFR　190
EIA　xxvi
ELISPOT　203
ERCP　183, 185
ESBL産生菌　123
ESR　16

F

FA　xxvii
FDG-PET　231
FDP　23
Fe　31
$FEV_1/FEV_{1.0}$%　139
FISH　xxv
FOLFIRINOX療法　187
FSH　87, 93
FT_3　80, 207
FT_4　80, 207
FVC　139

G

γ-GT　66
GC/MS　xxv
GCS　143
G-CSF　11
GH　83
GHRH　83
GIP　35
GLP-1　35
GnRH　86
GVS　236

H

H_2ブロッカー　169
HA-IgA/HA-IgG抗体　101, 175
HAV　101
Hb　13
HbA1c　37, 214, 216
HBs抗原　101, 175
HBV　101, 129
HBV-DNA　102, 129, 175
HCG　89
HCO_3^-　30, 140
HCV　102, 130
HCV抗体　175
HCV-RNA　130, 175
HDL　40, 46
HDL_2, HDL_3　40
HDL-C　40, 219
HDS-R　230

HIV　102, 202, 244
HIV感染症　244
HIV-RNA　244
HPLC　xxv
Ht　14
HTLV-1　104

I

^{123}I甲状腺摂取率　207
IAA　217
ICA　217
ICG　181
IFA　xxvii
IGF-1　83
IGRA　125, 203
intact PTH　81
IR　xxv
IRMA　xxvi
IVC　136
IVIg　237

J

JCS　143

K

K　28
KL-6　105
*K-ras*遺伝子　170
17-KS　73, 211

L

LA　xxvii
LAMP　xxv
LAP　67
LCAT　40
LD　60
LDL　42, 46
LDL-C　42, 219
LE細胞　243
LH　86, 88, 93
LHサージ　90
LHRH　86
Lownの重症度分類　134
LVEF　136

M

M2BPGi　175, 177
MAC　128
Major BCR-ABL　118
m-AST　58
MCH　15
MCHC　15
MCV　15
MDRP　123

*mecA*遺伝子　124
Mg　34
MGIT法　128
MIBG心筋シンチグラフィー　229
MIC　123
MMP-3　110, 239
MMSE　230
MPO染色　165
MRCP　183
MRI　225, 228, 231, 234
MRSA　123
Mycobacterium tuberculosis/bovis　129

N

Na　27
NAFLD　176
NASH　176
NCC-ST-439　187
NPN　51
NSE　117, 118, 205
NT-proBNP　95, 138, 157
NTX　70

O

OC　70
OGTT　36, 216
17-OHCS　73, 211

P

P1NP　70
p53　170
P-Ⅲ-P　175
P型AMY　64
PA　xxvii
PaCO$_2$　140, 199
P-ANCA　243
PaO$_2$　140, 199
Payneの補正式　31
PBC　109, 178
PBP-2'　124
PCR　xxv
PCT　126
PD　227
PEFR　139
PFD試験　185
pH，動脈血　140
pH，尿　147
PI　25
PIVKA(-Ⅱ)　115, 175, 179, 181
POCT　111
PRA　77
preβ-HDL　40
PRH　93
PRIH　93
PRL　93

PRL放出ホルモン　93
PRL放出抑制ホルモン　93
ProGRP　117, 205
PSA　117, 195
PSVT　154
PT　19
PTH　30, 81
PTHrP　82
PT-INR　20
PVC　133

Q

QFT　125, 203
QT延長　30
QT間隔（QT時間）　134

R

RA　238
RAA系　75
RBC　12
RF　109, 239, 242
RIA　xxvi
RNAウイルス　102
RPHA　xxvii

S

SaO$_2$　140
s-AST　58
SBP　143
SCC抗原　116, 205
SI単位　5
SIADH　86
sIL-2R　118
SIRS　184
SLX　116, 187, 205
SP-A　106
Span-1　186
SP-D　107
SpO$_2$　140
ST延長　30
ST変化　134

T

T$_3$，T$_4$　79
T波　28
TAT　23, 167
TBG　80
TC　39, 207, 219
^{99m}Tc甲状腺摂取率　207
TdP　134, 154
TG　44, 219
Tg　78
TgAb　80, 207
TIBC　32, 163
TP　48

t-PA 25
TPO 79
TPOAb 80, 207
TRAb 79, 207
TRACP-5b 70
TRH 78
TSAb 79, 207
TSBAb 79, 206
TSH 78, 207
TSH受容体 78
T-spot法 125
TV 138

U

U波 28
UIBC 33

V

VAP 200
VC 138
VD₃ 81
VF 154
VLDL 43, 46

VRE 123
VT 154

W

WBC 10
WT1 mRNA定量 118

Y

YAM 222

薬学生のための病態検査学(改訂第4版)[電子版付]

2009 年 10 月 15 日　第 1 版第 1 刷発行	編集者　三浦雅一
2014 年 3 月 1 日　第 2 版第 1 刷発行	発行者　小立健太
2018 年 11 月 20 日　第 3 版第 1 刷発行	発行所　株式会社 南 江 堂
2022 年 2 月 25 日　第 3 版第 4 刷発行	〒113-8410 東京都文京区本郷三丁目42番6号
2023 年 12 月 15 日　第 4 版第 1 刷発行	☎(出版) 03-3811-7236 (営業)03-3811-7239
2025 年 2 月 1 日　第 4 版第 2 刷発行	ホームページ https://www.nankodo.co.jp/
	印刷・製本　真興社
	装丁　node(野村里香)

Clinical Laboratory Science
ⓒ Nankodo Co., Ltd., 2023

定価は表紙に表示してあります．
落丁・乱丁の場合はお取り替えいたします．
ご意見・お問い合わせはホームページまでお寄せください．

Printed and Bound in Japan
ISBN978-4-524-40427-8

本書の無断複製を禁じます．

JCOPY〈出版者著作権管理機構 委託出版物〉
本書の無断複製は，著作権法上での例外を除き禁じられています．複製される場合は，そのつど事前に，出版者著作権管理機構(TEL 03-5244-5088, FAX 03-5244-5089, e-mail: info@jcopy.or.jp)の許諾を得てください．

本書の複製(複写，スキャン，デジタルデータ化等)を無許諾で行う行為は，著作権法上での限られた例外(「私的使用のための複製」等)を除き禁じられています．大学，病院，企業等の内部において，業務上使用する目的で上記の行為を行うことは私的使用には該当せず違法です．また私的使用であっても，代行業者等の第三者に依頼して上記の行為を行うことは違法です．